D1231518

Алексей Иванов

Алексей Иванов

ПИЩЕБЛОК

Роман

РЕДАКЦИЯ
ЕЛЕНЫ ШУБИНОЙ

Издательство АСТ
МОСКВА

УДК 821.161.1-31
ББК 84(2Рос=Рус)6-44
И20

Художник — *Андрей Ферез*

Иванов, Алексей Викторович.

И20   Пищеблок : роман / Алексей Иванов. — Москва :
Издательство АСТ : Редакция Елены Шубиной,
2019. — 413, [3] с. — (Новый Алексей Иванов).

ISBN 978-5-17-112695-7

«Жаркое лето 1980 года. Столицу сотрясает Олимпиада,
а в небольшом пионерском лагере на берегу Волги всё тихо
и спокойно. Пионеры маршируют на линейках, играют в футбол и по ночам рассказывают страшные истории; молодые вожатые влюбляются друг в друга; речной трамвайчик привозит
бидоны с молоком, и у пищеблока вертятся деревенские собаки. Но жизнь пионерлагеря, на первый взгляд безмятежная,
имеет свою тайную и тёмную сторону. Среди пионеров прячутся вампиры. Их воля и определяет то, что происходит у всех
на виду.

  "Пищеблок" — простая и весёлая история о сложных и се-
рьёзных вещах. Есть дети как дети — с играми, ссорами, фан-
тазиями и бестолковостью. Есть пионерство, уже никому не
нужное и формальное. А есть вампиры, которым надо жить
среди людей, но по своим вампирским правилам. Как вампирская мистика внедряется в мёртвые советские ритуалы и пере-
делывает живое и естественное детское поведение? Как любовь и дружба противостоят выморочным законам идеологии
и вампиризма? Словом, чей горн трубит для горниста и под
чей барабан шагает барабанщик?»

Алексей Иванов

УДК 821.161.1-31
ББК 84(2Рос=Рус)6-44

ISBN 978-5-17-112695-7

Пролог
ПЕСНЯ ГОРНА

Песней горна начинается рассвет,
Это голос пионерских звонких лет.

М.Садовский,
«Песня горна». 1972 г.

— Они были сигнальщиками. Мальчик бил в барабан, а девочка трубила в горн. Они вместе встречали каждый рассвет и провожали каждый закат. Но люди не слышали песни горна и грома барабана, не замечали, как ветер треплет пионерские галстуки сигнальщиков, не видели, как на солнце сияют глаза пионеров. Всем казалось, что девочка с горном и мальчик с барабаном сделаны из гипса. А они были живые и очень любили друг друга.

Молодой вожатый с модными усиками оглядел мальчишек в палате. Мальчишки не спали — таращились, ожидая самого страшного. Все знали, о ком идёт речь. Гипсовая девочка с горном стояла на невысоком постаменте у ворот пионерлагеря, а гипсового мальчика с барабаном не было вообще, и в асфальте темнел квадрат земли на месте исчезнувшей каменной тумбы.

— Однажды ночью, — приглушив голос, продолжал вожатый, — какие-то пионеры из нашего лагеря сбежали от вожатых, взяли камни и разбили барабанщика на куски. Утреннее солнце осветило кучу обломков. Пришли рабочие, собрали обломки и увезли на свалку. И никто не увидел, как плачет девочка с горном. Она теперь навсегда осталась одна, без своего любимого.

Мальчишки на койках пристыженно молчали. Понятно, почему: каждый из них не раз прикидывал, как расколотить гипсовую горнистку. Не со злости, конечно, а так, из праздного озорства.

— Но девочка не простила гибели мальчика. Она решила отомстить. И теперь по ночам она спрыгивает с постамента и ходит по лагерю, разыскивая тех, кто разрушил барабанщика. И если встретит в лагере кого-нибудь после отбоя, то без всякой жалости задушит каменными руками.

Пацаны лежали, изнемогая от невыносимого ужаса.

— Ну, всё, спокойной ночи, — сказал вожатый с усиками.

Он закрыл за собой дверь палаты и прошёл в свою комнату. Там его ждал напарник — слегка полноватый и кудрявый.

— Напугал их до полусмерти, — усмехаясь, сообщил вожатый с усиками. — Сочинил страшилку, что ночью гипсовая горнистка у ворот оживает, бродит по лагерю и всех душит. Мстит за барабанщика, которого расколкали.

Но кудрявый вожатый не одобрил затею усатого:

— Воспитывать страхом непедагогично.

— Зато результативно. Не будут ночью убегать из палат.

— Сомневаюсь, — возразил кудрявый. — Скорее, как-нибудь днём они разнесут горнистку вдребезги, чтобы на психику не действовала.

Усатый искренне озадачился.

— О таком повороте я не подумал, — признался он.

Кудрявый печально вздохнул.

А мальчишки в палате уже уснули, натянув на головы простыни. Не спал только мальчик на кровати, задвинутой в самый угол. Он молча смотрел в окно, словно чего-то ждал. Потом выпростал руку и взял с тумбочки очки. Потом сел. Потом встал и принялся одеваться, стараясь не шуметь. Потом направился к окну, с усилием отодрал шпингалет, осторожно распахнул створку, влез на подоконник и выпрыгнул наружу.

Мальчик шёл по ночному лагерю, прячась за густыми кустами акации. Длинную безлюдную аллею ярко освещали фонари. Едва слышно шептала листва. Где-то вдали выла собака. Было тепло, однако мальчика то и дело пробирал озноб. Мальчик очень боялся, но, поправив очки, твёрдо решил узнать: остаётся ли гипсовая горнистка по ночам на своём постаменте?

На аллее мелькнула какая-то неясная фигура, и мальчик застыл. Ртутный свет фонарей слепил, выжигая все тени, и не позволял разглядеть, кто там идёт по аллее. Идёт медленно. Как-то неуверенно, словно не привык ходить. Так ковыляют лежачие больные, когда им наконец-то позволяют подняться с постели и сделать несколько шагов. Но таких больных всегда кто-нибудь поддерживает, а человек на аллее был один. Если это вообще был человек.

По аллее шла девочка примерно того же возраста, что и мальчик, который укрывался за акацией. При каждом движении эта девочка странно подрагивала всем телом, будто в ней что-то ломалось. Белая блузка. Белая юбка. Белый пионерский галстук. Белые руки и ноги, белое безглазое лицо, белые каменные косы. Это была гипсовая горнистка. Она казалась роботом, но роботов включало электричество, а горнистку оживила тьма. Горнистка искала тех, кто убил её барабанщика. Искала, чтобы тоже убить.

Мальчик за кустами попятился, повернулся и помчался прочь.

Если тьма сильнее тебя, не покидай свой дом, пока не прозвенит песня горна.

Часть первая
СЛЕД ВАМПИРА

Голова обвязана, кровь на рукаве,
След кровавый стелется по сырой траве.

М.Голодный,
«Песня о Щорсе». 1935 г.

Глава 1
МАКАРОНЫ И БАРАБАНЫ

Олимпийские кольца укрывались даже в упругой округлости букв:

«Олимпиада-80!»

Белые полосы транспарантов были натянуты вдоль ограждения верхней палубы речного трамвайчика и по правому борту, и по левому. Правда, судёнышко шло не по Москве-реке на фоне обновлённого и величественного стадиона в Лужниках, а по Волге, и фоном были Жигулёвские горы, древние, покатые и покрытые кучерявым лесом. И вёз трамвайчик не широкоплечих атлетов-олимпийцев, а рогожные мешки с гречкой и сахаром, картонные коробки с макаронами и сухофруктами, алюминиевые бидоны с молоком — в общем, продукты для пищеблока пионерского лагеря «Буревестник». Но вымпел на мачте кораблика развевался по-олимпийски яростно.

Иван Палыч Капустин, капитан, сидел за штурвалом, больше похожим на автомобильный руль. Поверх речной тельняшки с синими полосами Иван Палыч надел чёрный китель, уже изрядно заношенный, а на голову водрузил фуражку с крабом и золотым рантом. Управлять речным трамвайчиком было не сложнее, чем автомобилем, но капитаны — везде капитаны. В любом из них было что-то властное, и потому Игорь Корзухин ощущал себя стеснённо, как школьник на экскурсии, хотя знал Иван Палыча с детства. Иван Палыч дружил с отцом Игоря, тоже капитаном, только Александр Егорыч Корзухин командовал не галошей, то есть теплоходиком типа «Москвич», а сухогрузом типа «Волго-Дон» — огромным, почти как авианосец. Игорь сидел в рубке на месте моториста, и Капустин искоса поглядывал, чтобы пассажир не взялся за рычаг, которым переводят двигатель с обычного хода на обратный, — можно запороть машину. Перед Игорем на панели темнели циферблаты: число оборотов, давление масла, температура воды охлаждения. Игорь знал, как управляют судном, и, конечно, не стал бы дёргать за рукоять: дурак он, что ли? Но Иван Палыч не доверял этому сопляку. Слишком много в юнце было выпендрёжа: и джинсы, и самодельный значок с гитаристом, и патлы.

— Чего не постригся-то перед сменой? — недовольно спросил Капустин.

— Я постригся, — ответил Игорь.

Капустин, разумеется, не понимал: когда волосы закрывают уши — это и есть самый модный причесон. Ещё Игорь отпустил усики, которые, впрочем, получились по-юношески реденькими. Ну и ладно. Летом надо успеть похипповать, ведь осенью в универе начнётся военная кафедра, где всех заставят обтесать башку машинкой под общий скучный полубокс.

Минувшей весной Игорь окончил второй курс филфака университета. После сессии студенты-филологи отправлялись на фольклорную практику по деревням

Поволжья: расспрашивали старушек про забытые обряды, записывали народные песни, местные былички и диалектные слова. На филфаке по большей части учились девушки, и поездки в глубинку всегда были наполнены любовным томлением. Шаткая ограда морали качалась под напором чувств, удерживаемая лишь воспитанием и естественной робостью. С робостью Игорь справился, а воспитание надеялся преодолеть, но в июне, к величайшей своей досаде, подхватил на Волге простуду, и в экспедицию его не взяли. Фольклорную практику деканат заменил ему педагогической: надо было отмотать одну смену вожатым в пионерлагере. Что ж, и это неплохо. Вожатыми работали студенты пединститута, точнее, студентки, потому что в педе, как и на филфаке универа, девушки тоже были в большинстве. Игорь полагал, что студентки-педагогини ничем не хуже универовских филологинь, а может, и лучше, если после практики не захочется продолжать отношения.

Широкая река на ярком солнце сверкала перед носом трамвайчика, и вдали рассыпчатый блеск сливался в сплошное ослепительное полыхание. Двигатель трамвайчика глухо клокотал где-то в недрах под рулевой рубкой. Окна рубки смотрели на все четыре стороны. Возле низкого левого берега Игорь увидел растопыренную, как железный паук, землечерпалку. Её труба, лежащая на решётчатой стреле, сплошным потоком извергала жидкую пульпу в разверстый трюм пришвартованной самоходной баржи.

— Олимпиаду в лагере-то не пропустишь? — спросил Капустин.

Олимпиада начиналась через неделю. Все ждали её открытия с каким-то непонятным предчувствием праздника — так ждут Новый год, надеясь, что всё плохое само собой отвалится и останется в прошлом. Но что особенного мог получить от Олимпиады закрытый город Куйбышев, куда иностранцев не пускали? «Фанту» и колбасу в гастрономах? Кроссовки в «Спорттоварах»? Фиг. Для СССР, исключая Москву, выгоды Олимпиады ограничивались кофтами-олимпийками и красивыми олимпийскими рублями. Игорь не испытывал ни пиетета перед всемирным ристалищем, ни какого-то нервного оживления от неких грядущих благодеяний: вообще-то их никто никому и не обещал. Однако Игорь не сказал Иван Палычу о своём скепсисе.

— Телика, наверное, в лагере нет, — дипломатично ответил он.

— Телик в корпусе, где радиокомната, — возразил Капустин.

— Откуда вы знаете? — удивился Игорь.

— Знаю, — уклончиво сказал Иван Палыч.

Игорь, сообразив, умолк. Димон Малосолов, матрос этого трамвайчика, уже растрепал, что у Палыча в пионерлагере «Буревестник» образовалась любовница — заведующая пищеблоком. Трамвайчик ходил в лагерь чуть ли не через день и часто оставался на ночь у причала, а Палыч из капитанской рубки перемещался в койку возлюбленной. Игорь позавидовал капитану: такой старый, полтинник уже, и всё ещё ходок. А у него, Игоря, у молодого и резвого, нет подруги даже после второго курса.

Кстати, Димон Малосолов тоже сумел завести себе в лагере девчонку — одну из вожаток. Пока Палыч дрых в койке своей заведующей, Малосолов романтически прогуливался по берегу Волги с вожаткой, но добился только потискать её. В конце концов Димону это надоело, и он решил поменять подругу на более сговорчивую. Его ничуть не смущало, что отвергнутая избранница всё увидит и поймёт, и ей будет больно. Игорь завидовал столь непоколебимому эгоизму Димона. С таким эгоизмом жизнь — легкотня.

Сейчас на трамвайчике в лагерь ехали три студентки; накинув на плечи стройотрядовские куртки, девушки сидели на передней палубе среди мешков, коробок и бидонов. Игорь рассматривал палубу сквозь большие окна ходовой рубки. Коварный Димон дождался, когда одна из студенток подойдёт к ограждению, и подрулил к ней вроде как покурить. Вожатка была самой невзрачной из трёх — пухленькая, в очках, с русым хвостом. Типичная филологиня. А Димону того и надо было: с такой проще достичь цели.

Игорь в рубке не слышал, что там на палубе говорит Димон, однако прекрасно помнил все его уловки. Димон спросит, как бы предлагая помочь: «Девушка, вашей маме зять не нужен?» — и девчонка растает. С девчонками всегда так случается. А у Игоря краснели уши от банальности димоновских подкатов. Игорь так не мог. Ему требовалось, чтобы девчонка сама сперва заинтересовалась им. Потому, кстати, он и забрался в рубку к Иван Палычу. Вожатки в пионерлагере должны удивиться: что это за парень такой к ним приплыл — торчал всю дорогу рядом с капитаном?

Игорь был в курсе всех обстоятельств жизни Димона. Они дружили в школе с первого класса. После восьмого Игорь остался в девятом, а Димон поступил в ПТУ на рулевого-моториста. Нынешним летом их дружба возродилась: оба они поневоле болтались в Куйбышеве. Игорь околачивался дома, не взятый в фольклорную экспедицию, и курил во дворе, чтобы не ругала мама, а Димон по вечерам пил пиво на лавке у подъезда. Навигация у Димона была скучной: трамвайчик-то, в отличие от больших судов, не ходил в длинные рейсы до Москвы, Ленинграда или Астрахани. Димон жаловался Игорю на то, как батрачит у Капустина: смазывает движок и драит палубы, а на стоянках наматывает причальные концы на кнехты и дежурит вахтенным у трапа. К штурвалу Капустин Димона не подпускал. И правильно делал.

Иван Палыч направил судёнышко к левому берегу мимо белого бакена, обозначающего отмель, и трамвайчик сошёл с фарватера. А по фарватеру мимо медленно пронёсся белоснежный «Метеор» на подводных крыльях. Он был весь устремлён вперёд, словно застыл в бесконечном прыжке: неземной, фантастический, поднятый над волнами силой антигравитации. Даже в рубке Игорь услышал авиационный рёв его турбин. Так звучала настоящая жизнь, в которой были небоскрёбы, трансатлантические лайнеры, могучие и почти разумные ЭВМ, орбитальные «шаттлы» и поиск внеземных цивилизаций, а не пионерлагерь «Буревестник» с его макаронами и барабанами.

На берегу показалась небольшая деревня в полтора десятка домиков, крытых железом или шифером: крашеные заборы из тонких планок, огороды, телеграфные столбы с перекладинами; на лёгком ветерке с Волги шевелились кроны лип и яблонь. Деревня, видно, считалась такой незначительной, что к ней не подтаскивали ни брандвахту, ни хотя бы понтонный причал.

— Первомайская, — пояснил Игорю Капустин. — Одни старики живут. Кто может — в лагере работает. Сторожами там, плотниками, судомойками.

— А зимой? — спросил Игорь.

Зимой-то пионеры сюда не приезжают.

— Зимой здесь профилакторий и лыжная база ДОСААФ.

За деревней в Волгу впадала речка, заросшая по берегам вербами.

— Называется Рейка, — сказал Капустин.

— Ну и название! — удивился Игорь.

— Раньше была Архиерейка. Лагерь-то — бывшие Самарские дачи. Купцы жили всякие, знать. У какого-то архиерея тоже была дача.

Игорь наконец разглядел эти бывшие дачи — нынешний пионерлагерь. Под высокими корабельными соснами вдоль берега Волги стояли сказочные пряничные теремки — причудливые, как ёлочные игрушки, лубочно весёлые, все в кудрявой резьбе, с фигурными крылечками, с какими-то мансардами и балкончиками, с застеклёнными верандами, с разноцветными фронтонами, с башенками, с кровлями шатром, лодочкой или палаткой. Не дачный посёлок, а выводок резвых деревянных петушков с гребешками и пёстрым опереньем. Впрочем, в толпу нарядных домиков затесались и не очень нарядные — щитовые бараки и белокирпичные коробки. От Волги посёлок отделялся забором из сетки-рабицы: понятно — чтобы пионеры не бегали купаться.

— Обычной дороги сюда разве нет? — спросил Игорь.

— Есть грунтовка, но её подпор то и дело топит.

Иван Палыч имел в виду подпор Саратовского водохранилища. Весной и тогда, когда ГЭС в Балаково сокращала сброс, уровень водохранилища поднимался, и пойменные озёра-старицы ниже Куйбышева разливались, перекрывая просёлочные дороги на низменном левом берегу. В навигацию надёжнее было снабжать лагерь речным транспортом.

— Вон уже ждут нас, — сказал Капустин, и ревун трамвайчика квакнул.

Для пионерлагеря был сооружён причал — дощатый помост, вынесенный далеко в воду. Он покоился на железных трубах-опорах, вбитых в дно, как сваи. По краям этот помост был обвешан автомобильными покрышками. Асфальтовая дорожка вела к воротам, возле которых на тумбе возвышалась гипсовая девочка-пионерка, трубящая в горн. На причале возле телеги с колёсами от легковушки стояли несколько мужиков. Похоже, они готовились разгружать припасы, привезённые на трамвайчике.

Игорь сощурился, рассматривая встречающих, но никаких девчонок-вожатых на берегу не увидел. Жалко, блин! Никто и не узнает, что он плыл в рубке с капитаном!

Глава 2

НОВЕНЬКИЙ В СТРОЮ

Пухленькая вожатка ступила на трап с некоторой робостью, и Димон Малосолов, стоящий на причале, галантно поддержал её под локоть, а потом мягко подтянул к себе якобы для важного и приватного разговора.

— Слышь, Иришка, у меня тут дружбека к вам в лагерь поработать прислали, а он-то не из ваших, — понизив голос, сказал Димон с приятельской откровенностью. — Прошу, ты устрой его как следует, лады?

Игорь поморщился от досады: весь рейс он с понтом провёл в компании капитана, однако протекцию ему составляет матрос.

— А мне в столовке чё-нито вкусненькое возьми, — добавил Димон.

Экипаж трамвайчика обычно обедал в лагере.

Пухленькая вожатка чуть покраснела от удовольствия.

— Ну, если будет, — с деланой неохотой согласилась она.

— Игорёха, забери сумку Иришкину! — по-свойски распорядился Димон. — Мне щас разную байду ещё в телегу скидать надо!

Игорь не мог отказать: невежливо отказывать, нехорошо.

Вожатки поздоровались с мужиками у телеги — явно это были алкаши из деревни, подшабашивающие в лагере разнорабочими, — и пошли к воротам с гипсовой горнисткой. Игорь потащился за ними, разглядывая самодельные трафаретные рисунки на целинках, стройотрядовских куртках студенток: ёлки, костры и палатки, а сверху по дуге — название отряда: «Романтики». Наверное, БАМ. Хотя возможны и КАМАЗ, и Атоммаш, и Саяно-Шушенская ГЭС, и даже просто работа проводником в поезде дальнего следования. На одном плече у Игоря висел рюкзак, а в руке он сжимал сумку Ирины.

Лагерь удивил Игоря. Точнее, не лагерь, а дореволюционный дачный посёлок — живописная свободная россыпь маленьких деревянных дворцов. Игорь вспомнил экскурсии по старой части Куйбышева: среди купеческих пассажей с витринами и кирпичных особняков с рядами арочных окон попадались декоративные деревянные домики псевдорусского облика. Это было какое-то завихрение модерна, его называли «ропетовский стиль». Игорь и не знал, что в тридцати километрах от города существует целое гнездовье этих кукольных жар-птичек. Можно сказать, ансамбль. Правда, его единство было безбожно нарушено казёнными новоделами, и гармонию напополам рассекла заасфальтированная аллея с пионерскими стендами и газосветными фонарями. Но корабельные сосны хранили дух праотеческого узорочья.

Пухленькая вожатка остановилась и указала Игорю на один из теремков.

— Тебе в тот корпус. Оттуда Володя Киселёв уехал, а ты на его место принят. Положи вещи в вожатскую комнату и приходи в столовую.

— Меня Игорь зовут, — передавая сумку, сказал Игорь.

— А меня Ирина Михайловна, и никак иначе.

Игорь понял, что эта девица желает получить все удовольствия сполна: приятно, когда один парень клеится, а другого можно отшить.

В корпусе было светло и пусто. Пахло свежей олифой и досками. Сверху доносился невнятный шум радиоприёмника. По скрипучей лестнице Игорь поднялся на второй этаж, где располагалась комната вожатых. В каморке со скошенным потолком стояли две кровати, две тумбочки, письменный стол и шкаф. Кудрявый полноватый парень, нацеливая в окно телескопическую антенну транзистора, искал какую-нибудь подходящую станцию.

— Привет, — сказал Игорь, сваливая рюкзак на пол. — Я новый вожатый.

— Вот эту койку занимай, — парень указал антенной.

Игорь переложил рюкзак на койку и протянул кудрявому руку:

— Игорь.

— Александр, — солидно ответил кудрявый.

— Филолог? — спросил Игорь. — Физик? Историк?

— Иностранные языки, инглиш.

Игорь порадовался, что сосед — не с факультета физической культуры. На физкультуру поступали в основном спортсмены, отслужившие в армии. И до армии-то они были не отягощены мозгами, а срочная только укореняла их в дуболомстве, и рабфак уже ничего не мог исправить. Эти парни чаще всего оказывались неплохими людьми, но в школу, в спортивные секции и в пионерские лагеря они тащили удобную для работы дедовщину и кондовую сержантскую мудрость: «я начальник — ты дурак»; «кто сильнее — тот герой»; «полковник сказал, что муха — вертолёт, значит, вертолёт».

— «Битлов» на русский перевести сможешь? — спросил Игорь у Саши.

— Знаешь, я всего такого не одобряю, — Саша кивнул на самодельный значок с фоткой Пола Маккартни. — У нас же советский лагерь.

— Понял, — сухо сказал Игорь.

Но Саша против воли покосился и на джинсы Игоря.

— А что у тебя за фирма?

Видимо, Сашины принципы распространялись не на все сферы жизни.

— «Монтана».

Увы, увы, «монтана» у Игоря была палёная, дерибасовская, на какую уж денег хватило. Однако следует надеяться, что никто не раскусит подделку.

Сашу явно удручил престижный лейбл.

— Сразу скажу, — выключая приёмник, заявил он, — что не планируй приводить сюда девчонок. Я комнату уступать не буду.

— Найду, где уединиться, — хмыкнул Игорь.

Он вовсе не был ловеласом, но пусть этот Саша не корчит командира.

— Пойдём на обед. У нас тут не хиппи, всё по расписанию.

Одноэтажное и безликое здание пищеблока, сложенное из силикатного кирпича, выглядело как прачечная; впрочем, в прачечных окна заделывали толстыми плитками бутылочно-зелёного стекла, а пищеблок имел обычные окна с деревянными рамами. Снаружи оконные проёмы были перекрыты решётками. Рисунок их прутьев напоминал восходящее солнце с лучами — как на гербе СССР. Над кровлей кухни торчали две чёрные железные трубы. Из форточки, подвывая, вентилятор выбрасывал струю горячего котлетного запаха. У задней двери громоздились ящики из-под овощей и мятые баки с объедками. Широкий главный вход поверху был гостеприимно украшен выцветшим транспарантом «Приятного аппетита!».

Через просторный зал тянулись ряды столов. В простенках меж окон висели поучающие плакаты: розовощёкий пионер в пилотке чистил ножом картошку; пионерка с косичками, улыбаясь, мыла мочалкой блюдо; мальчик и девочка с красными галстуками, расставив руки, вдвоём тащили тяжёлое ведро. Так полагалось поступать сознательным детям.

Сейчас в столовке находились только работники лагеря, которых в смену обычно никто не замечал: несколько мужиков и тёток — какие-нибудь плотники, сторожа и уборщицы; молодой доктор и пожилая медсестра — оба в белых халатах; толстый дядька бухгалтерского вида; парень в синем комбинезоне — несомненно, радиотехник. Впрочем, имелись и вожатые. Димон Малосолов пристроился к пухлой Ирине. Рядом с капитаном Капустиным на скамейку села женщина в химических кудрях — видимо, любовница-заведующая. Игорь услышал, как она негромко говорит Капустину, хлебающему суп:

— Картошку можешь себе оставить, только перебери — она здесь уже гнилая, и просуши. Рис подели пополам: три кило тебе, три — мне. А сахар вообще не трожь, я себе заберу, буду в августе варенье делать.

На раздаче Игорь взял борщ, перловую кашу и стакан с компотом, а затем вернулся на место рядом с Сашей. Обедать одному было неловко.

— Киселёв работал на четвёртом отряде, и тебя туда назначат, — сказал Саша. — А я на третьем. Весь день в третьем корпусе, а живу в четвёртом.

— Почему? — удивился Игорь.

— Не будут же селить парней с девушками. Это разврат.

«Моралист выискался», — подумал Игорь.

— А кто у меня второй вожатый?

— Это ты второй вожатый, — с превосходством поправил Саша. — А первый вожатый у тебя Иринка Копылова.

— Она? — Игорь кивнул на пухлую подругу Димона.

— Она. И ключ от комнаты я тебе пока не выдам.

— Почему? — возмутился Игорь.

— Сначала отнеси свои документы Наталье Борисовне. И справку врачу покажи. В прошлую смену во втором отряде был педикулёз.

— Думаешь, я вшивый?

Саша невозмутимо пожал плечами: почему бы и нет?

Игорь подумал и решил не спорить. Оно ему надо? Его цель — отмотать положенную практику, а не переделывать этот мир к лучшему. В казённой жизни всё похоже на медкомиссию в военкомате: превратись в косоглазого и плоскостопого идиота, и тогда тебя признают негодным к строевой.

Глава 3

КАК ВЕЗДЕ

После обеда всех вожатых собрали в Дружинном доме. Собрание вела та самая Наталья Борисовна, которой Игорь должен был сдать направление на практику, — старшая пионервожатая. Фамилия у неё была Свистунова.

Игорь осторожно разглядывал Знамённую комнату, полыхавшую на солнце блеском медных горнов и барабанов с металлическими ободками; в шкафах без дверок среди рулонов стенгазет и растрёпанных журнальных кип сияли никелированные спортивные кубки; стены пламенели развешанными шёлковыми вымпелами. Свёрнутое знамя дружины, помещённое в особую стойку, от затаённого царственного величия казалось неподъёмно тяжёлым, словно ствол артиллерийского орудия.

Вожатых, считая с Игорем и Сашей, было двенадцать человек: четверо парней и восемь девушек. Двух других парней звали Кирилл и Максим, но казалось, что они тёзки, потому что явились в одинаковых олимпийках и трениках. А девушки, почти все, надели целинки, пестревшие шевронами, лычками и эмблемами — нашивки теснились так плотно, что куртку можно было читать как газету. Стройотрядовская фанаберия создавала ощущение бурной личной жизни у девиц, хотя их романтика, скорее всего, воплощалась в работе поварихами для какой-нибудь бригады стропальщиков где-нибудь на строительстве гидростанции. Однако Игорь всё равно завидовал. Сколько ни ехидничай, а стройотряд — не филологические посиделки с бабуськами.

Ещё на собрании присутствовал главный физрук — молодой высокий мужик с недовольно-скучающим лицом. Он сидел в углу, широко разведя колени, и подёргивал ляжкой, будто куда-то торопился, а его принудили торчать здесь. Сама же Свистунова, фигуристая бабёнка с зычным голосом, в пионерском галстуке выглядела эдакой боевой малышкой.

— Чего такие квёлые? — задорно спросила она вожатых и откинула с глаз крашеную чёлку. — Ну-ка подтянись! Поднять хвост пистолетом!

— Да мы же всегда готовы! — привычной, видимо, шуткой ответили ей девушки-вожатые и принуждённо засмеялись.

— У нас новый сотрудник. Игорь Корзухин. Откуда ты, Игорь?

— Филфак универа, — сказал Игорь.

— Ну и хорошо. Вливайся в коллектив, Игорёк.

— Сейчас вольюсь, — пообещал Игорь.

Ему не нравилось, когда его называют Игорьком, но девушки-вожатки повернулись к нему с дружелюбным интересом, и он не рассердился.

— Иришка, тебе маячок: взять шефство над новеньким.

— Пусть хоть одевается прилично, — вздохнула Ирина.

Вожатки посмотрели на Пола Маккартни у Игоря на значке.

— Ты на гитаре умеешь? — спросила одна из вожаток.

— Умею, но вам лучше этого не слышать, — честно предупредил Игорь.

Девушки рассмеялись уже свободнее.

— Наш человек, — подвела итог Свистунова. — Итак, к делу!

Широким жестом она расстелила на столе большой ватман с таблицей, заполненной разноцветными фломастерами, — подобным образом полководец расстилает перед генералами карту намеченного сражения.

— План-сетка прежняя, бойцы. Распределим мероприятия. Помнится, Ленчик, в прошлую смену ты не хотела у старших отрядов строевой смотр проводить. Но ведь справилась?

— Справилась, — кивнула кудрявая и глазастая Леночка.

— Вот, зря боялась, — удовлетворённо сказала Свистунова, помечая на ватмане ручкой. — Как говорится, только юбочка помялась... Веруня, а у тебя конкурс рисунков на асфальте и поделки из природного материала, так?

— Так. Только мел и пластилин никому не давайте, в тот раз не хватило.

— Едите вы их, что ли? — удивилась Свистунова. — Ладно, учту. А кто у нас за День Варенья отвечать желает?

— Может, не надо его? — усомнилась толстенькая вожатка с косой. — Здесь даже манник нормальный не испечь. Да и поварихи на кухне ворчат.

— Зато девчонок за уши не оттащить, — возразила Свистунова. — Поставлю на вид заведующей пищеблоком, пусть даст своим бабам втык.

— А я ещё шахматы возьму, у меня же разряд, — солидно сообщил Саша, сосед Игоря по комнате. — В конце смены турнир организую.

— Турнир — хорошо, как раз то, что доктор прописал, — согласилась старшая вожатая. — Ты у нас вундеркинд какой-то, Саша.

Саша снисходительно хмыкнул. Вожатки глядели на него заискивающе.

— За тобой, Вероничка, получается фестиваль пионерской песни.

— А фонограмму прислали? — спросила Вероничка.

Игорь подумал, что этой девушке не идёт уменьшительно-ласкательное имя. Девушка держалась надменно и потому казалась более сложной, чем все остальные. Целинку она не носила, и причёска у неё была не как у прочих вожаток: не хвост или коса, а короткая и даже дерзкая стрижка под мальчика. В ушах Вероники сверкали золотые серёжки, не сочетающиеся с пионерией. На филфаке Игорь уже встречал таких девушек. Они курили, сторонились однокурсниц, не обедали в столовке и читали поэтов Серебряного века.

— Фонограмму пришлют, — ответила Наталья Борисовна чуть жёстче, чем прежде. — Только знаешь, красавица, если выбираешь песню про любовь — то про любовь к родине. Лирику оставляем дома.

Вероника не ответила и лишь улыбнулась свысока.

— Я проведу чемпионат по пионерболу, — сказал вожатый Максим.

— Добро, — согласилась Свистунова. — А кто на ШКИД?

ШКИД — это Школа Интернациональной Дружбы. Попросту говоря, это когда пишут письма в «Артек» или «Орлёнок» пионерам из соцстран.

— Иринка и Галка, ШКИД — вам. Только мальчишек надо побольше.

— Им лень писаниной заниматься, — возразила чернявая Галка.

— Что значит лень? Надо — и всё! Не хотят старшие — возьмите младших. Но учтите, что я прочитаю. Пусть не выпрашивают у иностранцев жвачки и наклейки. У нас областной конкурс на лучшее письмо.

— Это понятно, Наталья Борисовна.

Свистунова рассматривала план-сетку и покусывала ручку.

Игорю стало неуютно. Он неплохо помнил свои собственные школьные годы, не такие уж и далёкие, и тайно надеялся, что взрослая жизнь отодвинет эту показуху и казёнщину в сторону. А нетушки. Здесь, в пионерлагере «Буревестник», багряная рука взяла его за горло так же крепко, как и прежде.

— Ну что? — изучив ячейки плана, Свистунова подняла требовательный взгляд на вожатых. — Есть ещё идеи? Чего приуныли, бойцы? Кого-нибудь осенит вспышка разума? — вожатые молчали. — Нет? Тогда всё!

— Эй, стопэ, Наталья! — вдруг забеспокоился физрук, подтягивая ноги. — Как-то я не услышал, чтобы «Зарницу» вычеркнули!

Игоря удивила фамильярная манера физрука. Она не вязалась со стилем совещания у старшей пионервожатой. А Свистунову это даже не покоробило.

— Вычеркнули, Руслан, вычеркнули, — покладисто ответила она.

— А почему? — огорчилась одна из вожаток.

— Здорово же по лесу побегать! — поддержала её другая вожатка.

— Мечтать не вредно! — усмехнулась Свистунова.

— Вам побегать, а мне потом дэбилов искать! — презрительно фыркнул физрук с таким видом, будто ему приходится всё за всеми исправлять, и без его нечеловеческих усилий работа развалится, а он уже устал.

— На «Зарнице» драки! — пояснила Свистунова. — Старшие младших бьют. Так что обойдёмся без «Зарницы». И без Праздника Нептуна.

— А почему без Нептуна?!

Праздник Нептуна в пионерлагерях всегда все любили — и взрослые, и дети: можно поорать, потолкаться, силком искупать кого-нибудь.

— Агрессию лучше в спорте проявлять!

По удовлетворению физрука Игорь понял, что на Празднике Нептуна физруку тоже приходится усмирять «дэбилов», а он, как известно, уже устал.

— Обратите внимание, что День Самоуправления тоже вычеркнут, — оповестила Свистунова. — От него только бардальеро в лагере.

Физрук авторитетно кивнул, и девчонки-вожатые больше не возражали.

Игоря осенило: физрук был мужиком старшей пионервожатой! Потому она и выполняла его пожелания! Игорь наклонился к соседке Леночке:

— Они женаты, что ли?

— В гражданском браке, — с благоговением прошептала Леночка.

Выражаясь в духе кудрявого Саши, незаконно сожительствуют.

Игорь распрямился, испытывая облегчение. Поначалу он ощутил себя здесь чужаком: никого не знает, сидит такой модный, как болван, а девчонки-вожатки под водительством решительной комиссарши Свистуновой борются за интернациональную дружбу, мир во всём мире и прочие правильные вещи. Однако фигушки. Тут как везде. Флаги — флагами и серпы — молотами, но даже в пионерлагере людям хочется жить попроще, полегче и получше.

Глава 4

ПИОНЕРСКАЯ АЛЛЕЯ

Валерка не стал давиться в толпе пацанов, сбившейся у выхода на трап. Куда рваться-то? Зачем? Только ручку у чемодана оторвут. Над палубой и рубкой трамвайчика, что прижался бортом к причалу, с криками носились чайки. Молодой матрос у трапа грубо оттеснял пацанов от раскрытых дверок, хватая за плечи, и пропускал по одному, как шарики в «Спортлото». Этот матрос всю дорогу о чём-то болтал с вожатой, с пухлой и очкастой Ириной Михайловной, заигрывал с ней и теперь показывал, какой он резкий мужик.

— По очереди! По очереди! — орал он пацанам. — Щас как дам в лоб!

Девчонки толклись за спинами пацанов и галдели.

— Рин Халовна! — кричали они. — А Галкин лягается! Рин Халовна, тут чья-то кофта лежит! Рин Халовна, а у Морозовой панаму сдуло!

Валерка продолжал сидеть, пропустив вперёд и девчонок тоже.

— Лагунов! — увидела его вожатая. — Пошевеливайся!

— Лагунов! — тотчас закричали девчонки, оглядываясь. — Чего расселся! Вставай с лавки, дурак! Приехали! Слышишь, чего тебе сказали?

Валерка нехотя поднялся и пошёл, болтая чемоданом. Учителя всегда обращали на него внимание, потому что он был невысокий, худенький и в очках. Учителям казалось, что он нуждается в опеке, иначе его затрут или потеряют. Но Валерка Лагунов в опеке никогда не нуждался.

Жалко, что доплыли так быстро. На корабле было интересно.

Ирина Михайловна вывела свой отряд с причала и собрала в кучу возле ворот — двух железных столбов, над которыми была укреплена дуга железной рамы с железными буквами: «Пионерлагерь "Буревестник"». Ирина Михайловна принялась по списку проверять свой отряд: пятнадцать мальчиков и пятнадцать девочек. Все после пятого класса, только школы разные, хотя из одного района, и почти всем по двенадцать лет. Валерка разглядывал опустевший речной трамвайчик — изящный, будто огромная игрушка, а пацаны глазели на памятник у ворот — на гипсовую скульптуру девочки-горнистки. Валерка ещё на трамвайчике отметил и запомнил, как в его отряде зовут самых шебутных и горластых мальчишек, которые умели знакомиться мгновенно и ничего не стеснялись.

Пацан по фамилии Титяпкин заглянул гипсовой горнистке под юбку и с сожалением сообщил:

— Блин, там всё заделано!

— Ты урод, Титяпкин! — возмущённо завопили девочки.

Имени Титяпкина никто не знал, да с такой фамилией имя и не нужно.

Другой пацан — Серёжка Домрачев — сказал:

— У нас закон такой был: кто шишкой ей в горн попадёт, чтобы шишка внутри осталась, тому будет счастье.

Серёжа Домрачев провёл в лагере «Буревестник» первую смену и теперь приехал на вторую. Он всё знал о «Буревестнике».

— Я щас шишку найду! — заметался мелкий юркий пацан, похожий на неукротимого лягушонка. Его звали Женя Гурьянов, а кличка была Гурька. — Я каждую ночь сюда стану ходить! Я ей полную трубу шишек набью!

— Гурьянов, вернись на место! — рявкнула Ирина Михайловна.

— Кидай не кидай, всё равно нихрена не сбудется! — буркнул высокий губастый мальчик с недовольным лицом. Мальчика звали Веня Гельбич.

— Законы всегда сбываются! — возразил Колька Горохов. — Чё, не верите? Сами увидите! Кто не верит — тем же хуже!

— У горна воронка неглубокая, там шишка не застрянет, — рассудительно заметил крепкий русоволосый мальчик, которого звали Лёва Хлопов.

— У нас у одного пацана застряла, — возразил Серёжа Домрачев. — Он домой вернулся, и ему родаки велик купили.

— Запомните, ребята! — громко объявила вожатая. — Мы — четвёртый отряд! Сейчас мы идём в четвёртый корпус! Разберитесь по парам!

— Фиг ли как в садике-то! — обиделся Славик Мухин.

Ирина Михайловна сама без обсуждений расфасовала мальчишек по парам. Валерке достался Серёжа Домрачев.

Ребячья суматоха под гипсовой горнисткой потихоньку разряжалась: вожатые уводили свои группы в жилые корпуса. Сначала забрали младших — шестой и пятый отряды, потом Ирина Михайловна возглавила шествие четвёртого отряда. От ворот в глубину лагеря тянулась Пионерская аллея — обсаженная кустами акации и обставленная большущими застеклёнными стендами. Вдоль аллеи, как вдоль городской улицы, возвышались фонари. На горячем асфальте валялись растопорщенные сосновые шишки.

— Вы на шишки наступаете, пацы? — спросил у всех Колька Горохов. — А нельзя! Кто наступит — тот чё-нито дома забыл, верная примета!

По всему лагерю в невидимых динамиках играла бравая пионерская музыка. Девочки сразу поторопились за Ириной Михайловной, чтобы расспрашивать её по пути, а мальчишки замыкали движение: им хватало собственного ума, и вожатка только мешала обмену мнениями.

— Как тут живётся, Серый? — по-хозяйски спросил Лёва Хлопов.

— Да фигово! — влез со своим мнением Гельбич. — Я здесь в прошлом году одну смену провёл — лучше бы в тюрьму попал. Месяц строем ходили!

— Нормально тут, — возразил Серёжа. — Тихий час только задрал.

— А я вообще спать не буду! — заявил Женька Гурьянов.

— Все так говорят, а сами спят, — горько ответил Серёжа.

От аллеи ответвлялись дорожки, ведущие к жилым корпусам и прочим зданиям лагеря. Валерка с удивлением разглядывал причудливые резные терема — какие-то приветливые, не похожие друг на друга, словно бы ни к чему не принуждающие: делай что хочешь. Это было непривычно, будто вместо смотра строя и песни предложили поиграть в прятки. На тесовых стенах и крашеных железных крышах лежали жёлто-зелёные световые пятна. Прямые и высокие сосны казались вертикальными взлётами. В дырявых сосновых кронах солнце рассыпалось на огни, как в клочьях хвойного дыма. Сквозь струнный перебор красных стволов сверкала длинная полоса Волги.

— Это второй корпус, тут старшаки живут, — пояснял Серёжа Домрачев. — Это Дружняк, Дружинный дом. Там кружки всякие, киношку показывают. Это столовка. Там вон — баня. Это — пятый корпус, где салабоны.

— И так всё понятно, чё говорить-то! — раздражённо проворчал Гельбич.

Он ревновал, что расспрашивают Серёжу, а не его.

— А местные есть? — боязливо спросил худенький и мелкий мальчик, имени которого Валерка ещё не знал.

— Местных здесь нет, — успокоил Серёжа. — Есть Беглые Зэки.

— Обацэ! — восхитился Гурька.

— В прошлом году никаких зэков не было! — заявил Гельбич.

— Может, тогда Зэки ещё у себя сидели. А щас они в лесу живут, за оградой, — темнея глазами, поведал Серёжа. — У них там землянки. Я сам видел. За ограду нельзя ходить — поймают.

Валерка дома во дворе не раз слышал легенды о Беглых Зэках. Убежав из зоны, зэки превращаются в каких-то чудовищ, полулюдей-полузверей.

— А поймают — что будет? — встревожился Гурька.

— Если без галстука попадёшься, может, отпустят, — Серёжа имел в виду пионерский галстук. — А если с галстуком — убьют. Старшаки говорили, что в другом году один пацан ушёл — и пропал. Потом только скелет нашли.

Мальчишки были впечатлены.

— Не все же зэки такие, Серый, — неохотно усомнился Лёва Хлопов. — Нам в секции тренер сказал, что был один футболист, олимпийский чемпион, и он тоже стал зэком. А потом его отпустили, и он опять стал футболистом.

— Он же не убегал, — возразил Серёжа.

Лёва вздохнул. Это верно. Если бы тот зэк-футболист убежал, может, тоже обратился бы в людоеда и пасся возле какого-нибудь пионерлагеря.

А девчонкам было совершенно наплевать на угрозы окружающего мира. Девчонки со всех сторон приставали к Ирине Михайловне.

— Рин Халовна, а конкурс песни будет? Рин Халовна, а я умею художественное плетение! Рин Халовна, а дискотеку сделают? Рин Халовна, а можно в другой отряд ходить? У меня там сестра!

— Здесь вообще много колдовства разного, — мрачно сообщил пацанам Серёжа Домрачев.

Валерку это удручило. Он не любил колдовства. Взрослые убеждали, что колдовство — пережитки прошлого, выдумки, но всё равно было страшно.

— Вон тот дом видите?

Серёжа указал на самый, наверное, красивый теремок: голубой и белый, двухэтажный, с верандой, балкончиком и башенкой.

— Там какой-то старикан живёт, пенсионер. У него есть Чёрная комната. Туда люди заходят — и никто уже никогда не выходит!

Валерка посмотрел на ладненький голубой домик, и по спине у него побежали мурашки. Ничего подобного взрослые о мире не рассказывали. Их мир был скучный и понятный, весь для разных надобностей, как автобусная остановка — общая и заплёванная. Колдовство же, ясное дело, было злое и неправильное, оно мстило всем за неизвестно что, но от него мир делался цветным, загадочным и более живым: значит, колдовство было настоящим.

— У нас в прошлом году один чухан в лесу заблудился, так его нашли, — сказал Гельбич, лишь бы поспорить с Серёжей.

— Если бы в лагере дети пропадали, сюда бы мильтоны приехали, — сердито заметил Лёва Хлопов.

Он любил футбол, и ему не хотелось ничего колдовского.

— Детей старикан туда не пускает. А люди там пропали вообще давно.

— Какие люди?

— Это же дачи буржуев были до революции, — негромко сказал Серёжа. — Когда красные пришли, буржуи все в Чёрную комнату забежали и исчезли.

— Чётко! — воодушевился Гурька. — От них должны привидения остаться!

— От привидений надо пиковую даму под матрас положить, — Колька Горохов завертелся, оглядываясь на пацанов. — Пацы, у кого карты есть?

— Я пойду привидений ловить! — азартно заявил Гурька. — Ночью!

— Обоссышься! — авторитетно предупредил Славик Мухин.

К четвёртому отряду, расслабленно растянувшемуся по аллее, вдруг подскочила похожая на девочку тётка с пионерским галстуком.

— Чего такие кислые? — бодро крикнула она. — По маме заскучали? Ну-ка давай речёвку! — И она заорала: — «Это кто шагает в ряд?!»

Все знали эту речёвку.

— «Пионерский наш отряд!»... — вразнобой отозвались девочки.

— Мальчики, не слышу вас! — подхлестнула тётка. — «Дружные!»

— «Умелые»... — вяло и нестройно ответили пацаны.

— «Честные!» — требовательно проорала тётка.

— «И смелые!» — прокричали мальчишки.

— «Наш девиз всегда таков!»

— «Будь готов! Всегда готов!» — уже слаженно закончили пацаны.

— Вот теперь правильно!

Тётка потрепала по затылку Титяпкина и понеслась дальше.

— Это что за дура? — негромко спросил Титяпкин.

— Свистуха, главная вожатка, — сказал Серёжа Домрачев.

Глава 5

МЕСТО КОМАНДИРА

Пока отряд шёл по аллее к своему корпусу, они разговаривали, а потому как бы немного сдружились; стало понятно, что и дальше можно держаться вместе, то есть в четыре пары: Валерка и Серёжа Домрачев, Лёва Хлопов и Колька Горохов, Титяпкин и Гурька, Славик Мухин и восьмой пацан, мелкий, про которого пока не знали, как зовут. Всю дорогу он робел и лишь поддакивал. А высокий, всем недовольный Гельбич остался без компании.

Четвёртый корпус оказался двухэтажным теремком, смотревшим сразу на все стороны. Ирина Михайловна завела отряд на веранду — большую и жарко нагретую.

Здесь ждал второй вожатый: парень с модной причёской и тёмными усиками. Он растерянно улыбался, не зная, что делать, а Ирина Михайловна управлялась с пионерами как опытный погонщик.

— В корпусе четыре палаты, значит, будет четыре звена, — сказала она отряду, строго блестя очками. — Два звена — мальчики, два — девочки, по семь и восемь человек. Так что делитесь на звенья, и поживее. Даю пять минут.

Гурька сразу растопырил руки, загрёб тех, с кем шёл, — Лёву Хлопова, Титяпкина, Валерку и прочих, кроме Гельбича, — и принялся пихать к окну.

— Вот наше звено! — завопил он остальным пацанам. — Не лезь, сволочи!

— Гурьянов, за языком следи! — одёрнула его Ирина Михайловна.

Как полагается учителю, она быстро запоминала своих подопечных в лицо и по фамилиям.

Главный вопрос, терзающий всех пацанов, едва они увидели корпус, задал вожатой кто-то из мальчишек второго, не Валеркиного звена.

— Рин Халовна, а кого на второй этаж заселят?

Второй этаж, понятно, — самый ништяк, самое чёткое место!

— Уж точно не нас, — злобно сказал Гельбич.

— На втором этаже палаты девочек, — сообщила Ирина Михайловна.

— А чё так?! А чё?! Фига-се! — в досаде взвыли все пацаны.

— Потому что вы психопаты! — отрезала Ирина Михайловна. — Вы ходить спокойно не умеете и на лестнице шею свернёте!

— Да всё мы умеем!..

— Разговор окончен. Игорь Александрович, ведите девочек наверх.

Усатый-волосатый вожатик снова улыбнулся.

— Девочки, за мной, — вежливо сказал он. — Ступеньки не сломайте.

Палата, в которую Ирина Михайловна запустила звено Валерки, была похожа на каюту деревянного корабля. Большое окно. Восемь заправленных коек по четыре в ряд: полотенца висят на спинке, байковые одеяла натянуты, подушки торчат пирожками. У каждой койки — тумбочка. На досках стен, на половицах и на байковых одеялах лежали яркие квадраты солнца.

— Располагайтесь, — сказала Ирина Михайловна. — Доставайте, что вам надо, и парадную форму. Через полчаса чемоданы заберу в кладовку.

— Нормальная палата, — озираясь, подытожил Лёва Хлопов.

Его слова прозвучали как команда «Вперёд!».

Гурька отшвырнул свой рюкзак-колобок и полетел к окну.

— Моя! — завопил он, звездой упав на койку.

Валерка знал, что койки под окном всегда считаются самыми лучшими. Почему — неизвестно. Однако лично Валерке больше нравилась койка в углу, и он молча поставил на неё свой чемодан. И второго соседа нет, и выход рядом, и удобнее делать домик из простыни, чтобы укрываться от комаров.

В пионерлагерях Валерка бывал уже много раз — с третьего класса ездил. Папа считал, что Валерка слишком много читает и ему не хватает общения со сверстниками. Валерка не спорил, хотя в лагерях ему было скучновато. Папа у Валерки работал инженером в секретном конструкторском бюро, чертил двигатели для военных ракет. Это была государственная тайна, но непонятно, от кого. Как человек, думающий о Родине, папа хотел, чтобы сын был ближе к народу. А Валерку народ заколебал: одному побыть бы, без товарищей, без учителей и без глупой младшей сестрёнки, — вот чего надо.

Другую койку под окном тотчас занял Титяпкин: плюхнулся задом и принялся вертеться туда-сюда, словно ввинчивался для более надёжного закрепления. Но к Титяпкину вдруг не спеша подошёл Лёва Хлопов.

— Слушай, — проникновенно сказал он. — Я футболист, я бегаю, у меня лёгкие вот так разработаны, — Лёва руками показал перед собой нечто вроде женских грудей. — Мне кислород нужен. Пусти меня к окошку, а?

Титяпкин обомлел. Лёва, безусловно, был сильнее всех в палате, но дело не в этом. Даже за такое короткое время само собой определилось, что к Лёве в их только что сплотившейся компании уже все прислушиваются. Лёва незаметно становился признанным командиром. И как теперь быть бедному Титяпкину? Поссориться с Лёвой, когда остальные задружились?

— Да за мах! — залихватски заявил Титяпкин, словно уступить Лёве ему было в радость, и ловко перепрыгнул на койку напротив.

— Эту я забил! — обиженно закричал Славик Мухин.

— Я с Лёвкой! — заорал ему Титяпкин. — У Лёвки кислорода нету!

— Пошёл в жопу! — Славик без аргументов столкнул Титяпкина на пол.

— Ты чё? — разозлился Титяпкин. — Пойдём выйдем!..

— Это Славика кровать, — осуждающе заметил Титяпкину Лёва.

Рассудительному Лёве не хотелось иметь рядом придурка Титяпкина. А Титяпкину глупо было ссориться с Лёвой из-за койки Славика, если уж он не стал ссориться из-за своей собственной койки. Но Титяпкин почувствовал, что унижен. Ему требовалось отыграться. Его взгляд пронёсся по палате и остановился на Валерке — маленьком и в очках. Очкарики — все слабаки и дристуны, в этом Титяпкин не сомневался. А место в углу вроде неплохое.

Валерка сидел на полу, перекладывая из открытого чемодана в тумбочку аккуратно свёрнутый свитер и парадную одежду — белую рубашку и синие школьные брюки. Титяпкин перескочил через кровать Серёжи Домрачева и с ногами взгромоздился на кровать Валерки, будто обезьяна на ветку.

— Я здесь буду! — сообщил он. — А ты вали на пустую!

Он указал на пустую койку возле восьмого мальчика, безымянного.

Валерка понял, что назревает схватка, и встал. Сердце его колотилось.

— Сам иди! — ответил он.

— Ты чё, очкастый, оборзел? — Титяпкин вёл себя, как шпана.

— Ты там не сидел, Валерыч! — поддержал Титяпкина Колька Горохов. — Жопу поднял — место потерял! Правил, что ли, не знаешь?

— Вам не подраться, нам не посмотреть! — крикнул издалека Гурька.

— Дёрни отсюда, Титька! — решительно сказал Валерка.

Пацаны бессовестно заржали, и даже Лёва улыбнулся. У Титяпкина от обиды запрыгало лицо. Он ринулся к Валерке, сжимая кулаки.

В этот миг дверь распахнулась, и в палату шагнула Ирина Михайловна. На вид она была слабовольной тётёхой, пухловатая и близорукая, но внутри у неё — Валерка это уже уяснил — находился стальной стержень.

— Что за гвалт? — свирепо спросила она.

Пацаны молчали. Ирина Михайловна быстро оглядела всех.

— Титяпкин, не наглей! — сразу поняв ситуацию, жёстко сказала она. — Отцепись от Лагунова. Займи свободную койку. Я проверю!

Не сомневаясь, что ей подчинятся, Ирина Михайловна вышла.

Титяпкин чуть не заплакал.

— Нечестно это! — уже без всякого озверения пожаловался он. — Вы все выбирали себе койки, а мне как чушману последняя осталась!

— Ладно, — смилостивился Лёва. — Давайте как в футболе жребий кинем: кому пустое место выпадет, тот на него и пойдёт, а Титяпа — на его место.

— Может, лучше посчитаемся? — предложил Колька Горохов.

— Считай, — согласился Лёва.

Колька начал считать, тыча пальцем. Лёву он исключил из розыгрыша, признавая право командира лежать там, где хочется.

— За сто-лом си-де-ли гости, из баш-ки тор-чали гвоз-ди, — затараторил Колька, вращаясь вокруг себя с вытянутой рукой и выставленным пальцем. — Э-то я зако-ло-тил, чтоб ни-кто не у-ходил! Ты!

Колька указал на безымянного мальчика. Этот выбор всех устроил.

— Тебя как зовут? — спросил Лёва.

— Юра Тонких, — едва слышно пролепетал пацан.

— Переложись, Юрик, туда.

— Я уже вещи в тумбочку засунул...

— Перекладывайся! — яростно закричал Горохов. — Закон не уважаешь?!

— Титяпа, занимай койку, — распорядился Лёва.

Титяпкин был удовлетворён, хотя получил, в общем, то же самое место, против которого так бунтовал. Направляясь к своей новой койке, Титяпкин обернулся и бросил на Валерку огненный взгляд.

— А с тобой, очкастый, сёдня вечером махач будет, понял?

— Закрой рот — кишки простудишь, — неустрашимо ответил Валерка, как полагалось у пацанов, хотя угроза ему очень и очень не понравилась.

Из коридора донёсся зов Ирины Михайловны:

— На сбор! Всем на отрядный сбор!

Глава 6

ВСЕМ О СЕБЕ

Подъём, зарядка, утренняя линейка. Завтрак, обед, полдник, ужин. «Трудовой десант», тихий час, вечерняя линейка, отбой. Занятия в кружках, соревнования, конкурсы, смотры. Родительский день, итоговый концерт, последний костёр. Купания, игры, кино... Ирина Михайловна подробно разъясняла порядок жизни в лагере, но Валерка не слушал. Он и так всё знал. Щурясь, он читал список отряда, прикнопленный к стенду, вернее, список девочек: Бояркина, Вишнёва, Гуляева, Завьялова, Касимова, Лебедева, Сергушина, Стяжкина... Знакомых нет.

Отряд сидел на веранде на скамеечках вдоль стен. Все были одеты для торжественной линейки: светлый верх, тёмный низ, пионерские галстуки.

— Так, ребята, теперь нам нужно выбрать командира, — деловито сказала Ирина Михайловна. — Есть предложения?

Предложений не было. Ребята ещё не перезнакомились, зато по школе помнили, что командир — это не тот, кто командует сам, а тот, кто заставляет остальных выполнять команды учителей или вожатых. Нафиг кому надо?

— Кто в школе был командиром отряда?

— Я была! — вдруг заявила какая-то девочка.

В голосе её звучали и гордость, и желание, чтобы ею восхищались.

— Иди сюда, Сергушина, — распорядилась Ирина Михайловна.

Сергушина вышла перед отрядом как-то по-балетному, мягко ступая на цыпочках, повернулась, показывая себя, и улыбнулась, будто киноактриса. У неё были чёлка и два хвостика с жёлтыми пластмассовыми бабочками; губы она накрасила помадой, глаза и брови подвела чёрным карандашом.

— Как зовут? — спросила Ирина Михайловна.

— Анастасийка! — пропела девчонка.

Ирина Михайловна оглядела эту расписную кокетку и вздохнула. Не дело командиру отряда быть такой размалёванной, однако учителя в школе ведь утвердили Сергушину на ответственном посту командира — значит, есть за что. Следует доверять мнению коллег и потерпеть девчачьи глупости.

— Отряд согласен выбрать Настю? — спросила Ирина Михайловна.

— Я не Настя, я Анастасийка!

Девчонки зашушукались, а пацаны засмеялись.

— Все согласны, — подвела итог вожатая. — Сядь, Сергушина.

Анастасийка, красуясь, поплыла обратно.

— Но перед линейкой умойся, — сверкнула очками Ирина Михайловна.

Анастасийка, не оглядываясь, фыркнула, что означало: «Я так и знала!»

— Ещё нам нужен высокий мальчик в знаменосцы, — продолжила Ирина Михайловна. — Веня Гельбич, как раз для тебя задание.

Гельбич был на полголовы выше всех.

— Не, я не хочу, — отпёрся он.

— Давай не возникай! — одёрнула его Ирина Михайловна. — У Игоря Александровича в комнате возьмёшь флаг, пилотку и ленту через плечо.

— Да бли-ин!.. — расстроился Гельбич.

— А ещё надо название отряда, девиз и речёвку.

Валерка подумал, что есть колдовство детей: Чёрная комната, Беглые Зэки, разные там Гробы-на-Колёсиках, Автобусы-Мясорубки и Синие Ногти. А есть колдовство взрослых: командиры отрядов, знамёна, звёзды, девизы. Детское колдовство — оно, наверное, для страха: чтобы не открывали дверь кому попало, чтобы не уходили куда-нибудь с незнакомцами, чтобы не ели неизвестную еду. А для чего колдовство взрослых? Чтобы сделать вид, будто все дети — пионеры, «всегда готовы», «дружные, умелые, честные и смелые»?

— У кого какие варианты названия? — Ирина Михайловна встряхнула отряд строгим взглядом. — Ну, где инициатива?

— Да ваще никак не надо называть! — Гельбич в досаде дёрнул плечом. — Четвёртый отряд — и всё понятно! Всё равно название никто не запомнит!

— А если бы тебя самого никак не назвали, тебе бы это понравилось? — с назиданием поинтересовалась Анастасийка.

Пионеры засмеялись, а Гельбич презрительно скривился: видимо, такой вариант его вполне устраивал.

— Будут предложения поумнее? — недовольно спросила вожатая.

— Давайте назовём «Роза Экстаз», — сказала Анастасийка.

— Розовый унитаз, — тотчас сказал кто-то из пацанов.

— Это что такое? — удивилась Ирина Михайловна.

— Очень красивый цветок, — мечтательно объяснила Анастасийка. — Его на Восьмое марта девушкам дарят.

— У нас не Восьмое марта, — отвергла вожатая. — Короче, отряд будет называться «Данко». Девиз — «Гори так ярко, как сердце Данко!».

— В прошлую смену отряд так назывался, — напомнил Серёжа Домрачев.

— И чем плохо, Домрачев?

— Да хоть как назовите! — Серёжа почему-то обиделся и отвернулся.

— Речёвка такая, запоминайте: «Возьми своё сердце, зажги его смело, отдай его людям, чтоб вечно горело!» Итак, давайте потренируемся...

Эту дурацкую речёвку они настойчиво повторяли всем отрядом, пока шли от своего корпуса к Дружинной площадке. Ирина Михайловна следила за девочками, Игорь Александрович контролировал мальчиков. Анастасийка вышагивала впереди, словно была невестой, а отряд нёс её длинную фату. Венька Гельбич уныло плёлся за Анастасийкой, будто жених поневоле; он был в пилотке и с алой лентой через плечо; знамя он нёс, как весло.

Дружинная площадка на самом деле была волейбольной площадкой, по периметру её окружали гравийные беговые дорожки. Шесть пионерских отрядов выстроились на гравии ровными прямоугольниками. Небольшая группа взрослых во главе со старшей пионервожатой расположилась так, чтобы не быть ни к кому спиной. Парень-радиотехник подтащил стойку с микрофоном. Провода тянулись к ящикам с дискотечными колонками.

— Здравствуйте, ребята! — грянул из динамиков бодрый голос Свистухи. — Приветствуем вас на лучшей смене этого года — на Олимпийской смене!

По отрядам прошелестело лёгкое волнение.

— Расскажите всем о себе! — призывно прогремела Свистуха.

Вожатая первого отряда тихо скомандовала:

— Три... четыре!

— РИТМ! — гаркнул первый отряд.

— Девиз! — скомандовала вожатая.

— Романтики! Искатели! Творители! Мечтатели!

— Речёвка... Три... четыре!

— Решать! Искать! Творить! Мечтать! В ритме века быть человеком!

Из кустов акаций вокруг площадки прыснули перепуганные птички.

— Комета! — так же, как первый, проорал и второй отряд. — У кометы есть девиз: никогда не падать вниз! Комета на небе, а мы на земле! Да здравствует счастье всегда и везде!

— Алые паруса! — подхватил третий отряд. — Ветер дует в паруса, детство верит в чудеса! Плыви всегда, плыви везде, и путь найдёшь к своей мечте!

— Три... четыре! — прошептала и Ирина Михайловна.

— Данко! — взревел Валеркин отряд. — Гори так ярко, как сердце Данко! Возьми своё сердце, зажги его смело, отдай его людям, чтоб вечно горело!

Затем завопили своё и пятый отряд, и шестой. В смысл названий, девизов и речёвок никто не вдавался. Главное было — чтобы прозвучало в лад. Какой отряд переорёт всех — тот самый козырный. Вернее, наоборот: какой отряд будет кричать хуже всех, тот и чмошный.

— Отлично! — одобрила старшая вожатка. — Теперь и нам надо назвать себя. Знакомьтесь, ребята!.. Самый строгий человек нашего лагеря — старший воспитатель Родионова Марина Фёдоровна! Похлопаем!

Отряды похлопали старшей воспитке, которая в ответ помахала рукой, а потом похлопали Колыбалову Николаю Петровичу — директору лагеря, Захваткину Руслану Максимычу — физруку, и Носатову Валентину Сергеичу — доктору. Запомнить имена-отчества и должности никто и не пытался.

— А вот самый главный человек в нашем лагере! — Свистуха повернулась к сухопарому старику в пионерском галстуке. — Это Серп Иваныч Иеронов!

Отряды заинтересованно ждали разъяснений.

— Серп Иваныч — ветеран Гражданской войны! Он пенсионер союзного значения! — Свистуха обвела отряды восторженным взглядом. — Над таким вот замечательным человеком наша дружина берёт своё шефство! Салют!

Свистуха вздёрнула руку ко лбу, и все отряды тоже отсалютовали.

— Серпу Иванычу мы предоставляем почётное право поднять флаг Олимпийской смены! Ваше слово, товарищ Иеронов!

Высокий Серп Иваныч чуть склонился к микрофону.

— Здравствуйте, ребята, — просто сказал он. Голос у него был густой и красивый. — Надеюсь, я вам тут в лагере мешаться не буду. Видели, наверное, голубой домик с красной крышей? Это моя дача. Вот такой я помещик. Заходите в гости, угощу чаем с печеньем.

Пионеры нерешительно засмеялись. Никто, конечно, и не думал вот так запросто завалиться в гости, но за приглашение, как говорится, спасибо.

Валерка стоял в первом ряду и неплохо рассмотрел старикана. Вроде, добрый. Седые волосы коротким ёжиком, короткая белая щетина бороды и усов, резкие морщины. Костлявый, немного сутулится, но крепкий.

— Серп Иваныч участвовал в революции и освобождал наш город! — сбоку крикнула в микрофон Свистуха.

— Да вы уж, наверное, и не помните про эти события, — смущённо сказал Серп Иваныч, заранее извиняя пионеров.

— Помним! — зашумели отряды: приятно было оказать уважение такому дружелюбному и скромному человеку.

— А кто освобождал наш город, ребята? — опять влезла Свистуха.

— Чапаев! — воодушевлённо закричали со всех сторон.

Чапаева-то не забудешь: возле куйбышевского драмтеатра громоздился большой памятник — Чапай на коне и куча всяких солдат с винтовками.

— А кого прогоняли? — лукаво спросил Серп Иваныч.

— Белых!

Понятно, что белых, а не фиолетовых. Но белые-то были разные. Для Валерки давняя Гражданская война была прекрасной и героической сказкой, от которой щемило сердце. Валерка много читал о том времени.

— Прогоняли интервентов, — негромко сказал он.

Иеронов, конечно, не услышал Валерку, но его услышала Анастасийка Сергушина, командир Валеркиного отряда. Анастасийка стояла на полшага впереди строя, чтобы её все видели.

— Интервентов! — звонко крикнула она.

— Ого! — удивился Серп Иваныч. — Ну-ка, девочка, я к тебе!

Он обогнул микрофон и, улыбаясь, направился к Анастасийке через пустое пространство Дружинной площадки. Отряды настороженно затихли, наблюдая. Никто не знал, зачем старик попёрся к пионерке.

— Щас по шее даст, — предположил Славик Мухин.

— Зря мы эту дуру выбрали! — забормотал соседям по строю Колька Горохов. — Девка-командир — фиговая примета! Дежурить заставят!

Иеронов приближался, грозно заслоняя собой весь мир.

— Это не я, это он сказал! — глядя на старика, оробевшая Анастасийка быстро перевела вину на Валерку. — Вон тот, в очках!

Валерка одеревенел. Эх, надо было молчать!.. Ничего хорошего не бывает, когда высовываешься со своим мнением!

Серп Иваныч подошёл к Валерке и положил ему руку на плечо.

— Молодец! — негромко и с чувством похвалил он.

Валерка взглянул в тёмные глаза старика, и почему-то у него захолонуло сердце. Печальные глаза Серпа Иваныча словно бы видели всё на свете. В них таилась бездна, будто он, Валерка, смотрел в телескоп, проваливаясь в высокую пропасть ночного неба, только в той пропасти не было мерцающих звёзд — один лишь чёрный дым. Наверное, дым Гражданской войны.

— Мы вместе флаг поднимем, — оборачиваясь, объявил отрядам Иеронов.

Отряды взволнованно загудели: повезло же очкарику!.. Серп Иваныч взял Валерку за руку, как внука, и повёл к мачте, что была вкопана на краю площадки. Валерка чувствовал, что весь лагерь смотрит на него.

Вдоль мачты на роликах был натянут трос, а к тросу прицеплено красное знамя. Старшая вожатая незаметно подала знак радиотехнику, и в динамиках вдруг пронзительно затрубили горны и загрохотали барабаны.

— Тяни верёвку, — усмехнулся Серп Иваныч. — Не бойся.

Валерка начал перебирать трос, и красный флаг поехал в высоту. На верхушке мачты он развернулся и заполоскался в яркой солнечной синеве. Все пацаны и все девчонки пионерлагеря «Буревестник» смотрели на знамя, задрав головы. Пятиконечные звёзды, клятвы и всякие будённовки давно превратились в надоевшую, бессмысленную и обязательную глупость — и для детей, и для взрослых, — но в поднятом флаге всё равно сохранялось что-то честное, чистое, настоящее. Как в городских голубях, которые роются в помойках и клюют на тротуарах шелуху семечек — но могут вдруг полететь.

— Будь готов! — крикнула Свистуха, вздёрнув руку в салюте.

— Всегда готов! — в раскат отозвались отряды.

Валерка возвращался в строй, ощущая, как весь лагерь завидует ему. Валерка встал на своё место между Славиком Мухиным и Юриком Тонких и попытался превратиться в никого, чтобы на него перестали пялиться.

— Зашибонско, Валерьяныч! — жарко зашептал ему сзади Титяпкин.

Валерка понял, что Титяпа уже расхотел устраивать махач с человеком, который внезапно овеялся такой славой. Себе дороже будет.

Глава 7
ТЁМНОЕ ВРЕМЯ СУТОК

Жизнь — вещь парадоксальная. Чтобы сохранить хотя бы относительную самостоятельность, человеку надо быть в роли ведомого, то есть того, кто, по идее, вовсе не имеет никакой самостоятельности. Беречь то, чего нет, — абсурд. Но Игорь привык к абсурду. Призывают же беречь идеалы коммунизма, и никто не спятил от удивления. В общем, отрядом командовала Ирина — а Игорь для сохранения самостоятельности просто выполнял её указания.

А для Ирины всё было просто и прекрасно. Она выросла в каком-то колхозе, и теперь управляла подчинёнными с крестьянской нерассуждающей хозяйственностью. Чем занять детей? Да чем угодно: в лагере полным-полно кружков, секций и подготовок к разным соревнованиям! Как разобраться в детях? А чего тут сложного? Высокий — на волейбол, крикливый — в хор, умный — пускай играет в шахматы, кривляется — тогда в театральный кружок, а если пойман со спичками или нарушает режим, то грабли в руки и вперёд — на уборку территории. Главное — проследить, чтобы никто не отлынивал.

Ирина заявлялась в корпус ещё до того, как по трансляции звучал горн из «Пионерской зорьки», который возвещал побудку, и уже не покидала отряд до самого отбоя. Перед отбоем она проводила на веранде «свечку» — общее собрание для обсуждения итогов дня. По замыслу, пионеры должны были передавать друг другу зажжённую свечу; кто держал её — тот высказывал свои впечатления о прошедшем дне. Однако директор лагеря Колыбалов из противопожарных соображений запретил палить огонь в деревянных домах, и свечу отменили. А итоги Ирина оглашала сама, без помощников. Она полагала, что если давать слово каждому желающему, то пионеры до подъёма спать не упихаются, а могут и раздодраться.

Все детали дня Ирина помнила с точностью разведчика.

— Кривошеин сегодня в столовке кашей кидался — завтра будет в палате подметать, — сказала она. — У Сергушиной завтра Совет дружины в десять. Потапова, в рваных колготках на линейку не пущу. Цыбастов, я слышала от тебя матерное слово. Ещё раз — и пишу заявление в милицию, понял?

— Гурьянов обещал ночью из лагеря сбежать, — нажаловались девочки.

— Игорь Александрович, проверьте ночью Гурьянова, — властно повелела Ирина. — Если он не будет в койке — выгоним из лагеря за нарушение режима. Всё, делайте «орлятский круг», и пора в палаты.

«Орлятским кругом» назывался пионерский ритуал, когда все вставали в круг, обнимали друг друга за плечи и хором негромко говорили какие-нибудь обещания или пожелания. Или же пели что-нибудь воодушевляющее.

Четвёртый отряд, потолкавшись, выстроился вдоль стен и обнялся. Игорь с одной стороны положил руку на плечи Титяпкина, с другой стороны — на плечи Маше Стяжкиной. Мальчики стеснялись обниматься с девочками, поэтому Игорь и Ирина разделяли их собой.

— День пролетел, и лагерь спешит ко сну, — забубнили все.

— Доброй вам ночи, наши ребята, — как-то интимно сказали девочки.

— Доброй вам ночи, наши девчата, — зажато сказали мальчики.

— Доброй вам ночи, вожатые наши, — хором сказали опять все. — Завтра нам в трудный путь! Начинаем операцию «Тс-с-с!».

Пионеры с облегчением освободились друг от друга и предостерегающе зашипели, прижав к губам указательные пальцы.

Это действо казалось Игорю жгучим фальшаком. «Орлятский круг» подразумевал, что пионерская жизнь — бескомпромиссная и опасная борьба, которая сплачивает борцов как братьев. Игоря ошпаривала неловкость, и тянуло яростно чесаться. Он и почёсывался, пока загонял пацанов в палаты.

В каморке вожатых Саша тоже готовился укладываться. Это летом-то, в десять вечера!.. Наверное, в детстве Саша был очень послушным ребёнком, плотно охваченным строгой опекой родителей, и до сих пор не избавился от привычки всё делать правильно. А Игорь хотел почитать в кровати. Но, как известно, по сигналу «отбой!» наступает тёмное время суток.

— Ты сможешь уснуть при свете? — спросил Игорь.

— Нужно уважать правила общежития! — ответил Саша.

Ясно: чтение обломилось. Сидеть с книжкой на веранде Игорь не желал. Он обречённо вышел на крыльцо и достал сигарету. Никакую подругу Игорь в лагере ещё не завёл, потому оставалось лишь гулять в одиночестве.

За соснами, за Волгой догорал закат; в его угасании томилась сплошная эротика: стыдливая горячая краснота и движение вниз, к постели... Сквозь мягко слепящий багрянец чёрные сосновые стволы как швартовочные тросы подтягивали синее небо к мохнатому причалу земли. Было жарко, будто в машинном отделении теплохода возле только что выключенного дизеля.

Игорь шагал по длинной Пионерской аллее, сам не зная куда. На Волгу, наверное, куда ещё здесь можно было пойти? Фигурные терема корпусов, угловатыми частями утопая в зыбком сумраке, внезапно обозначали себя среди кустов пунцовыми отражениями заката в оконных стёклах. В третьем корпусе одно окно было открыто, и до Игоря донеслось пение девочек:

— Не слышны в са-аду даже шо-ра-хи, всё здесь зами-рло да утра-а...

Это был настоящий вечер, без всяких дурацких пионерских заморочек.

В акациях за стендом «Слава победителям!» кто-то ворочался и хихикал.

— Ну-ка вылезай! — останавливаясь, строго приказал Игорь.

Из зарослей выбрались две девчонки — обе из второго отряда. Одну из них Игорь уже знал. Она была главной звездой физрука Руслана и главной проблемой вожатки Леночки. Звали её Жанкой Шалаевой. В неё, наглую, большеротую и глазастую, потихоньку влюблялись все старшие пацаны. Девочкой она была дворовой и, очевидно, понимала о жизни больше, чем следует в её возрасте. Её подругу, мрачную хулиганку, звали, кажется, Олей.

— Нарушаем режим? — прищурился Игорь.

— Ой, только не говорите Ленке, Игорь Саныч! — кокетливо ответила Жанка, ничуть не смущённая.

Вожатая уже была для неё Ленкой, и она уже выучила, как зовут всех мужчин в педколлективе. Н-да, оторва не пропадёт.

— Живо в корпус! — сурово сказал Игорь. — Через десять минут проверю!

Девочки недовольно фыркнули, развернулись и улезли обратно в кусты.

Игорь пошёл дальше. Над аллеей, вздрогнув, зажглись фонари. Небо сразу погасло; кроны сосен, подсвеченные снизу, превратились в медленно клубящийся потолок; пространство за стволами деревьев исчезло; акации выступили из темноты плотными кущами белой, как бумага, листвы.

Поодаль, у пищеблока, под тусклой лампочкой над служебным входом судомойка баба Нюра кормила объедками лохматого пса.

— Е-эшь, не бойся, — бормотала она. — Е-эшь, Мухтар, не о-отниму...

У бабы Нюры половина лица была перекошена параличом, и пионеры передразнивали её гримасу, поэтому баба Нюра была злая и на всех орала. Игорь удивился тихой доброте, с которой баба Нюра возилась с псиной.

Игорь обогнул Дружинный дом с тыла, чтобы никто его не увидел: не поощрялось, когда вожатые покидают территорию лагеря. На заднем дворе на лавочке сидели Наталья Борисовна, старшая вожатая, и Руслан Максимыч, физрук. Стараясь не шуметь, Игорь прокрался у них за спиной.

— Хочу такую же дачу, как у Ероныча, — негромко призналась Наталья Борисовна, положив голову на плечо Руслана. — Клубнику буду выращивать.

— Проживи сто писят лет, как Еронов, и дадут.

— Может, мне родить, Руслик? Тогда квартиру из фонда выделят.

— Пока в декрете торчишь, место в горкоме потеряешь.

— А если на полставки там остаться?

— С полставкой на квартиру не рассчитывай, — вздохнул Руслан.

Наталья Борисовна тоже вздохнула. Столько хороших возможностей — работа, квартира, ребёнок, — но одно исключает другое. Надо выбирать. И это трудно. Заводной комиссаршей Наталья Борисовна была только на работе.

Игорь дошёл до ворот пионерлагеря, размотал ржавую проволоку на замочной петле и приоткрыл створку из железных труб. На постаменте, конечно, по-прежнему возвышалась призрачная горнистка. Дощатая полоса пирса, светлея, уходила в темноту Волги. Река дышала в лицо свежестью.

Игорь пошагал по пляжу подальше от входа в лагерь. Под ногами с хрустом продавливался песок. В небе висел узкий серпик нарождающейся луны. Игорь всей душой ощущал, что рядом с ним простирается огромная и плоская пустота бесконечного плёса — будто невидимое высоковольтное напряжение вдоль воздушной линии электропередачи. Так звучала Волга. Её мистическое притяжение увлекало за собой, обрывая все привязи жизни.

От Волги лагерь был отгорожен сетчатым забором. Доступ к реке был самым непоколебимым запретом «Буревестника». Историями про утонувших детей начальство пугало вожатых куда сильнее, чем сами вожатые пугали детей историями про всякую нечисть, убивающую пионеров по ночам. Игорь невесело усмехнулся. То, что интересно, всегда оказывалось недозволенным. Нельзя купаться в реке. Нельзя ходить в лес. Нельзя соблазнять девушек. А что тогда делать? Смотреть Олимпиаду по общему телевизору?

Игорь сел на бревно, выброшенное водой и полузанесённое песком. Сзади за соснами горели фонари Пионерской аллеи. Впереди на реке еле тлели алые искры бакенов. Угасающая синева волшебной линией очертила дальние кручи Жигулей. По фарватеру шёл круизный лайнер. Он казался освещённым изнутри, точно аквариум. Сквозь телепатический шёпот течения доносилась неясная музыка. Люди плыли навстречу каким-то удивительным впечатлениям, танцевали на палубе, пили вино, шутили и смеялись, а он, Игорь Корзухин, был на все гайки и контргайки привинчен к пионерлагерю, к летней практике, к высшему образованию, к трудовой биографии...

А где-то луна серебрила исполинские щербатые грани древних пирамид. Океанский ветер трепал обрывки такелажа на мачтах Летучего Голландца. Неведомая сила поджидала самолёты в ловушке Бермудского треугольника. Ряды бессловесных каменных истуканов вглядывались в горизонт с берега острова Рапануи. Драконья челюсть Стоунхенджа скалилась разбитыми зубами. В Непале косматый снежный человек, стоя на четвереньках, нюхал следы альпинистов. В холодной глубине озера Лох-Несс бесплотно скользила тень юрского плезиозавра. Космическая навигация пустыни Наска навеки застыла в скрещениях таинственных дуг и биссектрис. Джунгли корнями медленно раздирали на куски заброшенные города индейцев майя. Стаи разноцветных рыб вились меж колоннад затонувшей Атлантиды. Ничего этого ему, Игорю Корзухину, никогда не увидеть. Почему? А по кочану.

Сзади зазвенела сетка забора. Игорь оглянулся. Кто-то ловко перелезал через ограду. Нет, не ребёнок. Взрослый человек — но стройный и гибкий. Что за гимнаст вдруг выискался?.. Игорь изумился: это была девушка, но стриженная под мальчика. Вероника. Вожатая из третьего отряда, в котором другим вожатым был Саша, сосед Игоря по комнате.

Вероника вышла на пляж, делая вид, что не замечает Игоря. Игорь сразу понял, что в этом пренебрежении заключается вызов — конечно, не лично ему, а всему миру. Всем «нет», «нельзя» и «никогда». Вероника сбросила обувь, извиваясь, спустила джинсы, через голову стащила футболку, а потом, заломив руки, бесстрашно расстегнула лифчик. Слабая луна еле освещала её бледную грудь. Игорь остолбенел: не мог пошевелиться или хотя бы отвести глаза. Боязливо расставив руки, Вероника в одних трусиках осторожно ступила в воду, добралась до глубины по пояс, легла и поплыла от берега.

Игорь наблюдал, как она сделала круг и вернулась. Она вышла из воды вся блестящая и по-прежнему не прикрывала грудь руками. У Игоря в уме всё смешалось: сейчас надо было небрежно уронить какое-нибудь саркастическое замечание, или, наоборот, выразить понимание и одобрение, или хотя бы предложить сигарету, а он молчал, как каменный истукан на острове Рапануи. Белая грудь Вероники заворожила его, заворожил этот странный и дерзкий поступок — искупаться полуголой назло всему, и пускай даже никто не увидит этого, а потрясённый остолоп не в счёт. Вероника быстро обтёрлась футболкой и принялась одеваться.

А потом она пошла обратно к забору, перелезла через сетку и скрылась за кустами. У Игоря же осталось безумное ощущение, что ни с того ни с сего он вдруг потерял всё на свете. Или, может быть, всё на свете обрёл.

Глава 8

ОСКАЛ ОЛИМПИЙСКОГО МИШКИ

Дружинный дом был двухэтажным щитовым бараком, построенным лет тридцать назад как совхозное общежитие — тогда деревня Первомайская ещё худо-бедно процветала. Теперь в Дружинном доме располагались жилые комнаты старшей пионервожатой, физрука и старшего воспитателя, а также кружковые комнаты, радиоузел и почти священная Знамённая комната. На первом этаже находился кинозал с затемнёнными окнами. Туда можно было запихать человек шестьдесят—семьдесят, поэтому фильмы в лагере менялись раз в три дня, чтобы их посмотрела вся дружина. Сегодня был вечер третьего и четвёртого отрядов. Игорь, Ирина, Саша Плоткин и Вероника сидели в последнем ряду, и к ним присоседились физрук Руслан и Свистунова.

Радиотехник Саня крутил скучное документальное кино про подготовку к Олимпиаде, но старшая вожатая пообещала, что потом будут мультики, и недовольные зрители терпели, тихо переговариваясь в ожидании зрелища. Стрекотал киноаппарат; в темноте над залом светился расширяющийся дымный луч, в котором мелькали цветные тени, и ребячьи макушки делались то синими, то красными, то жёлтыми.

— Угадайте загадку, пацы, — заелозил Лёшка Цыбастов из второго, не Валеркиного звена. — В тёмной комнате на белой простыни полтора часа удовольствия! Что это?

— Отвянь, все знают! — пробурчал Венька Гельбич.

— Ну-ка прищемились там! — строго одёрнул болтунов физрук Руслан, потом склонился к уху Саши Плоткина и уважительно прошептал: — Не понимаю, как ты ваще этих дэбилов в шахматы учишь? Молоток!

Саша пожал плечами: дескать, что свыше дано, того умом не постичь.

Валерка внимательно смотрел на экран. Ему, в отличие от прочих, было интересно. Столько всего приготовили для Олимпиады!.. Валерку поражала странная инопланетность новых спортивных сооружений: чаши стадионов напоминали метеоритные кратеры, а велотрек в Крылатском был подобен фантастическому поселению на Луне; многоногим марсианским крабом растопырился стадион «Дружба», и на него неудержимо пёр Дворец спорта «Динамо», похожий на старинный танк. На стеклянно-ячеистом вогнутом парусе гостиницы «Космос» дробно полыхало солнце. Блестели вереницы прозрачных и элегантных автобусов «Икарус». Пышно били белопенные фонтаны. Реяли стаи пёстрых флагов. Но сильнее всего Валерку впечатляли спортсмены. Они дружно шагали рядами и колоннами и белозубо улыбались кинооператору. Валерка рассматривал лица атлетов — простые, открытые и мужественные. Спортсмены были как солдаты на параде: им ведь и вправду предстоял бой, жестокая схватка на пределе возможностей.

Валерка завидовал спортсменам. Конечно, не их силе. Он завидовал тому, что у спортсменов были команды, на которые можно положиться во всём, и команды не подведут. А у него, у Валерки, своей команды не было. И надеяться не на кого, и выкладываться не для кого. Что объединяет его с Титяпой или Колькой Гороховым? Палата в корпусе? Желание посмотреть мультики? Это не по-настоящему. Настоящего единения Валерка не встречал никогда. Дружба — не то. Дружба — это когда тебе интересно с твоим другом, когда вы похожи. А команда — когда все разные, но вместе делают одно дело, которое нужно всем, и это дело не сделать в одиночку.

Лёва Хлопов тоже не отрывал взгляд от экрана.

— Ринат Дасаев!.. — восхищённо бормотал он, узнавая футболистов олимпийской сборной. — Черенков идёт!.. Бессонов!.. Гаврилов!..

Документалка наконец-то закончилась, зал облегчённо зашумел, и Саня поменял бобины: началось время мультиков. Правда, мультики тоже были про Олимпиаду. Назывались они «Баба-Яга против!». Цыганистая Баба-Яга, тощий Кощей в пальто и короне и мелкотравчатый Змей Горыныч пытались всячески напакостить пухлому Олимпийскому Мишке, но от недотёпистости путались и мешали друг другу: ничего у них, придурков, не получалось. В общем, было смешно. Отряды разошлись по корпусам удовлетворённые.

Ирина Михайловна быстро провела «свечку».

— Гурьянов и Титяпкин, кто болтал на фильме? — Ирина Михайловна взглядом испепелила нарушителей тишины. — Хотите в следующий раз в корпусе сидеть, пока нормальные кино будут смотреть?

Затем четвёртый отряд сцепился в «орлятский круг».

— День пролетел, и лагерь спешит ко сну, — забубнил Валерка вместе со всеми. — Доброй вам ночи, наши девчата... Доброй вам ночи, вожатые наши... Завтра нам в трудный путь!.. Начинаем операцию «Тс-с-с!»

Валерка терпеть не мог этого кривлянья. Какого фига они так задушевно прощаются? Никто же не сдохнет ночью! И они тут друг другу не родня! Валерка даже с мамой и бабушкой перед отъездом в лагерь так пылко не обнимался и к маленькой сестрёнке не проявлял такой нежности!..

В палате пацаны разобрались по койкам, Горь-Саныч выключил свет и закрыл дверь. Пацаны тотчас вскочили и схватили полотенца. Перед сном требовалось перебить комаров, сколько можно, иначе заедят. Отхлестав по стенам, а заодно и друг по другу, пацаны снова улеглись. Теперь можно было приступить к обсуждению дня — настоящему, а не такому, как на «свеч-ке». Комары, переждав суматоху, потихоньку раззвене-лись, как прежде.

— Мультики дряньские были, — заявил Гурька. — Не ржачно нисколько.

— А кино интересное, — сказал Лёва. — Я бы съездил в Москву позырить на Олимпиаду. Или хотя бы на фут-бол.

— В Москву никого не пускают, — возразил Серёжа Домрачев. — Все поезда идут в обход.

— А людям приехать как? — удивился Титяпкин.

— Жопой об косяк, — буркнул Славик Мухин.

— А зрителей для соревнований где возьмут?

— Все зрители — переодетые мильтоны и солдаты, — авторитетно поведал Серёжа. — В Москве во всех школах летом солдат поселили. А стадионы новые построили, чтобы в стенах сделать незаметные окошки, через кото-рые солдатам можно из винтовок стрелять, если что.

Пацаны мрачно задумались. Да, похоже на правду. Олимпиада ведь — та же война, только как бы врукопаш-ную и не до смерти.

— Иностранцы всякие диверсии приготовили, — ска-зал вдруг робкий Юра Тонких. — Они об этом давно уже целую книгу написали. Кто надо — читал.

— Откуда знаешь? — не поверил Славик Мухин.

— От папы.

Вообще-то нормальные пацаны на слова родителей не ссылались. Это считалось по-салабонски: всё равно что в школьной ссоре звать на помощь учительницу. Однако в данном случае можно было сделать исключе-ние из правил, и даже Колька Горохов, вздохнув, про-молчал.

— Там в той книге написано, что иностранцы будут дарить футболки с Олимпийским Мишкой, — продол-жил Юрик. — Так-то Мишка нормальный, а когда постирают — краска облезет, и он оскалится зубами, как собака.

— Т-щ-щётко! — восхитился Гурька. — Мне бы такую футболку!

— А ещё там написано, что будут дарить жувачки, а внутри — бритвочки. А негры через стаканы в газировочных автоматах будут заражать болезнями. И джинсы будут продавать, а в швы там зашиты микробы.

От переполнивших чувств Гурька заметался у себя в койке.

— А чё никто их не поймает? — обиделся Титяпкин. — Они же вредят!

— Папа говорил, что по ночам в Москве мильтоны будут трясти деревья и собирать в баночки жуков, которые упали. Потом их отдадут в медицинский институт и сделают прививку. Но это ведь не сразу.

Коварство иностранцев поразило пацанов, и Валерку тоже. Правильно в мультике было показано, что «Баба-Яга — против». Один только Лёва Хлопов остался недоволен. Он приподнялся на локте, глядя на Юрика. Диверсии диверсиями, но футбол-то не надо сюда замешивать!

— А про футбол что-нибудь написано, Юрик? — спросил он.

— Написано, что иностранные футболисты везут коробочки с блохами. Выпустят на наших, наши станут дёргаться и чесаться — и проиграют.

Лёва немного успокоился и лёг щекой на подушку.

— Из-за блох-то не проиграют, — убеждённо сказал он. — Блохи — фигня.

Пацаны смотрели в потолок и размышляли о трудностях жизни. Сосны за окном были подсвечены синими фонарями Пионерской аллеи.

— Надо нам футбольную команду собрать, — твёрдо решил Лёва.

Глава 9

«СОБАКАМ НА ДРАКУ!»

Распорядок дня был начертан на больших стендах, установленных возле столовки, перед Дружинным домом и на Пионерской аллее. Время между «трудовым десантом» и обедом предназначалось для занятий в кружках и секциях, для тренировок и репетиций. На стенде этот период был снабжён стихотворным пояснением: «Раз пришёл весёлый час, так играйте все у нас!».

Игорь Саныч вёл мальчишек своего отряда на стадион играть в футбол.

— Старшаки говорили, что в прошлом году вместо стадика был бассейн, — на ходу рассказывал Серёжа Домрачев. — Только однажды девки купались там после пацанов, и одна от воды сделалась беременной. Начальника лагеря чуть в тюрьму не посадили. Он приказал закопать бассейн.

Пацаны, если честно, не очень-то представляли, как у девок происходит процесс беременья. Для пацанов драматическая история преобразования бассейна в стадион выглядела вполне правдоподобно. Жизнь трудна.

— Не было никакого бассейна! — не очень уверенно возразил Гельбич, но на него никто не обратил внимания.

Каждую смену в лагере проводился футбольный чемпионат. В нём всегда побеждала команда старшего отряда — первого или второго. Команды старшаков состояли из таких «белазов», одолеть которых никто не мог. Но Лёва Хлопов, вооружённый теорией футбола, дерзнул сломать эту традицию.

— В футболе важны не мускулы, а мозги, — убеждённо говорил Лёва пацанам из своей палаты. — Когда игроки умелые, а команда сплочённая, можно сокрушить любого соперника. Главное — навыки и воля к победе.

Воля к победе имелась у всех, а навыками Лёва обещал снабдить.

— Я такие приёмчики знаю — любого обведёте, — заверил он.

Лёва вступил в переговоры с Игорем Александровичем. Игорю очень понравился замысел Лёвы. Игорь, в общем, не знал, чем занимать пионеров, когда ему как вожатому надо их чем-нибудь занимать. Да и скучно было следить за играми детей, когда сам уже вышел из детского возраста. С собой в лагерь Игорь прихватил пару книжек фантастики. Можно почитать, пока мальчишки поглощены своим делом и не нуждаются в надзоре.

Игорь отыскал Руслана, главного физрука и хозяина стадиона.

— Слушай, выдели мне поле раз в день на час, — попросил он.

— На кой?

Игорь объяснил. Руслан легко согласился: если стадион занят другими, то и ему работы поубавится. Но на всякий случай он предупредил:

— Там одни ворота шатаются. Если твои дэбилы повалят их — сам вкапывать будешь.

Лёва запланировал ежедневные матчи между своим звеном и звеном Веньки Гельбича. В этом противоборстве Лева рассчитывал оценить качество всех игроков, чтобы потом организовать отрядную сборную из одиннадцати человек. На чемпионате в конце смены эта натренированная команда вышла бы против «белазов». И тогда выяснится, что важнее: интеллект или сила.

Узнав об инициативе Игоря, Ирина разъярилась.

— Это не занятия с детьми! — прошипела она. — Ты, Игорь, таким образом просто отлыниваешь от обязанностей!

— У нас же олимпийская смена! — демагогически ответил Игорь.

А пацаны дружно поддержали идею. Футбол-то интереснее, чем уборка шишек на «трудовом десанте», репетиции спектакля в защиту мирного неба или написание писем иностранцам в Школе Интернациональной Дружбы.

— Нечестно! — сразу разоралось звено Гельбича. — Нас семь, а вас восемь!

— Я могу не играть, — робко предложил Юра Тонких.

— Хорошо, Юрик, будешь запасным, — охотно согласился Лёва.

Всё равно от этого стручка никакой пользы.

А Валерку футбол не воодушевлял. Комары ночью так свирепствовали, что Валерка почти до рассвета отмахивался и чесался, а потому совсем не выспался. Шагая к стадиону, он думал о том, что сегодня надо соорудить над собой крышу из простыни, натянув её на спинки кровати. Не напрасно же он занял место в углу палаты, где удобнее всего делать «домик» от кровопийц.

Крепко утоптанный стадион окружали длинные лавочки для зрителей. Разметки на поле не имелось. Ворота стояли пустые — просто два столба и перекладина. Игорь Александрович вывел пацанов на стадион.

— Всё! — он беспомощно развёл руками. — Больше ничем помочь не могу.

В футболе Горь-Саныч ничего не понимал и не скрывал этого.

— Дальше я сам, — солидно ответил Лёва.

Пока болваны Гельбича нагоняли мяч на ноге, Лёва занялся теорией.

— Гурька, ты будешь вратарём, — сказал он.

— Нет! — завопил Гурька. — Я голы забивать хочу!

— Ты самый ловкий, — терпеливо объяснил Лёва. — Без тебя нам капец.

В душе Гурьки азарт боролся с тщеславием, и победило тщеславие.

— Ладно, — снисходительно согласился Гурька.

— Значит, слушайте дальше, — продолжил Лёва. — Серый и Колян, вы будете защитниками. Вы должны охранять наши ворота.

— А голы забивать? — заревновал Колька Горохов.

— Голы забивают нападающие.

— Делай меня нападающим!

— Все будут по очереди.

— Тогда давай считаться, чтобы по правилам было!

— По правилам — это меня слушать! Я капитан!

— Да зажрись ты своим футболом! — рассвирепел Горохов, ушёл в сторону и от досады принялся пинать землю.

— Титяпкин и Мухин, вы нападающие.

— Я их всех снесу! — пообещал Титяпа. — Их всех отсюда в морг увезут!

— А мы с Валериком — полузащитники. Мы в середине поля.

Термин «полузащитники» Валерке не понравился. И защитником-то быть скучно, а тут вообще только половина задачи! Выходит, по-настоящему в футбол будут играть лишь Титяпа и Славик! Но спорить Валерка не стал.

— Подавайте мяч, Горь-Саныч! — распорядился Лёва. — Мы готовы.

Игорь Александрович вышел на поле и положил мяч посередине. С одной стороны к борьбе изготовилась команда Лёвы, с другой стороны — команда Веньки Гельбича, у которого все игроки, не мудрствуя лукаво, были нападающими, и потому слитная кодла гельбичей выглядела куда более опасной, чем технично расставленная команда Лёвы. Игорь Александрович сунул в рот свисток, позаимствованный у физрука, и свистнул.

Гельбичи ринулись к мячу, Вовка Макеров точным ударом сразу послал его вперёд, и гельбичи ломанулись напрямую, расшвыряв Титяпу и Мухина. Лёва отважно метнулся на перехват, повалив пару гельбичей, и Валерка тоже побежал куда-то наугад, ещё не соображая куда. Колька Горохов трусливо отпрыгнул с пути гельбичей, Серёжа Домрачев затерялся в толпе врагов, и Лёха Цыбастов с разгона ударил по воротам Лёвиной команды. Гурька, вытянув руки, полетел в один угол ворот, а мяч пролетел сквозь другой угол. Гурька упал, вскочил и помчался за мячом, словно хотел отомстить ему, и чем быстрее месть свершится, тем незначительнее окажется поражение.

— Ладно, всё нормально, — утешил своих бойцов Лёва. — Нельзя начинать с победы, это расслабляет, — Лёва тяжело вздохнул и осуждающе посмотрел на гельбичей: — А вы чего всем стадом атакуете? Игроки бывают разные: форвард, хавбек, голкипер, а у вас одни форварды! Так нельзя! Мы же общую сборную готовим, и против «белазов» будем играть одной командой. В ней у каждого своя задача. Её надо отработать.

— Иди в жопу! — ответили Лёве наглые и торжествующие гельбичи.

Никто из своих пацанов Лёве ничего не сказал, но урок был усвоен: правила только мешают побеждать.

Гурька принёс мяч и водрузил его в центре поля.

— Собакам на драку! — заявил он.

Игорь Александрович дал свисток. Снова вспыхнуло сражение. Славик Мухин и Титяпкин оставили свою зону ответственности у ворот и влились в общую свалку, и Лёве тоже пришлось присоединиться. Пацаны вопили, толкали друг друга плечами и отчаянно лягались, пытаясь попасть по мячу. Валерка, боясь разбить очки, бегал вокруг побоища, но не находил способа всунуться в него. Всех футболистов охватила ярость: плевать на команду, плевать на ворота, свои или чужие, главное — влепить кедом, чтобы мяч улетел куда-нибудь к чёрту! А мяч вдруг свечкой взмыл в воздух над толпой, потом рухнул вниз, и Лёва, подпрыгнув, боднул его лбом.

Мяч приземлился прямо перед Валеркой и запрыгал по полю. Валерка тотчас метнулся к нему, пнул и погнал перед собой, устремляясь к воротам гельбичей. В воротах, широко растопырив руки, в панике заполошно суетился Борька Подкорытов; лицо у него было белым. А толпа остальных футболистов понеслась за Валеркой, будто дворовая свора за кошкой.

— Стой, очкастый! Стой, падла! — кричали и чужие, и свои.

Титяпа первым настиг Валерку и поддал ему по пятке. Валерка зацепил ногой за ногу и растянулся на пузе. Толпа футболистов, бурля, прокатилась над ним, и кто-то наступил ему на руку. Битва закрутилась в штрафной зоне гельбичей и потихоньку ввалилась в ворота, затоптав Борьку Подкорытова.

— Это гол, гол! — орали из команды Лёвы. — Зассали, гады?

— Не гол! Не щ-щитово! — орали из команды Веньки. — Борзота!

Валерка поднялся и пошёл с поля. Ему стало неинтересно.

Юра Тонких сидел на лавке рядом с Игорем Александровичем. Вожатый читал какую-то растрёпанную книжку с цветастой обложкой.

— Иди, Тонкий, играй за меня! — зло приказал Валерка.

— Я не хочу...

— Иди, а то в ухо дам!

Юрик поплёлся на поле, а Валерка сел на лавку.

— Не любишь футбол, Лагунов? — искоса глянул на него Горь-Саныч.

— Люблю! — строптиво буркнул Валерка.

Сзади к ним подошёл Валентин Сергеич Носатов — лагерный доктор.

— Угости сигареткой, Игорёк, — попросил он вожатого.

Валентин Сергеич возвращался в медпункт от Серпа Иваныча Иеронова — два-три раза в неделю Носатов навещал всесоюзного пенсионера, чтобы измерить давление. Иеронов — человек пожилой: восемьдесят лет, ровесник века, надо держать здоровье под контролем. А то умрёт в пионерлагере, как Пальмиро Тольятти в «Артеке», и тогда врача попрут с работы.

Затягиваясь сигаретой, Носатов понаблюдал за игрой.

— Какой позор! — с чувством сказал он.

— Чем уж богаты, — пожал плечами Игорь Александрович.

— Веди их ко мне после матча. Надо бинтовать и зелёнкой мазать.

На поле продолжалась битва. Растрёпанная и орущая орава шарахалась от ворот к воротам. Валерка понимал, что основа футбола — передачи, когда футболисты пасуют мяч друг другу, ловко избегая столпотворения, но сейчас никто не хотел уступать мяч, каждый жаждал завладеть им и заколотить гол самостоятельно. Вокруг вертящегося мяча кипело ожесточённое сражение. Пацаны будто фехтовали ногами, расшибая колени и голени своим и чужим. Мелькали красные китайские кеды и расшлёпанные сандалии, летел песок из-под подошв. Использовать руки строго запрещалось, но в кутерьме пацаны поневоле отпихивали друг друга и орудовали локтями. Потеряв самообладание, Колька Горохов вцепился в Лёху Цыбастова.

— Ты чё, тыгыдымский конь! — возмущённо завопил Лёха.

Титяпкин выдернулся с мячом из толпы и, хрипя, понёсся на половину гельбичей, однако его догнали, и он исчез в куче-мале.

Гурьку в воротах от возбуждения разрывало на части. Гурька то бегал кругами, то подпрыгивал и повисал на перекладине, будто на турнике. Если кто-то из гельбичей пробивался на линию атаки, Гурька в полуприседе скакал перед ним в штрафной зоне и бешено кричал, как герой на расстреле:

— Давай! Давай, сволочь!

А Лёва Хлопов вкладывал в борьбу всего себя без остатка, хотя можно было чего-нибудь и оставить. Лёва играл умело и ловко: подрезал, обводил, легко отнимал мяч, уворачивался оборотом и делал финты. Но бедой Лёвы была самоотверженность. Лёва желал показать класс и вовлечь в игру всех, кто был в его команде. Он щедро раздавал пасы, прострелом или навесиком отправляя мяч товарищам. Он отважно бросался в самую гущу рубилова, не щадил себя, прикрывал своих пацанов от ударов гельбичей и часто падал, оставаясь в корчах одиноко лежать на земле, когда толпа убегала прочь, но потом мужественно поднимался и, хромая, снова рысцой спешил наперерез орде противника. Он задыхался. Его колени кровенели ссадинами, его майка и растянутые триканы были перепачканы землёй, его волосы растрепались, языки на его кедах вывалились. В общем, Лёва играл благородно — не на жизнь, а насмерть. На поле он был «один за всех», но увы, увы: эти «все» не были «за одного». Пацаны сражались каждый за себя, и команда Лёвы неудержимо получала гол за голом. Валерке стало горько за Лёву.

Вот бы здорово изобрести такую особую машинку: нажал кнопку — и все сразу подчиняются беспрекословно. Проще бы жилось. Лично ему, Валерке, эта машинка была не нужна: он никогда не мечтал командовать. Он отдал бы машинку Лёве. Лёва — хороший человек, а пацаны его не слушаются.

Истерзанный Лёва собрал пацанов обеих команд в центре поля.

— Вы чего как маленькие? — допытывался он. — Нам не надо побеждать друг друга! Мы учимся играть вместе!

Вот ты, Цыбастыш, почему Вовчику не отпасовал? Он же прямо против наших ворот находился! А ты, Юрик, зачем отскочил? Ты должен свою зону караулить! Надо всем заодно быть!..

Мяч лежал на земле рядом с Лёвой. Пацаны нервно переглядывались. Титяпкин не выдержал, рванулся к мячу и пнул. И вся орава тотчас с воем кинулась вслед за мячом, бросив Лёву с его бесполезными поучениями.

Игорь Александрович, заложив книжку пальцем, посмотрел на пацанов, посмотрел на Валерку и понимающе усмехнулся.

— Разочаровался в коллективизме? — спросил он.

— Вам нельзя так говорить! — огрызнулся Валерка. — Вы же учитель!

— Учитель, но не дурак.

Валерка не ответил, сердито глядя на игру. При чём тут коллективизм? Коллективизм — это прекрасно. Коллектив всегда прав. Коллектив всегда лучше, чем один человек. Умнее, честнее, храбрее. Но там, на стадионе, разве коллектив? Разве команда? Не команда, а стая макак, дерущихся за банан!

Глава 10
ВНЕШНИЙ ВИД

Для всех, кто надеялся посмотреть открытие Олимпиады, у Серпа Иваныча попросту не хватало посадочных мест, поэтому телезрители сами приносили себе стулья. Игорь вёл на дачу Иеронова активистов своего отряда: Веньку Гельбича, Анастасийку Сергушину, Леночку Романову и Лёву Хлопова. Ирина отпустила их, оставшись в корпусе; Олимпиада её не интересовала, хотя Ирина сто раз в день требовала от пионеров гордиться тем, что

они приехали в лагерь на особенную смену — олимпийскую.

Игорь заставил Веньку и Лёву тащить стулья за Лену
с Анастасийкой.

— Бабам-то Олимпиада на хрена? — ворчал Венька
Гельбич.

— Бабы у тебя в классе, — ответила Анастасийка. —
А мы — девушки.

В лагере имелось только два телевизора. Чёрно-белый
«Рассвет» стоял в Дружинном доме, но там собралась це-
лая толпа: Свистуха с Русланом, старшая воспитательница Ирина Фёдоровна, директор лагеря Колыбалов, доктор Носатов, радиотехник Саня, завхозиха, бухгалтерша
и кастелянша, заведующая столовкой и поварихи. Пионеры из старших отрядов, желающие увидеть зрелище,
уже не влезали, и вожатые попросились к Серпу Иванычу — тем более что Серп и сам всех приглашал. На чужой
территории гостям было несколько неловко, зато у Серпа разноцветно сиял большой «Рубин».

Серп Иваныч был польщён. Он по-стариковски воодушевился таким количеством молодёжи и не знал, чем уго-
дить. Кирилл и Максим, вожатые-тёзки, припёрли телевизор Иеронова на веранду, водрузили на стол и настраи-
вали антенну; Серп Иваныч помогал расставлять стулья.

— Хватает или нет? — спрашивал он. — У меня на втором этаже ещё один стул есть, только спинка сломана.
Нужен будет кому-нибудь, а, ребята?

С Серпом Иванычем кокетничала симпатичная и наглая Жанка Шалаева.

— А эта дача вот прямо ваша, да? — Жанка смотрела
на Серпа чистыми глазами дурочки. — Вы, наверное,
какой-то подвиг совершили, да?

— Просто я очень старый, — пояснил Серп Иваныч. — В городе я давно уже надоел, и меня сюда отправили, чтоб я помер и не мешался.

— Вы совсем-то ещё не старый, — возразила Жанка. — Не скоро помрёте.

Лучи заката набирали над Волгой такую скорость и силу, что слепили даже сквозь частокол сосновых стволов. Веранда была погружена в янтарное свечение. В окно Игорь увидел, что возле крыльца стоит и курит Вероника — вожатая, которая несколько дней назад купалась при нём без лифчика. Игорь уже знал, что Вероника работает на третьем отряде вместе с занудой Сашей Плоткиным, а живёт в одной комнате с правильной Ириной. Наверное, Веронике надоели поборники моральных норм. Курение вожатых в лагере не поощрялось, тем более вожатых-девушек, и Вероника затягивалась с видом человека, утомлённого дурацкими упрёками. Игоря потянуло к ней, словно ему уже что-то пообещали. Он быстро направился к выходу.

— Привет, — сказал он, доставая сигареты. — Пришла на Олимпиаду?

— А разве здесь что-то ещё могут показать? — буркнула Вероника.

Однако Игорь решил продолжать в прежнем ироническом тоне.

— Каким видом спорта интересуешься? Плаванием?

Вероника явно хотела огрызнуться, но против воли фыркнула от смеха. Собственная недавняя дерзость её ничуть не смущала, а этот усатый парень, похоже, и не думал осуждать. Значит, нормальный.

— Надо же чем-нибудь заняться вечером, — призналась Вероника. — Не методички же читать.

— С развлечениями здесь туго, — согласился Игорь. — К Свистуновой я бы не пошёл телик смотреть, незачем лишний раз на глаза попадаться. Спасибо Серпу, что пустил к себе. Хороший он старикан.

— Да, славный, — кивнула Вероника.

Разговор забуксовал.

— Даже не верится, что Серп всю историю видел, — сказал Игорь, лишь бы продолжить беседу. — На саблях с белыми рубился, на тачанках гонял...

Такое и вправду не укладывалось в голове. Серп Иваныч выглядел, так сказать, весьма современным стариком: молодежь не ругал, своего мнения не навязывал, не жаловался на здоровье, шутил, смотрел цветной телевизор. Но вот телевизор-то никак и не сочетался с будёновцами.

— Вообще-то тачанки — это не к нему, — заметила Вероника. — Я... э-э... — она замялась, — короче, я знаю людей, которые знают его, — ну, в городе, в обкоме. Так вот, они говорили, что Серп делал карьеру по линии партии. И на конях он скакал разве что только поначалу.

Значит, у Серпа Иваныча в биографии — лишь митинги и партсобрания.

— У-у!.. — разочарованно протянул Игорь. — А я-то думал, он герой...

Вероника неожиданно рассердилась.

— А герой — только тот, кто со штыком в атаку? — с вызовом спросила она. — А если человек всю жизнь вкалывал, как ишак?

Всю жизнь вкалывать — безусловно, достойно уважения. Но прожить жизнь ишаком... Нет, Игорь такого не хотел.

— Серп всего себя работе отдал! Не женился, детей не завёл — некогда было! Потому сейчас и возится с пионерами — своих-то внуков не нажил!

— Не знаю, правильно ли это, — с сомнением сказал Игорь.

— Судя по твоему виду, конечно, неправильно! — презрительно уронила Вероника, намекая на джинсы и модную стрижку Игоря.

— У тебя внешний вид тоже бывает не совсем правильный, — осторожно ответил Игорь, намекая на ночное купанье.

— Пошляк! — оскорбилась Вероника.

Она бросила сигарету, готовая уйти, но Игорь схватил её за руку.

— Да погоди ты! — примирительно сказал он. — Я же ничего обидного про Серпа Иваныча не говорю! Мне он очень нравится!

— Таких людей, как он, сейчас нету! — строптиво заявила Вероника.

— Нету, — истово подтвердил Игорь.

— Если бы ты его понимал, то сейчас не здесь бы прохлаждался, а на БАМе рельсы укладывал!

Такой аргумент всегда висел над совестью Игоря, как дамоклов меч: если ты хороший человек, то почему не участвуешь в хорошем деле?

— Ты тоже не на БАМе! — огрызнулся Игорь.

Какого фига эта девица взялась его учить?

Вероника вырвала руку и быстро пошла к домику Серпа Иваныча.

Игорь мрачно затянулся, размышляя. Он хороший человек, но ему неинтересно строить железную дорогу в тайге. Было бы интересно — так пошёл бы учиться в железнодорожный техникум, а не на филфак университета. Он не лентяй и не эгоист. Не обыватель и не мещанин. Но он не хочет ни на БАМ, ни на КАМАЗ, ни на Атоммаш. Он хочет плыть на тростниковой ладье «Тигрис» и вместе с Туром Хейердалом разведывать пути древних шумеров. Хочет вместе с Кусто в «ныряющем блюдце» изучать коралловые рифы. Хочет с Рейнгольдом Месснером когда-нибудь подняться на Аннапурну. Хочет раскапывать руины Мохенджо-Даро, искать Эльдорадо в джунглях Ориноко или забраться на недоступное плато Рорайма, где, конечно, вряд ли живут уцелевшие динозавры, но всё равно там Затерянный Мир. В этих желаниях нет ничего дурного. Но о них почему-то лучше помалкивать.

А Вероника... Она сама не желает жить так, как все, потому и купалась без лифчика. И рассердилась она не на Игоря, а на кого-то другого или на что-то другое. На нём, на Игоре, она просто сорвала зло. Увы, для этого ей пришлось обвинить его в том, в чём на самом деле она не винила ни его, ни себя. Какие обвинения подвернулись под руку, такие она и пустила в дело.

— Начинается! Начинается! — закричали из теремка Серпа Иваныча.

Когда Игорь вошёл, на экране мускулистый атлет в белой форме бежал по улице Москвы с олимпийским факелом в руке. Факел оставлял длинный дымный след. За атлетом тянулись две цепочки спортсменов. Медленно ехали милицейские машины с полыхающими мигалками.

На веранде перед телевизором собралось человек двадцать. Лёва Хлопов охранял место для Игоря. Иеронов, уступая место гостям, сидел в последнем ряду. Игорь протиснулся к нему. Хотелось как-то услужить старику, чтобы оправдать себя за скепсис, хотя Серп Иваныч о скепсисе и не знал.

— Садитесь на мой стул, — прошептал Игорь. — Там ближе к телику.

— У меня дальнозоркость, голубчик, — улыбнулся Серп. — Иди, иди.

На олимпийском стадионе гордо протрубили горнисты. По спортивным дорожкам двигалась процессия в античных одеяниях и лавровых венках; мужчины держали курящиеся блюда с благовониями, а женщины — гирлянды роз. Катились триумфальные колесницы-квадриги, вышагивали чёрные и белые кони, девушки сыпали цветочные лепестки. Потом пронесли белое олимпийское знамя с пятью кольцами, прицепили к мачте и подняли в небо. Зазвучал олимпийский гимн, знамя развернулось на ветру, полетели птицы.

Над трибунами вздымалась чаша для олимпийского огня, похожая на огромный фужер. Спортсмен с факелом побежал наверх, к чаше, и вокруг него растекалась волна синевы. Люди на трибунах рукоплескали, статисты на поле махали платками. Из чаши вырвались высокие языки пламени. Опять заметались птицы, и диктор сказал, что это пять тысяч почтовых голубей. На огромном панно под чашей с огнём появилось изображение Олимпийского Мишки. Зазвенели фанфары. А перед теликом царила благоговейная тишина.

На стадионе в Лужниках с гигантского экрана космонавты в скафандрах послали олимпийцам спортивный привет и сообщили, что видят с орбиты и Москву, и даже Грецию. Трибуны забушевали овацией. Дикторы читали величественные стихи. По зелёному полю стадиона кружили белые танцоры-спортсмены, и зрители поражались непривычной свободе мужчин и чувственности женщин. Потом поле заполнили артисты в национальных костюмах; мелькали сарафаны и бешметы, папахи и тюбетейки; гремели азиатские барабаны и выли какие-то зурны; ряды артистов перестраивались, вытягиваясь дугами и свиваясь в текучие кольца хороводов. В красочном представлении не было казёнщины юбилейных концертов, и дух захватывало от разнообразия лиц и костюмов. Разнообразие таило в себе неимоверную силу державы, которая и выстраивала людей в сложнейшие фигуры.

Потом на поле высыпала куча олимпийских медвежат, они кувыркались и махали в воздухе ногами. Затем появились дети: толпа мальчиков и девочек прискакала на палочках-лошадках. Мальчики принялись прыгать и делать сальто, девочки в жёлтых платьицах танцевали с куклами и раскладывались на зелёном поле звёздами подсолнухов. Юные гимнасты, ловкие и гибкие, очень точно отражали суть детства — гораздо точнее, чем пионеры со своими выспренними ритуалами; Игорь вдруг почувствовал щемящую нежность к детям — и к тем идеальным, что были на экране, и к балбесам в своём отряде. И его сердце окатила любовь к своей стране, такой могучей и огромной, часто — неповоротливой, но в глубине — всё равно тёплой и доброй.

Никто из телезрителей на веранде не видел, как с последнего места Серп Иваныч наклонился к девушке-вожатой, что сидела впереди, и, похоже, что-то ласково зашептал ей на ушко. Лицо девушки исказил испуг, потом его сменило недоумение, и, наконец, девушка, зажмурившись, тихо улыбнулась. Это выглядело так, будто старый галантный аристократ одарил трепетную мадемуазель очень приятным, но не совсем допустимым комплиментом.

Глава 11
ПЕСНИ И ТАНЦЫ

Лёва не отступился от задуманного; он погнал своих горе-футболистов на тренировку и во второй день, и в третий. Игорь Александрович читал книжку, а Валерке скучно было сидеть и тупо глазеть на футбол.

— Горь-Саныч, можно я пойду просто гулять? — попросился он.

— Нельзя.

— Я же нормальный. Я не буду курить или бить стёкла.

— Тебя поймают, а мне будет втык.

— Я вас не выдам. Скажу, сам сбежал. Честное слово.

Игорь Александрович поломался, но всё же отпустил. Валерка подумал, что Горь-Саныч — хороший вожатый, понимающий.

Пообещав не соваться на Пионерскую аллею и Дружинную площадку, Валерка гулял по окраинам лагеря вдоль сетчатого забора. Он начинал путь у шестого корпуса, шёл по берегу Волги, сворачивал в лес и завершал маршрут перед медпунктом. Оттуда двигался обратно. Чирикали птицы, пахло смолой. В нескольких местах Валерка обнаружил глубокие подкопы под ограду. Кто их сделал? Собаки? Пионеры? Беглые Зэки? Эх, иметь бы на территории лагеря такую же землянку, как у Зэков в лесу, только невидимую, чтоб залез туда — и будто исчез. Сидеть бы там и наблюдать, но не присутствовать...

За углом медпункта находились картофельные грядки тёти Паши — пожилой медсестры. Тётя Паша не теряла рабочего времени даром и выращивала урожай. Наверное, Беглые Зэки потихоньку воровали лохматые кусты картошки — ведь надо же что-нибудь есть. Тётя Паша должна была всё знать про Зэков. Валерка спрятался за кустом, надеясь подсмотреть, как тётя Паша из окна медпункта подаёт какой-нибудь знак для тех, кто укрывается в лесу. Вот тут-то Валерку и заметила Свистуха.

— Попался, который кусался! — старшая вожатая вытолкнула его из куста. — Почему здесь шляешься? — с подозрением спросила она. — Заболел?

— Да я нечаянно... — растерялся Валерка. Откуда тут взялась Свистуха? Зачем ей приспичило переться в медпункт? Она же здоровая, как лошадь! — Я это... Я в Дружинный дом хотел идти. В кружок записаться.

— Давай со мной, — сказала Свистуха. — Я туда же.

Валерка покорно потащился за старшей пионервожатой.

— Чего любишь? — деловито поинтересовалась та. — Рисовать? Петь? В шашки играть? В настольный теннис? Или стенгазетой займёшься?

— Петь буду, — обречённо решил Валерка.

Он и вправду любил петь: считал, что поёт очень красиво, а в школьный хор его не взяли, потому что руководительница хора — глупая корова.

— Значит, в музыкальный кружок, — постановила Свистуха. — У нас все должны в чём-нибудь участвовать. А кто не все — того накажем.

Музыкальный кружок занимался в зале, где по вечерам показывали кино. Кружковцы не только пели, но ещё и танцевали, поэтому им требовалось место. Сейчас на скамейках вроссыпь сидели девочки — с десяток, наверное, и два тихих, ничем не примечательных мальчика. Под скамейками лежали цветастые полиэтиленовые пакеты девочек.

— Вот вам новый певец, — объявила Свистуха. — Как зовут?

— Валера.

— А где Вероника Генриховна?

— Она в эту, в радиорубку пошла. За этой, за фонограммой.

— Ладно, заливайтесь, соловьи, — сказала Свистуха и убралась из зала.

Среди девочек была и Анастасийка Сергушина. При виде Валерки она скептически сморщилась:

— Ты же не умеешь петь, Лагунов. У тебя голоса нет.

— Ты сама не умеешь! — рассердился Валерка. — Это у тебя голоса нет!

— У меня альт, — с превосходством ответила Анастасийка.

В зал, пересмеиваясь, свободно, как в свою квартиру, вошли ещё две девочки. Валерка их знал: спортсменка Жанка Шалаева из второго отряда и её подруга Оля — резкая и опасная дылда по прозвищу Лёлик. Обе они уже были здесь, в зале, но отлучились, когда Свистуха привела Валерку.

— Во! — громко сказала Жанка, оставив рот открытым на звуке «о».

Валерка понял, что Жанка показывает девочкам накрашенные губы.

Девочки смотрели с восхищением, только Анастасийка хмыкнула.

— А снизу немножко размазалось, — сказала одна из девочек.

— Подтери, — тотчас велела ей Жанка.

Девочка наслюнявила палец и стёрла помаду у Жанки в углу рта.

— В тубзике зеркало фиговое, — пояснила Жанка. — Не видно нифига.

Валерка понял, что Жанка бегала в туалет краситься.

— Дашь мне тоже? — заискивающе спросила девочка, которая поправляла Жанке разъехавшуюся помаду.

— После Лёлика.

— А мне? — спросила другая девочка.

— Рука в говне, — отрезала Жанка.

Она привыкла быть в центре внимания. Дворовая звезда, улыбчивая, общительная и наглая, Жанка нравилась плохим мальчикам, а потому жила вольно, как ветер, и купалась в безнаказанности.

— Общей помадой пользоваться негигиенично, — сказала Анастасийка.

— Тебе никто и не даёт, Сергушина.

— У меня и так есть.

— У мамки скоммуниздила? — свысока усмехнулась Жанка.

— Я чужого ничего никогда не беру, Шалаева, — с достоинством ответила Анастасийка. — У меня у самой всё своё.

— Чё, и цепка своя? — не поверила Жанка, указывая на тонкую золотую цепочку на шее Анастасийки.

— На ней крест! — заржала Лёлик, будто крестик означал что-то позорное.

— Мне бабушка подарила, — Анастасийка благоговейно положила ладонь на грудь. — Она меня в детстве крестила. Креститься не запрещено.

Жанке было плевать, запрещено или нет. Её оскорбило то, что у этой козлихи есть такая дорогая и любопытная вещь.

— Я Бекле скажу, он у тебя снимет, — пообещала Жанка.

Бекля был прославленным хулиганом. Как он попал в лагерь — загадка.

— Не снимет, — уверенно возразила Анастасийка.

— Снимет-снимет, я знаю.

— Не знаешь.

— Я вообще всё знаю! — Жанка плюхнулась на лавочку. — Хочешь, отгадаю, что ты скажешь в первую брачную ночь?

— Не хочу, — ответила Анастасийка.

— Я хочу! — сказала та девочка, которая не получила помаду.

— Закрой глаза, дай руку, — распорядилась Жанка. — Я буду колдовать.

Девочка закрыла глаза и протянула Жанке раскрытую ладонь. Жанка дунула в неё и принялась производить над ладонью какие-то пассы, будто бросала щепотями невидимую соль.

— Колдуй, баба, колдуй, дед, колдуй, серенький медведь!

Жанка хитро посмотрела на всех, приглашая посмеяться над дурой, и пощекотала ладонь девочки ногтем. Лёлик злорадно заулыбалась.

— Ну, кончай! — взмолилась испытуемая девочка, ёжась от щекотки.

— Вот это и скажешь! — торжествующе объявила Жанка.

Другие девочки угодливо захихикали.

Довольная собою, Жанка наконец-то заметила Валерку.

— А ты что, новенький? Из какой школы?

Таких, как Жанка, почему-то все сразу знали, а таких, как Валерка, увы, никто никогда не знал. И собственного имени — по мнению Жанки — Валерке не полагалось. Достаточно номера школы.

— Не из твоей, — буркнул Валерка.

— Борзеешь, очкарик? — с готовностью напряглась Оля-Лёлик.

— В моей школе таких чмошников нет, — подтвердила Жанка.

Снова заскрипела дверь в зал — это вернулась Вероника Генриховна. Она несла большой квадратный конверт казённого зелёного цвета. В конверте, без сомнения, находилась пластинка. Девчонки тотчас переключились.

— Вника Греховна, Вника Греховна! — загомонили они. — У нас новый!

— Ну и хорошо, — Вероника Генриховна быстро оглядела Валерку. — Если ему понравится, то запишем в коллектив.

Валерка уже не раз видел эту Веронику Генриховну. Она была вожатой в третьем отряде. И Валерке она почему-то не очень-то нравилась. Было в ней что-то такое же, как в Жанке Шалаевой, вот.

— Для каких песен у нас есть музыка? — спросила Анастасийка.

Вероника Генриховна перевернула конверт и зачитала:

— Пионерские песни «Край родной», «Костёр», «Крейсер "Аврора"», «Орлята учатся летать», «Пусть всегда будет солнце», «С чего начинается Родина». Детские песни: «Картошка», «Голубой вагон», «Чунга-Чанга», «Когда мои друзья со мной», «Бременские музыканты», «Колыбельная». Выбирайте, какую песню будем репетировать.

Девчонки дружно полезли под скамейки в пакеты и достали песенники. Сделанные из общих тетрадей, песенники были произведениями искусства: тексты написаны цветными ручками, а названия — фломастерами, на всех страницах аккуратно наклеены фотки и картинки по теме. Песню про любовь иллюстрировали цветы, про море — корабли, про дружбу — парочка малышей, что держатся за руки. После каждой песни было начертано «Конец!».

— Надо «Орлят»! — безапелляционно заявила Анастасийка.

— Почему? — удивилась Вероника Генриховна.

— У меня альт, я буду солировать. А остальные — хор.

Анастасийка не сомневалась, что все должны служить ей во славу.

— Соляра... что? — не поняла Жанка.

— Со-ли-ро-вать, — повторила Анастасийка. — Значит, петь сама.

Анастасийка встала, откашлялась и звонко пропела:

— «Но жизнь не зря-а-а зовут борьбой, и рано нам тру-бить отбой-бой-бой!.. А-ар-лята учатся ле-тать!»

Это было так здорово, что Валерку даже продрал озноб. В тоненькой Анастасийке вдруг сверкнуло что-то серебряное, высокое и пронзительное.

— Ну, ты обурела, Сергушина! — разозлилась Жанка.

Конечно, Жанке так не спеть, хоть лопни.

— Я в музыкальной школе и в городском хоре пять лет занимаюсь! — гордо сообщила Анастасийка. — Надо использовать мои способности.

— Да нифига! — Жанка яростно пнула по ножке соседней лавочки. — Надо спеть «Чунга-Чангу»! Мы на прошлом Новом годе её пели, да, Лёлик? Иди сюда, покажем им!

Жанка и Лёлик встали перед девочками и посмотрели друг на друга.

— Три, четыре! — скомандовала Жанка. — «Наше ща-астье па-стаянно — жуй ка-коссы, ешь баннаны, жуй ка-коссы, ешь баннаны, Чунга-Ча-анга!»

Жанка и Лёлик спели и станцевали — обе в лад и необыкновенно мило: приставив к голове растопыренные ладошки вроде ушей, они изобразили обезьянок, весело изгибаясь и приседая. Валерка не мог поверить, что перед ним — дворовые разбойницы, умеющие подбить глаз или обозвать так, что соперники теряли дар речи. Впрочем, в движениях Жанки и Лёлика, слишком детских для девочек, которые почти превратились в девушек, таилось и нечто странно непристойное. Жанка и Лёлик подцепили это, конечно, не в школе.

— Можно шапки такие сшить круглые, — глядя на Веронику Генриховну, сказала Жанка, — щёки накрасить и хвосты сделать. Ваще мартышки будем.

Жанку не волновало мнение других девочек, не говоря уж о незаметных мальчиках. Впрочем, девочки не возражали. И Валерка тоже не возражал, хотя ему больше нравилась песня о крейсере — она про войну, а не про обезьян. Но Жанка с Анастасийкой без колебаний решали за всех.

Вероника Генриховна отлично уловила лёгкий любодейский оттенок танца. Валерка догадался об этом по неожиданно ожесточившемуся лицу вожатки. Но отреагировала она совсем не так, как отреагировали бы учителя.

— Пионерских песен нам достаточно, — с холодком сказала девочкам Вероника Генриховна. — Так что будем репетировать «Чунга-Чунгу».

— Схавала, Сергушина? — победно спросила Жанка.

Анастасийка надменно отвернулась.

А Валерке показалось, что Греховна в чём-то родственна Горь-Санычу. Уступая желанию подопечных, оба они нарушали правила. Но Горь-Саныч уступал Лёве, потому что в правилах ему было скучно, а Греховна уступала Жанке, потому что в правилах ей было тесно. Впрочем, Валерка твёрдо решил, что с кружком Греховны он связываться не станет. Он не хочет плясать и петь с мартышками. И Анастасийка ему нравилась больше Жанки.

Глава 12
МЕРТВЕЦ В ПИАНИНО

— Игорь, а где у тебя Хлопов? — спросила Ирина.

— Где? — глупо переспросил Игорь.

Они стояли на пустой веранде. Ирина сквозь очки сверлила Игоря гневным взглядом. «Свечка» закончилась, пионеры ушли в палаты.

— Девочки мне сказали, что утром он плохо себя чувствовал. А после полдника его никто не видел. Он был на ужине?

Игорь не знал. Он уже привык и к работе вожатого, и к своему отряду, и не пересчитывал пацанов по головам, не проверял по списку.

— Лишней порции в столовке не оставалось, — осторожно заметил Игорь.

— Её Гельбич съел. А Хлопов куда-то пропал. Это че-пэ!

— Я пойду искать, — сразу сказал Игорь.

— Давно пора! Я подожду здесь, пока всё не прояснится!

Игорь вышел на улицу. Солнце уже село, но закат за Волгой не успел угаснуть, и было светло. На Пионерской аллее фонари ещё не горели. В густо-синем небе инфракрасным теплом лучились лохматые кроны сосен.

Странно, куда подевался Лёва? Он был хорошим мальчиком: такие не убегают из дома, не связываются с дурной компанией и не имеют приводов в милицию. Может, Лёва серьёзно заболел, и его положили в медпункт? Но доктор Носатов сообщил бы об этом... Или же

Лёва сидит у Серпа Иваныча с вожатыми и смотрит по телику «Дневник Олимпиады»?.. Игорь поглядел на дачу Иеронова, которая высилась вдали за кустами. В окнах первого этажа мелькали отблески телеэкрана. Нет, другие вожатые прогнали бы Лёву.

Игорь топтался на аллее, решая, куда направиться, и заметил шевеление в акации за большим стендом с лозунгом «Твори! Выдумывай! Пробуй!».

— Хлопов! — тотчас наугад окликнул Игорь.

Из-за стенда нехотя выбрался Лёва и принялся отряхиваться.

— Ты где был? — строго спросил Игорь.

— Там... — уклончиво ответил Лёва. — Олимпиаду показывали...

Он явно врал и потому прятал глаза. Настоящий учитель наверняка вцепился бы в Лёву и вытряхнул из него всю правду, но Игорь пожалел пацана. Мало ли какая мальчишечья необходимость заставила его исчезнуть? Может, он строил себе штаб — детское укрытие где-нибудь в лесу за оградой. Или на спор таскался к развалинам церквушки у берега Рейки: эти развалины в «Буревестнике» считались местом очень зловещим и очень опасным, и там пацаны проверяли свою храбрость. А может, Лёву просто кто-то обидел, и он убежал плакать, чтобы никто не стал свидетелем его слабости.

— Тебя все обыскались, — осуждающе сказал Игорь. — Пошли в корпус.

На крыльце на Лёву набросилась Ирина.

— Хочешь, чтобы тебя из лагеря выгнали, Хлопов?! — прошипела она. — Ты чего себе позволяешь?! Ты где был?!

— Ладно, Ирина Михайловна, не ругайте его, — Игорь попытался утихомирить вожатку. — Он у Серпа Иваныча задержался.

— Нельзя детям потакать, Игорь Александрович! — отрубила Ирина. — А этому Иеронову я объясню, во сколько телик выключать надо!

— Я сам объясню, — поморщился Игорь.

Он подтолкнул Лёву вперёд и мельком удивился, какое у Лёвы холодное и твёрдое плечо. И спина у него была сплошь замусорена хвойными иголками и травяной трухой, точно Лёва валялся на земле в лесу.

Игорь с облегчением водворил Лёву в палату.

Пацаны, понятное дело, ещё не спали. Валерка соорудил себе «домик» от комаров: стыбзил у вожатки горсть канцелярских кнопок и прикрепил к стене край своей простыни, натянутой, как крыша, на обе спинки кровати. К спинкам простынь была привязана тесёмками из бинта. Половина простыни пологом закрывала «домик» сбоку. В «домике» было уютно, будто на верхней полке в вагоне. Пацаны иззавидовались и тоже принялись мастерить себе «домики», правда, ни у кого не получалось так ловко, как у Валерки.

— Очкастый себе самую удобную койку захамил! — сказал Титяпкин.

Валерка откинул полог.

— Щас за «очкастого» в пачу втащу, Титька! — предупредил он.

— Сам не обзывайся! — обиженно ответил Титяпкин.

Лёва молча и отчуждённо прошёл к своей койке.

— Ты куда смылся? — спросил его Гурька. — Из лагеря сбежать хотел? Чё меня-то не позвал?

Лёва странно закашлялся, словно отвык говорить.

— Я Олимпиаду смотрел, — хрипло сказал он.

Олимпиада в палате мало кого интересовала, а вот страшные истории интересовали всех. Наступило время страшных историй.

— Горох, считай! — распорядился Славик Мухин.

— Со вто-ро-го эта-жа поле-тели два ножа, — начал считать Колька. — Красный, си-ний, го-лу-бой, вы-бирай се-бе лю-бой! Домря, выбирай!

— Красный, — выбрал Серёжа Домрачев.

Горохов снова прочитал считалку, начиная с Серёжи, и рассказывать историю выпало Гурьке. Пацаны замерли. Гурька сел на койке по-турецки.

— Короче, одна бабка купила чёрный платок и положила на кухне. Мать пришла с работы, пошла на кухню, а платок такой подлетел к ней, закричал: «Дай крови!» — и задушил. Потом отец пришёл с работы, пошёл на кухню, а платок подлетел к нему, закричал: «Дай крови!» — и задушил. Потом старший брат пришёл, видит такой — в кухне все валяются, побежал к ним, а чёрный платок закричал: «Дай крови!» — и тоже задушил. Потом пришёл младший брат, видит: все мёртвые, и платок по кухне летает. Брат испугался, побежал в комнату к бабке, говорит: «Чё делать?» Бабка такая говорит: «Отруби себе руку и сожги!» Младший брат отрубил себе руку, сжёг — и платок сгорел!

Пацаны полежали, потихоньку осваиваясь с ужасом.

— Горох, считай!

Колька снова посчитал, и выпало Юрику Тонких.

— В одной семье жили папа, мама и дочка, — заговорил Юрик. — Папа и мама хотели, чтобы дочка играла на пианино. Они пошли в магазин, а там только чёрные пианины. Продавщица говорит: «Не покупайте!», а они всё равно купили. На следующий день дочка стала играть. Играла-играла, мама говорит: «Хватит играть на чёрном пианино!», а она не может остановиться. Потом остановилась, а мама лежит на полу мёртвая. «Скорая» приехала, говорит: «А у неё крови больше нет!». На следующий день дочка снова села играть. Играла-играла, папа говорит: «Хватит играть на чёрном пианино!», а она опять не может остановиться. Потом остановилась, а папа лежит на полу мёртвый. «Скорая» приехала, говорит: «У него тоже крови нет!». Дочка побежала в магазин, говорит там продавщице: «Заберите пианину!» А продавщица говорит: «Купи топор!» Дочка купила топор, пришла домой и стала рубить пианину, а оттуда ручей крови потёк! Дочка разрубила пианину до конца, а там мертвец лежит! Это он всю кровь пил!

Юрик печально замолчал. Пацаны тоже молчали. В тишине гнусаво зудели комары. Валерке от страха стало совсем невмоготу. Всё, блин, хватит играть на чёрном пианино!

— Пацы, не надо больше, — сказал Валерка.

— Очкуешь? — злорадно спросил Гурька.

— А сам не очкуешь, да?

— Ладно, завтра ещё будем рассказывать, — за всех решил Горохов. — Я про Автобус-Мясорубку знаю. А щас отбой, пацы!

Валерка закинул полог своего «домика», вытянулся и зажмурился, чтобы поскорее заснуть и не бояться. Успокаивая себя, он думал о причинах ужаса. Ужас — от первобытной обезьяны. Обезьяна всего боялась, поэтому взяла палку, обточила камень и разожгла костёр: в общем, стала человеком, чтобы не бояться. И человеческий мир не содержит в себе страха. Пускай этот мир порой скучный или дурацкий, но всё равно не страшный. Конечно, даже в нём случаются страшные вещи: люди попадают под машину, болеют неизлечимыми болезнями или садятся в тюрьму. Но это от неправильного поведения. Дураки идут на красный светофор, пьют и курят, воруют. Короче, покупают чёрное пианино. Живи правильно — и страха не будет.

Он, Валерка, живёт правильно — однако страх есть, и ещё какой! Кто же виноват? Обезьяна? Неправильные люди? Нет, не они, ведь мертвец забрался в пианино сам! Никто не может объяснить, откуда страх!

Похоже, все пацаны уже заснули, но Валерка вдруг услышал тихий проволочный звяк панцирной сетки, шелест белья и лёгкое шлёпанье босых ног о половицы. Кто-то поплёлся в туалет?.. Но дверь не скрипнула. Зато донеслось какое-то странное чмоканье, от которого у Валерки по рукам пополз холод. В этом полуночном чмоканье Валерке почудилось сразу и безумное наслаждение, и невыносимая жуть.

Валерка немного отодвинул полог и глянул в щёлочку. Половину палаты затопила тень. Сквозь большое окно были видны сосны, озарённые синим фонарём, — какие-то сейчас тайные в своей сути, словно опоры деревянного моста, когда смотришь на них, проплывая по реке. На дальней стене лежали полосы белого света. Славик Мухин спал на спине, выпростав левую руку, будто в больнице под капельницей. А перед койкой Славика на коленях стоял Лёва — стоял на коленях и, согнувшись, целовал Славику сгиб руки. Лёва пошевельнулся, распрямился, и Валерка едва не умер: у Лёвы блестели мокрые чёрные губы. Вернее, конечно, не чёрные, а красные. Лёва пил кровь.

Валерка не мог оторваться от этого безумного зрелища. Лёва блаженно замер, точно прислушивался к своим ощущениям, а потом снова наклонился и припал ртом к руке Славика. Валерка опять услышал чмоканье.

«Я сплю! — сказал себе Валерка. — Я наслушался страшных историй, вот мне и снятся кошмары!..» А Лёва снова распрямился, будто переводил дух. Лицо его в тени было почти неразличимым, но в тёмных глазницах едва заметно дрожал багровый блеск. Валерка торопливо задёрнул полог.

Он лежал, весь сжавшись, и убеждал себя, что Лёва его не заметил, и вообще он всё себе сам напридумывал. В палате было тихо. Никто не сопел и не бормотал — будто на торжественной линейке, когда выносят знамя.

А потом лёгкие шлепки босых ног раздались рядом с кроватью Валерки, и на пологе «домика», синем от света фонаря, обрисовался силуэт Лёвы. Лёва присел на корточки возле кровати. Сквозь полог поплыл шёпот:

— Лагунов, пусти меня в «домик».

Валерку от Лёвы отделяло только тонкое полотно застиранной казённой простыни. Тонкое полотно — и значение «домика», своего дома.

— Лагунов, пригласи меня, — просил Лёва. — Я твой друг...

Валерка молчал. На синем полотне появились чёрные ладони. Лёва невесомо касался простыни, оглаживая полог, точно лаской хотел добиться разрешения войти в чужой дом.

— Тебе же будет лучше, Лагунов, — шептал Лёва. — Этого все хотят, только сами не знают...

Валерка молчал. Где-то вдали на Волге загудел теплоход.

Лёва ещё посидел возле Валерки, а потом поднялся. Шлепки босых ног удалились к окошку — туда, где находилась кровать Лёвы. Звякнула сетка.

Валерка лежал, глядя в полог вытаращенными глазами. Нет, это был сон. Это был сон. Утром заиграет горнист, и морок развеется без следа!

Часть вторая

СМЕХ ВАМПИРА

Но в крови горячечной подымались мы,
Но глаза незрячие открывали мы.

Э. Багрицкий,
«Нас водила молодость». 1932 г.

Глава 1

УТРО ПОСЛЕ КОШМАРА

Утро выдалось таким безмятежным, что в ночной кошмар невозможно было поверить. Валерка не сразу и вспомнил о нём. Зевая, он сидел на своей койке и глядел в окно. На улице плавала голубая рассветная дымка, и в ней среди вертикалей сосновых стволов рассеивались косые лучи восходящего солнца. В палате суетились пацаны в трусах и майках: бренчали вещами в тумбочках, ругались, заправляли постели, натягивали штаны. Из коридора доносился занудный призыв Ирины Михайловны:

— Умываться, чистить зубы! Умываться, чистить зубы!..

Кошмар медленно восстановился в памяти Валерки и неохотно развернулся во всех подробностях. По спине у Валерки побежали мурашки. Неужели ночью он видел, как Лёва пьёт кровь? Нет, это был сон, а не явь!..

Славик Мухин, как всегда чем-то недовольный, ожесточённо расчёсывал руку — то место, куда в кошмаре впивался Лёва. На руке краснели пятна комариных укусов. Лёва тоже сидел на койке. Он был разлохмачен и печален. Он зачем-то повязал пионерский галстук, хотя в лагере, в отличие от школы, галстук требовали надевать только на торжественные мероприятия.

— Нафиг ты весь напионерился? — удивился Гурька.

Лёва тяжело вздохнул.

— Вы, пацы, плохо в футбол играете, потому что не слушаетесь меня, — сообщил он. — Руслан Максимыч смотрел нас вчера и сказал Игорю Санычу, что надо капитана сменить. Гельбича назначить, он же знаменосец отряда.

Пацаны дружно взвыли, возмущённые не столько низложением Лёвы, сколько попранием достоинства своей палаты.

— Да мы Гельбастому этот флаг в жопу запинаем! — пообещал Гурька.

Лёву это не порадовало. Он сидел, устало уронив руки, и в его позе читалась обречённость. Венька Гельбич — человек высокопоставленный, а Лёва Хлопов — кто он? Простой труженик футбольного поля.

— Я не сдамся, — сурово пообещал Лёва. — Гельбич не хочет знаменосцем быть, не ценит чести. А я буду как настоящий пионер. Может, тогда Игорь Саныч передумает про Гельбича. Пацы, есть у кого пионерский значок? А то я свой дома забыл. Дайте поносить, пожалуйста.

— У Титяпы есть, — тотчас выдал Гурька.

— Нету у меня! — завертелся Титяпкин.

— Есть! Ты его Бекле на бритвочку хотел поменять!

Если честно, пионерский значок даже в лагере не имел особой ценности. Иголки, бельевые резинки, спички, гильзы, стержни от ручек, мотки цветной проволоки, магниты из электромоторчиков — это были богатства, не говоря уж о таких сокровищах, как ножик, лупа или олимпийский рубль. Обмен значка на бритвочку был выгодной сделкой, и Титяпу можно было понять.

— Он сказал «пожалуйста»! — закричал Титяпкину Колька Горохов. — Волшебное слово! Обязан исполнять!

— Я же твой друг, — Лёва посмотрел Титяпкину в бегающие глаза.

— Чё сразу друг-то? — обиделся почти сломленный Титяпкин.

— У меня есть значок, — тихо сказал Лёве Юрик Тонких. — Я тебе дам.

Юрик полез в свою тумбочку.

В расписании дня это время было снабжено стихами: «Убери постель, умойся, на зарядку быстро стройся!». Общая умывалка находилась на улице: два ряда жестяных раковин и две трубы с кранами — для мальчиков и для девочек. Вода была только холодная. Под строгим взглядом Игоря Саныча мальчишки чистили зубы, тёрли физиономии и сверлили пальцами в ушах.

— Пацы, угадайте загадку! — сплёвывая зубную пасту, предложил Лёха Цыбастов. — Волосатая головка за щекой летает ловко — чё это?

— Отвали! — сердито ответили Цыбастышу. — И так все знают!

Умывание, конечно, взбодрило, но ещё больше взбодрила зарядка. По лагерной трансляции играла энергичная гимнастическая музыка, и диктор красивым голосом говорил: «Руки на поясе, ноги на ширине плеч. И-и-и раз, и-и-и два! И-и-и раз, и-и-и два!» Ирина Михайловна на зарядку не являлась — все понимали, что она стесняется своих толстых титек, прыгающих при упражнениях, — и зарядку проводил Игорь Саныч. В его модном, но слегка одичавшем причесоне торчало перо из подушки. Зарядку пионеры делали под соснами у корпуса. Мимо по аллее пронеслась Свистуха; под мышкой у неё торчало свёрнутое знамя, которое должны поднять на утренней линейке.

— Чего такие сонные? — задорно крикнула Свистуха.

Потом отряд построился парами — девочки впереди, мальчики позади, — и Ирина Михайловна возглавила шествие на линейку.

— Речёвку... начи... най! — скомандовала она.

— Мы шагаем дружным строем! — в такт шагам привычно заорали все. — Мы весёлые герои! Потому что наш отряд побеждает всех подряд!

А Гурька и Титяпкин в лад с общей речёвкой орали собственную:

— Шли какашки по дороге, увидали чьи-то ноги, убежали в тубзалет — жопа есть, бумаги нет!

Пацаны ухмылялись. Забавно было, что Гурька с Титяпой вопят такие хулиганские слова во весь голос — а вожатые ваще не слышат, как тупари.

На линейке Валерка смотрел, как в небо поднимается красный флаг, и почему-то снова вспомнил ночной кошмар про Лёву-кровопийцу. Наверное, потому что красный флаг — цвета крови. Но эта кровь, кровь борцов, пролита за счастье людей. Под таким флагом не может случиться ничего плохого.

После утренней линейки отряд отправился на завтрак.

— Пацы, давайте Гельбича накалывать, — шагая в строю, предложил неугомонный Гурька. — Фиг ли его на футболе капитаном сделают?

Лёва принял смурной вид человека, наказанного незаслуженно.

— Давайте! — обрадовался Горохов и тотчас позвал: — Эй, Гельбич!

— Чего? — обернулся Венька.

— Ничего! — радостно объявил Колька. — Проверка слуха!

— Гельбич, у тебя какой рост? — спросил Титяпкин.

— Метр шисят, — гордо ответил Гельбич.

— Хорошая палка говно мешать!

— Соси банан! — сердито ответил Гельбич.

Пацаны заржали — даже Валерка и Юрик Тонких. Не смеялись только Славик Мухин, который с подъёма был мрачный, и Лёва.

— Не надо, пацы, — поморщился Лёва, поправляя галстук. — Нехорошо.

— Венька, скажи «клей»! — не успокоился Гурька.

— Зачем? — Гельбич заподозрил подвох.

— Ну, скажи, тебе жалко, что ли?

— Ну, «клей».

— Выпей баночку соплей! — заявил Гурька и рассыпался в хохоте.

— Заманали уже тапками шлёпать! — разозлился Гельбич.

— Гельбич, Гельбич! — снова позвал Колька Горохов.

Венька неприступно молчал.

— Ну, Гельбич, отзовись, я не буду издеваться!

— Чего? — нехотя отозвался Венька.

— Ничего! — возликовал Колька. — Опять проверка слуха!

— Разговорчики в строю! — услышав сомнительный смех, пресекла забаву Ирина Михайловна. — Речёвку... начи... най! Раз-два!..

— Раз-два, мы не ели! — с воодушевлением подхватил отряд. — Три-четыре, есть хотим! Открывайте шире двери! А то повара съедим!

Ирина Михайловна остановила отряд возле пищеблока и велела:

— Сергушина, ну-ка проверь, чистые ли руки у мальчиков.

У входа в столовку вертелись собаки, прибегавшие в лагерь из деревни Первомайской. Все мальчишки и девчонки знали собак в лицо и по именам: Черныш, Долька, Мухтар, Бамбук, Вафля, Жуся и Фидель. В лагере собаки меняли зверский деревенский нрав на восторженный пионерский.

В столовке пахло хлебом, хлоркой и чем-то варёным. Сквозь окна с решётками било яркое солнце, стаканы блистали. С плакатов посетителям улыбались чистые и воспитанные пионеры. Отряды заходили в большой зал по очереди и рассаживались за длинные ряды составленных вместе столов: мальчики с одной стороны, девочки — с другой. Бренчали стулья, стучали по тарелкам алюминиевые ложки, с кухни доносился звон бачков и шум воды.

На завтрак давали манную кашу и кисель. Пацы сразу расхватали с подносов хлеб: можно съесть днём, можно покормить собак.

— Вечно всякую дрянь дают! — проворчал Гельбич, рассматривая тарелку. — В этой каше котят топить надо, чтоб не мучились!

— Я тоже не люблю манку, — виновато признался Юрик Тонких.

— А я люблю! — заявил Титяпкин и придвинул его тарелку себе.

— Манку здесь ещё можно есть, — Серёжа Домрачев помрачнел. — А суп опасно. В нём собачье мясо. Его бабка Нюрка ложит.

— А нормальное ворует?

— Нормальное она в лес Беглым Зэкам ночью носит. Мне в прошлую смену старшаки рассказывали.

— В столовках всегда воруют, — авторитетно сообщил Колька Горохов.

— Знаете, почему бабка Нюрка такая косая? — Серёжа обвёл всех тёмным, тревожным взглядом.

Баба Нюра и вправду была странная. Она подволакивала ногу, левая рука у неё торчала немного в сторону, левая половина лица была искажена параличом и не двигалась. И ещё она слегка заикалась. Но при этом баба Нюра была тёткой по-крестьянски крепкой, а совсем не бабкой-старухой.

— Старшаки рассказывали, что один раз она пришла к Зэкам, а Зэки сами мясо жарят. Говорят ей: ешь с нами. Она поела. А потом узнала, что они людоеды. Её всю сразу искорячило.

Пацы поёжились.

— Меня бы тоже искорячило, — Гурька ожесточённо почесался.

— Она теперь без людоедства не может, — печально добавил Серёжа. — Если слышит, что где-то кто-то пропал, берёт собаку, бежит к Зэкам и меняет псинятину на человеческое мясо.

— Её в тюрьму посадить надо! — возмутился Юрик.

— За что? — Серёжа вздохнул от безысходности. — Она сама-то лично не убивает. Но смотрит на всех — кто жирный, и Зэкам доносит. А они убивают.

Пацы повернулись в сторону кухонного окна. Баба Нюра стояла за большим столом и принимала грязную посуду: объедки ловко сгребала в бак, тарелки складывала в стопы, ложки швыряла в жестяное корыто.

— Давайте ей мстить! — горячо предложил Гурька.

— Всяко надо! — согласились Титяпкин с Гороховым.

— Не надо! — негромко возразил Лёва.

Славик Мухин робко поёжился, почесав место укуса на руке, а пацы не обратили внимания на Лёвин запрет.

Титяпыч быстро сметал вторую порцию, и пацы дружно встали, чтобы отнести тарелки бабе Нюре. Пионеры на плакатах, что висели в простенках, словно бы нахмурились. Девочка с мочалкой и блюдом глядела осуждающе, а мальчик, чистивший картошку, с угрозой стиснул нож.

— Вы ложки бросайте в бак, где объедки, — заговорщицки прошептал Гурька. — Пусть потом туда руки суёт!

Он первым приблизился к столу бабы Нюры, поставил тарелку и стакан и словно бы по ошибке бросил ложку в эмалированный бак с бурой манной гущей, перемешанной с киселём; в этой жиже плавали хлебные корки.

Баба Нюра метнула на Гурьку свирепый взгляд. А вслед за Гурькой ложку в бак бросил Серёжа Домрачев. Он не выдержал и посмотрел на бабу Нюру.

— Ку... ку... — возмущённо заквохтала, заикаясь, баба Нюра.

— Не надо так! — твёрдо сказал пацанам Лёва.

Валерка и не собирался пакостить. А Юрик, наверное, и не решился бы. Славик Мухин молча пристроил свою тарелку среди грязной посуды на столе и отошёл. Но Колька Горохов всё равно бросил ложку в бак с объедками.

— Ку-уда? — грубо заорала баба Нюра.

Титяпкин держал в одной руке тарелку со стаканом, а в другой — ложку. Баба Нюра прожгла его взглядом и сразу всё поняла. Титяпкин сунул тарелку в груду посуды, а баба Нюра, не дожидаясь преступления, неведомо откуда вдруг выхватила мокрое, грязное, тяжёлое полотенце.

— Беги, Титяра! — издалека отчаянно завопил Гурька.

Стискивая в кулаке алюминиевую ложку, Титяпкин застыл от ужаса. Баба Нюра прямо через стол с размаха смачно шлёпнула его полотенцем точно по круглой голове. Грязная вода брызнула во все стороны, будто башка у Титяпкина взорвалась. Титяпкин, изумлённо охнув, присел, а потом опрометью стреканул прочь от стола бабы Нюры.

Глава 2

«АЛЬБЕРТУ ПО МОЛЬБЕРТУ»

Для моральной поддержки Валерке хотелось иметь с собой товарища, но не Титяпкина же звать, не Горохова, — они оба безмозглые.

— Юрик, пошли со мной в кружок, а? — предложил Валерка.

— В какой? — вскинулся Юрик.

Ему тоже было скучно на футболе Лёвы Хлопова. Там его не ценили.

— Не знаю. Много разных. Выберем какой-нибудь.

После «трудового десанта» Валерка и Юрик отпросились у вожатых и отправились в Дружинный дом. Валерка вспоминал перечень кружков.

— Есть пение, рисование, шахматы, мягкая игрушка... Есть, где письма пишут иностранцам. Может, ещё чё-то, только я забыл.

— Дома я авиамодельную секцию посещал, — признался Юрик.

Валерка глянул на него с одобрением. Хорошо, что не кройку и шитьё.

На входе в Дружинный дом Валерка и Юрик встретили Анастасийку.

— Вы чего сюда явились? — свысока спросила Анастасийка. — Вас из футбола за тупость выгнали?

— Вали солировать, сама дура, — ответил ей Валерка.

У доски с расписанием стояли Наталья Борисовна, старшая вожатая, и Александр Николаич — вожатый, который жил в комнате с Игорем Санычем.

— Как успехи? — негромко интересовалась Наталья Борисовна.

— Прогрессируем, — с достоинством отвечал Александр Николаич.

— Ну, от тебя иного и не жду. Ты у нас передовик педагогического труда.

Валерка с Юриком потоптались у расписания и решили податься в художественное творчество. Может, что путёвое будет.

— У меня чертить лучше получается, чем рисовать, — предупредил Юрик.

— Будешь чертить, а я раскрашивать, — сказал Валерка. — Не пропадём.

Со способностями к живописи дела у него обстояли примерно так же, как с вокалом, то есть, по его мнению, весьма неплохо.

Художественным творчеством занималось десятка полтора ребят, причём мальчиков и девочек было примерно поровну. Валерка сразу оценил пацанов: в своих классах они явно считались чмордяями — мамкины сынки и бабкины внуки, отличники или колокольчики вроде Юрика. В пионерском лагере они чувствовали себя домашними кроликами среди уличных собак. Кружок вела маленькая вожатка, которую звали Ниночка Сергеевна.

— Ох, ребята, — сказала она Валерке и Юрику, — вы немного опоздали. Мы тут всем кружком рисуем картины в защиту мира. В Родительский день будет большая выставка на аллее. Присоединитесь или как?

Валерка оглядел большую комнату, загромождённую мольбертами.

— А что рисовать в защиту мира? — поинтересовался он.

Вообще-то он любил рисовать сражающихся рыцарей.

— Мы решили нарисовать то, что каждому нравится. Но можете поискать в журнале карикатуру про поджигателей войны.

Ниночка положила на стол перед Валеркой и Юриком груду цветных и растрёпанных журналов «Крокодил». Валерка с любопытством полистал верхний журнал. Карикатуры там были забавные: тощие кричащие генералы в фуражках с высоченной тульей; наглые солдаты в касках и чёрных очках; толстые банкиры во фраках, с котелками на головах и сигарами в зубах; хищные полицейские с дубинками. Все они кривлялись вокруг огромных хвостатых бомб. Художники «Крокодила» издевались над своими героями, а Валерке хотелось чего-нибудь серьёзного, вызывающего восхищение.

— Я могу ядерный взрыв нарисовать, я умею, — робко сказал Юрик.

— Я тоже чё-нибудь сам придумаю, — уверенно пообещал Валерка.

— Прекрасно! — улыбнулась Ниночка. — Для художественного мышления очень важна самостоятельность. Выбирайте себе место, ребята. Ватманы я сейчас достану. Карандаши и кисточки вон там, в банке, краски — в шкафу. А творческим руководством у нас занимается Альберт Стаховский из первого отряда. Алик учится в изостудии при Доме пионеров.

Альберт был высоким, стройным и одухотворённым юношей, его пышные волосы разделял аккуратный пробор. Про интеллигентные лица, как у этого Алика, пацаны обычно говорили: «Морда просит кирпича».

Юрик затих перед чистым листом, поглощённый своим замыслом, а Валерка украдкой осмотрелся, выясняя, что рисуют другие ребята. Рисовали они что попало, без всякой связи с борьбой за мир: дети сажают дерево; полосатая кошка сидит на заборе; какая-то деревенская изба на берегу реки; жираф в зоопарке; еловый лес; девочка с надувными шариками; мотылёк на цветке; аквариум с рыбками; толпа уродцев на лыжах. Фигня.

Валерка уже знал, что он изобразит. Он изобразит мощный гусеничный бульдозер. Бульдозер толкает перед собой в мусорную яму груду всякого оружия, похожего на большие игрушки: танк, самолёт, боевой корабль, ракету. Из окошка бульдозера торчит башка водителя в виде земного шара. По смыслу типа как Земле не нужна война. Здорово! На самом деле Валерке хотелось рисовать не кошек и рыбок, а красивую, свирепую технику, которая воплощает в себе отвагу сражения, силу и напор. Война, конечно, это очень плохо. Это боль и кровь, страх и смерть. Никто не желает войны всерьёз, по-настоящему. Но ведь столько людей работает на заводах, где производят самолёты и автоматы, столько людей водят бронемашины и запускают ракеты!.. У Валерки папа тоже конструирует что-то секретное, а папа очень добрый. И по телику показывают парады. Пусть тогда всё оружие будет как бы понарошку — ну, кино, например, снимают, или учения идут.

Работа увлекла Валерку, и он перестал замечать, что творится вокруг. Шуршали карандаши по бумаге, звякали кисточки в стаканах с водой. Ниночка Сергеевна сидела за столом, перелистывая старые «Крокодилы». Художественный Алик ходил между мольбертами, смотрел на рисунки и тихим культурным голосом делал замечания:

— У тебя, Лена, красный и оранжевый цвета сольются, лучше раздели их светотенью, можно сиреневой. Витя, ты неверно обозначил ноги у лошади. Серёжа, вот этот угол у тебя пустой, тут ещё что-нибудь нужно нарисовать.

Алик долго стоял за спиной Юрика. Юрик изобразил — пока ещё в карандаше — огромный атомный гриб посреди города. Дома и деревья горели, человечки, размахивая руками, бежали прочь.

— Юра, не одобряю твою композицию, — наконец сказал Алик.

— Почему? — почти обиделся Юрик.

Алик взялся за подбородок, не отводя взгляда от ватмана.

— Понимаешь, ты изобразил взрыв в центре. И он как бы отбрасывает всё от себя, выталкивает всё остальное за границы листа. Это ошибка. Я бы посоветовал тебе поместить взрыв в левую верхнюю часть. Тогда сила взрыва направлялась бы по горизонтали, вертикали и диагонали во все остальные стороны, и композиция обрела бы законченность и равновесие.

Алик показал, как распределялась бы сила взрыва. Юрик задумался.

— Ладно, я переделаю, — вздохнув, согласился он.

Алик покивал и переместился к Валерке. «Полезет с советами — пошлю в жопу, — ревниво и грубо подумал Валерка. — Дам Альберту по мольберту».

Алик заметил, что Валерка насупился, и деликатно промолчал.

— Алик, скажи ему, чтобы танк у себя не рисовал, — вдруг издалека попросил какой-то белобрысый мальчик.

Валерка чуть не подпрыгнул. Танк у него получился просто великолепно: он перевернулся под ударом бульдозера, как дохлый жук, одна гусеница порвалась и сползла с зубчатых колёс, а башня отвалилась.

— Это с фига ли?! — оскорблённо крикнул Валерка.

Алику явно стало неловко.

— Понимаешь, — смущённо принялся объяснять он, — вы с Юрой записались позже остальных, а у нас была договорённость, что каждый рисует своё. Мы хотим, чтобы выставка показала разнообразие мира, и для этого нужно, чтобы рисунки не повторялись. А танк уже есть у Павлика.

Валерка решительно пошагал к Павлику. Белобрысый Павлик струхнул. Валеркины очки не ввели его в традиционное заблуждение о боеспособности Валерки. Однако рисовал Павлик действительно хорошо. Толстолобый танк он уже исполнил в краске. Перед танком стоял солдат, он поднял маленькую девочку в красном платье, и девочка втыкала в дуло танковой пушки цветок. Валерка мрачно полюбовался произведением Павлика. Возражать было бессмысленно. Нарисовано просто зыконски. Валерка вернулся к себе.

— У нас коллектив, — виновато сказал Алик. — Надо уступать товарищу.

— Ладно, не ной, — буркнул Валерка и принялся ластиком стирать со своего рисунка перевёрнутый танк с отвалившейся башней.

— И ракету пусть уберёт, — тотчас попросила кудрявая девчонка.

— А ракета тут при чём? — взвился Валерка.

Ракета у него разламывалась пополам, а изнутри сыпалась всякая дрянь.

— Я космодром рисую! — ответила кудрявая. — У меня тоже ракета!

— Прошу, не расстраивайся, пожалуйста, Валерий, — с сочувствием сказал Алик. — Ты должен понять.

— И самолёт! — требовательно крикнули Валерке.

А самолёт Валерке нравился необыкновенно. Самолёт воткнулся острым носом в землю, и на хвосте у него висел парашютист на парашюте.

— Придумай что-нибудь другое, — шепнул Алик, благоразумно отступая.

Валерка яростно стёр и самолёт, и ракету, и обескураженно уставился на свой ватман. Огромный бульдозер сталкивал в яму игрушечный кораблик. Водитель бульдозера с головой-глобусом торчал из кабины и лыбился, как дэбил, выражаясь словами физрука. Это чё, рисунок в защиту мира?!

Рядом всхлипнул Юрик.

Валерка оглянулся. Он думал, что Юрик сопереживает его драме, но Тонкий смотрел на своё творение, а вовсе не на Валеркино.

— Ты чего? — спросил Валерка. — На этого глистогона обиделся?

— Я про войну подумал, — признался Юрик. — Если будет атомный взрыв, то все погибнут, и мама тоже...

Широкими движениями ластика Валерка принялся уничтожать всё, что у него осталось, — и корабль, и бульдозер. Потом открнопил грязный ватман от мольберта и двинулся к Ниночке Сергеевне.

— Сдаю! — он постелил ватман на стол вожатке.

— Что случилось? — забеспокоилась Ниночка Сергеевна.

— Выписываюсь из вашего кружка хреновского! — отрезал Валерка.

Ребята опасливо глядели на него, прячась за мольбертами.

Валерка выскочил в коридор и злобно хлопнул дверью. Дружинный дом сотрясся. Пусть эти живописцы провалятся со своими выставками! Валерка развернулся, чтобы уйти прочь, и врезался лицом в крепкие титьки Свистухи.

Глава 3

ВЫБОР ПСИХА

Футболистов, перепачканных землёй, Игорь подогнал к умывалке, которая своими длинными трубами, лоханями и вентилями-барашками напоминала доильный аппарат на совхозной ферме. Краны тряслись, струи воды били в жесть раковин, футболисты тёрли грязные мордахи кусками хозяйственного мыла. Игоря кто-то потянул за рукав. Игорь оглянулся. За его спиной стоял Юрик Тонких и виновато переминался с ноги на ногу.

— Игорь Саныч, вас Наталья Борисовна к себе вызывает.

— Зачем? — удивился Игорь.

— Она Валерика арестовала.

— Да блин! — в сердцах сказал Игорь.

Перепоручив мальчишек Ирине, Игорь пошагал за Юриком, на ходу выслушивая историю революции, устроенной пионером Лагуновым в кружке художественного творчества. Впрочем, ничего особо ужасного в поведении Валерки Игорь не усмотрел. Значит, должно обойтись без крови.

— А что вы рисовали? — на всякий случай спросил Игорь у Юрика.

— Я атомный взрыв рисовал, а он — танки и ракеты в защиту мира.

— С неба звёздочка упала прямо к милому в штаны, — пробормотал Игорь. — Эх, гори там что попало, лишь бы не было войны.

— Чего? — не понял Юрик.

— Ничего-ничего.

Арестованный Валерка содержался в Знамённой комнате. Насупившись, он сидел за шкафом, набитым рулонами стенгазет, и смотрел в открытое окно. Свистуха, расположившись за столом, разглядывала Валерку, словно тот был каким-то редкостным заморским кактусом.

— Ты ведь вроде нормальный, Лагунов. Учишься как? Троек много?

— Без троек учусь.

— Получается, не уошник. А поведение уошное.

«УО» означало «умственно отсталый». Валерка не знал, что возразить. Сам он не считал своё поведение уошным.

— На учёте состоишь?

— Где? — буркнул Валерка.

На учёте человек может состоять много где: например, в психбольнице или в Детской комнате милиции.

— В Караганде! — раздражённо ответила Свистуха.

Горь-Саныч, вошедший в Знамёнку, своими усиками и патлами сразу разрядил напряжение. Валерка полагал, что Горь-Саныч на его стороне.

— Ты только полюбуйся: держу его тут, как бешеного пса на цепи, — сказала Свистуха Горь-Санычу. — Взял моду на людей кидаться!

Очкастый и взъерошенный Валерка если и напоминал бешеного пса, то очень мелкого, для людей практически безопасного.

— Отпустите его, Наталья Борисовна, — попросил Игорь Саныч. — Мы с ним во всём разберёмся, я обещаю. Он мальчик понимающий.

Старшая пионервожатая скорчила скептическую гримасу.

— Отпущу, конечно, — с угрозой согласилась она, — только из отряда ему больше ни ногой! И пусть подумает над своим поведением! Ступай, Лагунов.

Валерка угрюмо прошёл к двери мимо Свистухи и Горь-Саныча, будто подозреваемый в злодеянии и оправданный по суду, но не по совести.

Свистуха проводила Валерку взглядом и повернулась на Игоря.

— С этим мальчишкой у тебя работа в полном развале.

— Ну, похулиганил он — ничего страшного, — примирительно сказал Игорь, усаживаясь. — Ребёнок же. Что-то ему с рисунками не понравилось.

— Не в рисунках дело, — поморщилась Свистуха. — Чем у тебя мальчишки вообще в отряде занимаются?

Игорь в душе возблагодарил Лёву Хлопова.

— Футболом! — убеждённо заявил он. — Готовят сборную! Тренируются пока на две команды, чтобы к чемпионату лагеря получилась одна!

— А Лагунов почему не с ними? Все пацаны любят футбол!

— Не все! — возразил Игорь. — А у Лагунова очки. Боится разбить.

Причина ухода Валерки из футбола заключалась, конечно, не в очках, но для Свистухи и это объяснение годилось.

— Нисколько не разобрался ты в своём подопечном, Игорёк, — с лёгким пренебрежением сказала Свистуха. — Твоего Лагунова я недавно поймала на территории — болтался по лагерю, как не скажу что в проруби. Соврал мне, будто хочет записаться на пение. Ладно, я его притащила сюда, он записался, и что? Сразу же ушёл! Сегодня вот записался на рисование — и опять ушёл!

Игорь смекнул, что безопаснее всего защищаться банальностями.

— Человек ищет себя! — сказал он.

— Ни шиша он не ищет! — отрезала Свистуха. — Лагунов этот — ни в жопу, ни в Красную армию, извиняюсь за мой французский! Видала я таких! Он просто антиобщественный тип. А ты ему потакаешь! Думаешь, если он в очках — так сразу и приличный мальчик? Жизни ты не нюхал!

Игорь тяжело вздохнул. Придётся говорить по-серьёзному.

— Он и вправду непростой мальчик, Наталья Борисовна. Но он очень правильный. Ищет он, конечно, вовсе не кружок по увлечению. Он идеалист. Он ищет идеальный коллектив.

— Это что ещё такое? — страдальчески скривилась Свистуха.

— Коллектив, в котором общий интерес выше личного. Поэтому я отпустил его с футбола. Там команда пока не складывается.

— Не компостируй мне мозги! — рассердилась Свистуха. — Это ты сам не можешь порядок навести, вот у тебя всё и едет сикось-накось! И с футболом, и с этим пацаном! Лагунов — просто заноза в пятой точке, и всё!

Не сочиняй тут оправданий ни ему, ни себе! Короче, Корзухин, ты должен приструнить своих мальчишек. И Лагунова в первую очередь! Всё, иди давай, работай!

Игорь хмыкнул. Всегда так. Нет колбасы в магазинах — колхозники плохо работают! Автобуса не дождаться — водители на газ не давят! Валерка Лагунов начитался книжек — библиотекарь виноват! Игорь встал и пошёл прочь из Знамённой комнаты. Жри, что дают, пионер Валерка!

Стычка со старшей пионервожатой, как ни странно, не испортила Игорю настроения. Возможно, потому что под «пионерской» Свистухой, задорной и бравой, обнаружилась обычная Свистуха — сварливая баба. Образцового пионервожатого эта баба напоминала не больше, чем сам Игорь.

Он решил покурить, но курить дозволялось только на заднем дворе Дружинного дома. Игорь спустился с крылечка и обогнул здание. Посреди палисадника стояла скамейка, а на ней уже сидела и курила Вероника.

— Привет, — сказал Игорь, усаживаясь рядом на горячую от солнца доску.

— Не сомневалась, что ты притащишься сюда, — усмехнулась Вероника.

— Ты о чём?

Вероника кивнула через плечо на открытое окно Знамённой комнаты.

— Слышала, как тебя вздули.

— А-а...

Под невесомым ветерком с Волги в палисаднике тихо трепетали акации. Жара бесстыже намекала, что одежда сейчас — лишняя. Игорю было приятно находиться с Вероникой один на один, словно оба они балансировали на какой-то опасной грани, и лёгкое колебание теней, нарушив равновесие, могло неуловимо переместить их за эту грань. Безусловно, и Вероника тоже ощущала нечто подобное, несмотря на то что Игорь в отношениях с ней пока не обозначил никаких своих желаний. Но для понимания хватало и солнца.

— Знаю твоего Лагунова, — сообщила Вероника. — Он и ко мне в кружок записывался. Сидел тихо, не буянил. Он ведь не хулиган. Он псих.

Игорю стало обидно за Валерку. Чего все навалились на пацана?

— Он самостоятельный, вот и кажется, что псих.

— Таких у нас не бывает, — безапелляционно отсекла Вероника.

— Бывают такие. Например, я — самостоятельный человек, — утвердительно сказал Игорь Веронике, хотя самому себе он этого бы не сказал. — Даже если на меня наорала начальница, — добавил он.

Вероника чуть прищурилась, и тёмные глаза её сделались ещё темнее — просто ослепительно тёмными в этот ослепительный полдень.

— У меня родители любят авторские песни под гитару, — Вероника щелчком сбила пепел с сигареты. — На «Грушу» каждый год ездят. А дома соберутся с друзьями и хором поют: «...ёжик резиновый шёл и насвистывал дырочкой в правом боку»! Это что, взрослые люди, которые сами принимают решения? — Вероника уничижительно скривилась. — Мы все дети. Мы все живём в одном большом пионерлагере по общему расписанию.

Игорь уже понял, что у Вероники основной способ общения — вызов. Не важно, какой и кому. А ему-то что делать? Если спорить — то они поссорятся, как уже случилось один раз. Если соглашаться — то будет дураком.

— Выбора нет, — подвела итог Вероника.

Она говорила о своём, но сказала и о том, о чём думал Игорь. Выбора нет — как в столовке при пищеблоке. Жри, что дают. Или совсем не жри, как делает этот смешной Валерка Лагунов. Он находит в себе силы для этого.

Игорь тоже не стал жрать — не стал спорить. Он просто придвинулся к Веронике по горячей скамейке и отвёл от лица её тонкую руку с сигаретой. Потом подался вперёд и поцеловал Веронику в губы. Её губы не ответили.

Игорь чуть-чуть отстранился — только чуть-чуть, чтобы между их губами поместилось одно слово.

— Отвечай, — тихо потребовал он.

И Вероника ответила.

Глава 4

«КОСМИЧЕСКАЯ ЕДА»

После тихого часа и полдника вожатые обычно занимали подопечных некими «отрядными играми», но у Валерки были свои планы. Он задумал сделать себе «космическую еду». Зубная паста «Поморин», которую дала ему мама, для этой цели не годилась; «Поморином» даже мазаться не следовало — обожжёт, а если съешь полтюбика, то можно сдохнуть. У Вовки Макерова из второго звена Валерка заметил зубную пасту «Апельсиновая» — вот она-то была как раз. Ещё позавчера Валерка распустил во втором звене слух, что «Апельсиновой» пользуются только девчонки, чтобы целоваться, и сейчас пожинал плоды: Макерыч охотно сменял свою «Апельсинку» на «Поморин» и добавил в доплату наполовину полный спичечный коробок.

Спички Валерка завернул в обрывок газеты и закопал в тайном месте — они ещё послужат, а с коробком пошёл в Дружинный дом якобы написать домой письмо. На самом же деле там он оклеил коробок белой бумагой. На лицевой стороне коробка Валерка нарисовал десять квадратиков с цифрами от ноля до девяти. Это был микрокалькулятор. Не такой, конечно, как у папы «Электроника», но почти такой же. Во всяком случае, работал не хуже.

Затем Валерка на умывалке раскрутил и разрезал ножницами тюбик «Апельсиновой» и водой вымыл всю пасту. Привкус, понятно, останется, но оттенок апельсина — это хорошо, это не химическая едкость «Помарина». Теперь можно было отправляться в лес за ягодами. Раздавленная земляника в тюбике и будет «космической едой». Он употребит её в кровати после отбоя.

Валерка покинул территорию лагеря через знакомую дыру в сетчатом заборе. Сосновый бор плавился на солнце, словно в меду. Стучал дятел. Пахло смолой и дальней свежестью Волги. От дерева к дереву по земле пронеслась белка. В лесу жизнь была правильной. Валерка подумал, что сосны растут для всех: для белок и дятлов, для реки и неба. Огромные, как башни, сосны не заслоняли солнечный свет даже для мелкой земляники.

Валерка не решился углубляться в лес и держался поближе к забору: всё-таки Беглым Зэкам закон не писан. Поймают — и сделают «космическую еду» из него самого, из Валерки. Впрочем, Зэков тоже можно понять: кому понравится сидеть в тюрьме, когда можно обитать в таком прекрасном бору? Валерка ползал в траве, собирая землянику, и думал о жизни.

За что Свистуха обозвала его уошником? Он хотел найти кружок, где все по-настоящему делают что-то общее, разве это по-уошному? Конечно, пацаны у него в отряде ничего, нормальные, но какие-то всегда сами для себя, не по-честному. В жмурках подглядывают, в войнушке не убиваются... Вот вчера у Титяпы кеды спрятали — и никто не сказал, где, пока Ирина Михайловна не наорала на всех, потому что Титяпа явился на зарядку в одних носках. А все ржали, кроме Лёвы Хлопова. Лёва — хороший, однако в нём тоже что-то не то.

Ну, да: он уже заколебал своим дурацким футболом, но не в том дело. Лёва будто бы только одной стороной к пацанам повёрнут, а что с другой стороны — никто не знает. Недаром же ему, Валерке, приснилось, что Лёва пьёт кровь у Славика Мухина. Перед тихим часом Валерка спросил у Славика, как тот себя чувствует. От укуса вампира Славик должен загибаться, как больной. А Славик сказал, чтобы Валерка валил в медпункт, и ему там клизму вкачают, если уж его так интересует медицина...

Валерка заполнил тюбик земляникой, защипал и загнул конец и сунул «космическую еду» в карман. Возвращаться в лагерь он решил через другую дыру в заборе — на задворках пищеблока. Эту дыру закрывали густые кусты черёмухи. Но под черёмухой Валерка вдруг увидел двух пацанов, которые сидели в траве и резались в карты. Валерка остановился, прячась за сосной.

Он знал картёжников. Да все их знали. Один — Саня Беклемишев по прозвищу Бекля, главный в лагере шпанюга из второго отряда. Другой — его прихлебатель Василёк, которого за глаза звали Сифилёк. В компании у Бекли обычно присутствовал и третий тип — Лёшка Рулет. Рулет шестерил Бекле, а Сифилёк шестерил Рулету. По всем троим плакала колония для малолеток.

— Скобель! — говорил Бекля, сбрасывая карту. — Бонифаций тебе!

Бекля любил странные словечки — наверное, думал, что кажется умным.

Валерка уже собирался попятиться и исчезнуть, не привлекая внимания, но внезапно кусты черёмухи затряслись, и Валерка обомлел: на поляну вывалилась Анастасийка Сергушина! Вот уж кто-кто никак не сочетался с камарильей Бекли, так это она! А потом Валерка понял: Анастасийку толкает вперёд Лёшка Рулет. Валерка застыл на месте.

— Где щенки? — спросила Анастасийка, ещё ничего не сообразив.

Валерка тотчас догадался, в чём тут хитрость. Недавно лагерь облетело известие, что кто-то наконец отыскал логово, где Вафля, пищеблоковская собака, спрятала своих щенков. Видимо, Анастасийка хотела посмотреть на выводок Вафли, вот только за черёмухой сидел выводок Бекли, и это было гораздо хуже. Рулет подло обманул Анастасийку. Заманил в ловушку. Бекля и Сифилёк вскочили, и Анастасийка оказалась в окружении.

— Ты кого щенками назвала, кулебяка? — щурясь, спросил Бекля.

— На кого батон крошишь? — угрожающе растопырился Сифилёк.

Бекля был носатый и губастый, высокий и худой, словно курение испепелило его изнутри. А Сифилёк — мелкий и хрупкий, как Лошарик.

— За базар ответишь, — сказал Анастасийке Рулет.

Рулет с виду был нормальным пацаном, но лишь с виду.

— Отвалите! — сердито крикнула Анастасийка.

Бекля протянул к ней длинную руку. Анастасийка не успела отпрянуть; Бекля по-воровски ловко подцепил пальцем золотую цепочку у неё на шее, выудил из-под её футболки золотой крестик и быстро зажал в кулаке.

— Подари, — глумливо попросил он. — Я тоже в боженьку поверю.

— Это бабушкин! — Анастасийка не посмела дёрнуться, чтобы не порвать тонкую цепочку. — Не трогай!

— За базар надо отвечать, — тупо повторил Рулет.

— За какой базар, дураки?!

— Ты ведь там на Жанку наезжала, да? — напомнил Бекля.

— Ты на Жанку батон крошила? — взвился Сифилёк. — На Лёлика?

Валерка вспомнил стычку Жанки и Анастасийки в кружке пения и сразу догадался, что злая Жанка науськала Беклю, а Бекля и рад покуражиться.

— Не ссорилась я с вашей Шалаевой! Оставь крестик!

— Заплотишь, марганцовка, — пообещал Бекля.

— Отнимешь — я в милицию нажалуюсь! — не сдавалась Анастасийка.

— А тебе тёмную устроят! Сама пожалеешь!

— Давай ей «зонтик» сделаем, — предложил Рулет.

— «Зонтик» ей! — воодушевлённо завопил Сифилёк.

«Зонтиком» называлась задранная навыворот юбка, чтобы все увидели трусы у девчонки. Валерку опалил гнев на Беклю и его шестёрок. Ради спасения золотого крестика Валерка не покинул бы своего убежища: золото — пережиток прошлого, и не стоит из-за него рисковать костями. Но завернуть Анастасийке «зонтик» — это уже совсем другое.

Валерка выдвинулся из-за сосны и шагнул к компании Бекли. В животе у него всё напряглось. Готовясь к бою, он стискивал кулаки.

— Шуба! — завидев Валерку, спохватился Сифилёк. Это означало «атас!».

Если нападаешь на компанию в одиночку, то действовать надо быстро и решительно, а первым делом следует загасить самого чахлого врага. Валерка побежал. Самым чахлым был Сифилёк — дрищ дрищом. Валерка с разгона ткнул ему в поддыхало. Сифилёк скорчился, разинув рот и высунув язык, будто его тошнило. Грозно блестя очками, Валерка развернулся на Рулета.

— Ты кто?! — отскакивая, запаниковал Рулет. — Ты чё?!. Зубы жмут?!

— Мочкани ему! — повелительно крикнул Бекля.

Он по-прежнему держал Анастасийку за цепочку, будто на поводке.

Рулет не послушал главаря. Он заюлил, прицеливаясь, куда удрать, и глядел то на Валерку, то на кусты. Сифилёк надрывно кашлял, распустив висячие слюни. Бекля в досаде бросил крестик Анастасийки и ринулся к Валерке. В это время Валерка уже примеривался атаковать Рулета и ловко сновал перед ним боксёрским «челноком»: шаг вперёд, шаг назад — так научили пацаны во дворе. И вдруг страшный взрыв в ухе выбил у него из глаз и Рулета, и всю поляну возле черёмухи. Валерку отбросило куда-то в сторону, и он хлопнулся спиной в траву; коробок-микрокалькулятор и тюбик с «космической едой» вылетели у него из карманов. Это Бекля бронебойным ударом снёс Валерку с позиции, будто кирпичом сшиб кота с забора. А Рулет почему-то сиганул прочь, точно в нём автоматически сработала катапульта.

— Всем стоять! — рявкнул Бекля и Рулету, и Анастасийке.

Анастасийка могла убежать, но не убегала, ведь теперь она была уже не одна, хотя её спаситель лежал в траве, бесполезный, как летом — пальто.

— Придурок жизни! — бесстрашно обозвала она Беклю, убирая в горло футболки золотой крестик. — Осколок унитаза!

Бекля не обратил внимания. Ему был любопытен Валерка.

— Ты откуда взялся, пенис окулярис? — спросил он.

Сквозь звон в башке Валерка удивился внезапной образованности Бекли. Может, Бекля и не совсем дурак?.. Валерка медленно сел, а потом с трудом встал. Сражение завершилось, а противоборство — ещё нет.

— Отпусти Анастасийку, — упрямо потребовал Валерка у Бекли.

— Урой его, Бекля! — издалека рыдающе крикнул Сифилёк.

Рулет осторожно возвращался на поле боя.

— Ты чё, очкастый, подсекал за ней? — Бекля кивнул на Анастасийку.

— Я гулял! — зло ответил Валерка.

Все пацаны подсекали за девками, но быть пойманными на этом деле считалось позорным.

— В лесу гулял? — усомнился Бекля. — Там же Зэки!

Рулет на ходу подобрал Валеркины сокровища — тюбик и коробок.

— Зырь, чё у него было, — сказал он Бекле, протягивая коробок.

Бекля повертел в пальцах самодельный микрокалькулятор.

— Это что за клайпеда?

— Микрокалькулятор, — неохотно пояснил Валерка. — Он вычисляет.

Анастасийке тоже стало интересно изобретение Валерки.

— И как работает? — Бекля смотрел на Валерку без злобы.

— Посчитай, — предложил Валерка. — Сколько будет семью восемь?

Бекля и Рулет глубоко задумались.

— Сто, — на всякий случай сказал Рулет.

— Пятьдесят шесть, — ответила Анастасийка.

— Нажми кнопки, — сказал Валерка Бекле.

Бекля осторожно нажал нарисованные кнопки «5» и «6». Валерка взял коробок из руки Бекли и плавным движением выдвинул ящичек.

— Ж-ж-ж-ж, — изобразил он звук маленького моторчика.

На донышке ящичка было написано: «Правильно».

— Солидол! — искренне восхитился Бекля, забрал коробок обратно и сунул в себе карман. — А зубная паста тебе на кой?

— Это «космическая еда», — выдал Рулет. — Я видел у шкетов.

И тут Валерку осенила гениальная идея.

— Эту еду я Беглым Зэкам отношу, — мрачным тоном сообщил он. — Я место знаю: оставляешь еду — Зэки вместо неё нож положат.

— Чё, настоящий нож? — у Бекли вспыхнули глаза.

— Финку.

— Покежь это место! — купился Бекля. — Мы Зэков подкараулим!

— Махнёмся? — дерзко спросил Валерка.

— На чё?

Валерка ткнул пальцем в Анастасийку.

— Ты до неё не докапываешься, а я место покажу.

Бекля оценивающе поглядел на пленницу. «Зонтик» хоть какой девке можно сделать, не только этой. Жанка Шалаева перебьётся без крестика, тем более что эта ограбленная коза в натуре напишет заяву мильтонам. А Зэки — это Зэки! Настоящие! Беглые! Это тайна, страх, власть и величие!

— Он тебя наколет! — не поверил Валерке Рулет.

— Наколет — ответит! — самоуверенно заявил Бекля. — Замётано! Синус!

Бекля дружески протянул Валерке руку, и Валерка сжал её.

— Руби! — велел Бекля Рулету.

Рулет ладонью разрубил рукопожатие. Сделка состоялась.

— Пошли, — сказал Валерка Анастасийке, будто своей собственности.

Беклина кодла теперь уже не препятствовала отступлению.

Валерка полез через черёмуху к дыре в заборе, и Анастасийка полезла за ним. Валерка выбрался на задний двор пищеблока и подождал Анастасийку. Откуда-то появилась собака Вафля и принялась тыкаться мокрым носом. Анастасийка наклонилась и погладила Вафлю, заплясавшую от счастья.

— Молодец, собачка, настоящий друг, — похвалила она.

— Вообще-то это я тебя выручил, — хмуро уточнил Валерка.

— Ага, говна-пирога! — пренебрежительно фыркнула Анастасийка.

Из пищеблока с бачком помоев в руках вышла баба Нюра.

— Не да-а... да-аразните со-обаку, хулиганы! — крикнула она.

Глава 5

ТО, ЧТО ЕСТЬ

Это было первое хмурое утро за смену. Небо заволокли облака, но погода не осмелилась на дождь. Облачные вздутия внутри были полны не водой, а белым светом, и влажно темнели только извилистые складки.

На «трудовом десанте» Ирина Михайловна объявила пацанам Игоря:

— Ребята, сегодня футбольная тренировка отменяется.

Пацаны не возражали. Заманало бегать по полю и долбить мяч.

— Почему отменяется? — в одиночестве возмутился Лёва Хлопов.

— Проведём собрание отряда.

Делиться планами с Игорем Ирина считала недостойным своей власти, и потому Игорь, вылучив момент, отвёл её в сторону.

— Что за новости? — спросил он. — Какое такое собрание?

— Надо твоего Лагунова проработать.

Игорю это совсем не понравилось. Не многовато ли наказаний для несчастного Валерки? Ведь он ничего не сделал: режим, вроде, не нарушал, ни с кем в отряде не дрался, стёкол не бил, вожатым не хамил.

— Сколько можно его трепать? Свистунова уже дала ему по мозгам.

— Она дала, а я не дала. И отряд не дал.

— Какой ещё отряд? — поморщился Игорь. — Нафиг детей друг на друга натравливать? Они ведь скажут то, что ты прикажешь сказать!

— А это и есть коллектив! — Ирина ни в чём не сомневалась.

— Пожалей мальчишку, — искренне попросил Игорь, не желая спорить.

— Ничего с ним не случится.

— Ты ведь это делаешь, чтобы Свистунова тебя ни в чём не обвиняла.

Ирина рассердилась.

— Во-первых, Игорёк, — отчеканила она, — Свистунова и так меня не обвиняет. С Лагуновым не я виновата, а ты. Это ты его распустил! А во-вторых, пусть коллектив его перевоспитывает, если вожатый не в состоянии!

Решимость Ирины невозможно было поколебать. Игорь приуныл. В Валерке он чувствовал что-то родственное и не хотел беспощадно давить его самостоятельность бульдозером, подобно Ирине или Свистухе.

После «трудового десанта» четвёртый отряд собрался на веранде. Пацаны и девчонки, толкаясь и переругиваясь, рассаживались вдоль стен на скамейки и стулья, как бывало на «свечке».

— Это моё место, ты, корова! — сцепился Гурька с Леночкой Романовой.

— Твоё место в зоопарке! — ответила Леночка.

— Тихо, тихо, ребята! — успокоила отряд Ирина. — У нас важный разговор. Валерик Лагунов, иди сюда, встань вот тут.

Валерка вышел из рядов и, недоумевая, встал рядом с Ириной. Игорь порадовался, что оказался у него за спиной и потому не увидит его укора.

— Итак, ребята, у нас вопрос. Вот ваш товарищ — Валерий.

Ирина указала на него как на экспонат. Отряд заинтересованно затих.

— А чё я? — пробурчал Валерка со сдержанным вызовом.

Пионеры засмеялись.

— Обсудим его поведение, — предложила Ирина.

— А что он сделал? — спросила из угла глупая Женька Цветкова.

Ирина молчала, испытующе глядя на отряд: она хотела, чтобы пионеры сами отыскали проступок Валерки. Пионеры зашептались и приглушённо загомонили. Игорь различил, как по мальчишкам и девчонкам полетела весть: «Лагунов Вафлю убил! Вафлю и Бамбука! Отравил зубной пастой!». Бамбук, пищеблоковский пёс, и вправду с утра был какой-то мрачный.

— Убил — ну и убил, — сказал Гельбич. — Собаку же, не физрука.

— Не трогал я никого! — огрызнулся Валерка.

— Лагунов отбивается от коллектива, — наконец сообщила Ирина. — Нигде не может укрепиться. В кружок пения записался — сбежал. В кружок рисования записался — тоже сбежал, да ещё и Нине Сергеевне нагрубил. Про нашу футбольную команду я уже молчу. Он туда давным-давно не ходит.

Отряд озадаченно зашумел, не зная, как расценить метания Валерки.

— Что скажешь в своё оправдание, Лагунов?

— Ничего не скажу! — огрызнулся Валерка.

Ему было неприятно, что его поставили перед всеми и развинчивают на детали. Серебристый свет хмурого дня казался хирургическим.

— А вы, ребята, что скажете? — обратилась Ирина к коллективу. — Вы же его товарищи. Лёва, ты капитан футболистов. Объясни Лагунову.

Лёва неохотно встал и смущённо потеребил конец красного галстука; галстук он теперь носил и на тренировке, и в тихий час. Валерка смотрел на Лёву с недоверием. Может, Лёва поступит как друг и не осудит его?

— Ты, Валерик, хочешь сам с мячом водиться, — Лёва тяжело засопел. — А футбол — игра командная. Тут надо другим мяч передавать. Но тебе так не нравится. Это неправильно. Интересы команды должны быть выше своих.

Валерка мгновенно закипел от возмущения. Разве он играл как эгоист и ни с кем не считался? Да он потому и ушёл с этого дурацкого футбола, что никакой команды нет: пацаны мяч у своих же вышибают!

— Ты чё?! — крикнул Валерка. — Я нормально играл! Это Титяпа мяч держит! Горох ни одного паса не сделал! Славик из своей зоны сдёргивает!

— Он врёт! Врёт! — завопили Титяпкин и Горохов. — Чухан ты, Лагунов!

Игорь знал, что Валерка прав, — он же видел игру.

— Горохов и Титяпкин, не обзываться тут! — гаркнул Игорь.

Но Ирина безапелляционно отсекла оправдания Валерки.

— Нечего свою вину на других переваливать, Лагунов! Напортачил — так ответь! — Ирина взглядом поискала, кого бы ещё привлечь для разгрома Валерки. — А ты что скажешь, Сергушина? Ты же командир отряда.

Анастасийка встала и томно вздохнула, закатив глаза, будто Валерка уже так утомил её, что никаких сил больше нет.

— Он за забор без разрешения выходит, Рин Халовна.

Ирина распрямилась, словно её наградили. Значит, она была права, подозревая глубокую антиобщественность Валерки Лагунова! Шляться за оградой — это серьёзное преступление! Молодец, Сергушина!.. А Валерка не мог поверить тому, что прозвучало. Анастасийка выдала его? Анастасийка? И это после того, как он защищал её от Бекли? Что же за подлость-то такая!

— Стукачка! — гневно крикнул Валерка.

Анастасийка скорчила гримасу: фи, какая низость — оскорблять девочку!

Ирина сидела на стуле, будто в башне невидимого танка, невидимая пушка которого невидимо уткнулась прямо в лоб Валерке.

— И критику ты не любишь, Лагунов! — сурово заметила Ирина.

«А кто её любит?» — подумал Игорь.

— Всё-таки объясни нам, Лагунов, чем тебя не устраивает коллектив?

Валерка не знал, что сказать. Как-то всё запуталось. Он глядел на ребят и понимал, что никто из них и слова не произнесёт в его поддержку.

Он не совершал никаких плохих поступков. Все выходят за территорию лагеря. Все время от времени с кем-то ссорятся, отлынивают от какого-либо мероприятия, не спят после отбоя. Человек ведь не робот! Его, Валерку, осуждают за то, что он не робот! И осуждают нечестно, потому что сами — тоже не роботы! Только изображают из себя роботов! А для чего это надо?

Конечно, коллектив всегда прав. Но разве четвёртый отряд — коллектив? Две недели назад они и знакомы-то не были! Их собрали здесь, кого попало, и никакое общее дело их не объединяет! Разве они воюют с каким-то врагом? Разве строят что-то полезное? Кому-то что-то важное доказывают? Сами за себя что-то решают? Они друг с другом ни о чём договориться не могут, а вместе умеют только нарушать правила, которые и придуманы-то не ими!

Валерку охватило жесточайшее разочарование. Разочарование в ребятах, готовых молча отступиться от него, если уж так сложились обстоятельства. Разочарование в людях вообще, потому что люди зачем-то нагромоздили в жизни правил и законов, по которым ты всегда виноват! Где правда, где дружба, где высокие цели и общее дело? На Олимпиаде в телевизоре?

— Короче, нам надо принять меры, — сказала Ирина Михайловна. — Ты неплохой человек, Лагунов, но совершенно неорганизованный. Мы всем отрядом берём тебя на поруки. Верно, ребята? Поможем Валерику?

Отряд опасливо молчал, не понимая, что имеется в виду под поруками. Может, Лагунов зарежет кого-нибудь? Всем в тюрьму, что ли, из-за него?

— Чем ему поможем? — проворчал Гельбич, будто Валерка был смертельно болен и на последнем издыхании. — Ничем!

— Теперь будешь только с отрядом, у нас на виду, — разъяснила Ирина. — Никаких кружков, никакой самодеятельности. Что все — то и ты.

Отряд облегчённо загомонил. Возмездие оказалось необременительным. Совесть чиста, и никаких усилий ни от кого не требуется. С этого начиналась жизнь в лагере, к этому и вернулась. Лагунова наказали тем, что и так было.

— Собрание закончено, — Ирина поднялась со стула. — Все свободны.

Глава 6
СВОЙ ОТРЯД

Круг за кругом спортсмены бежали плотной группой; казалось, что все они друзья и поддерживают друг друга в этой гонке. Трибуны приглушённо шумели, предвкушая свирепый финишный спурт. Телевизор не мог передать ни ритма, ни рассчитанного ожесточения забега. Зрители сидели на веранде Серпа Иваныча Иеронова такой же тесной толпой, как и бегуны. Занавески на окнах были задёрнуты, чтобы закатное солнце не бликовало в цветном экране. Как обычно, Серп Иваныч занимал место в последнем ряду. Валерка пристроился сбоку. Его не интересовала Олимпиада, но ведь надо же как-то вырваться из своего отряда, и он отпросился у Горь-Саныча к Иеронову.

Удар спортивного колокола оповестил о финальном круге. Ускоряясь, бегуны растянулись в цепочку. И лидером вдруг стал странный негритосик — невзрачный, невысокий, с обширной залысиной, гладко блестящей от пота, и смешными кудряшками на висках и затылке. Такому бы в ТЮЗе выступать, а не на стадионе. Но нелепый негритосик быстро замолотил ногами, заработал локтями и, наклоняясь, понёсся к финишу, как чёрт, обогнав всех прочих.

— На дистанции десять тысяч метров победу завоевал Мирус Ифтер, спортсмен из Федеративной Демократической республики Эфиопия! — объявил комментатор.

— Староват уже для кросса, а втопил, как молодой! — с восхищением сказал на веранде кто-то из вожатых.

Хроника Олимпиады закончилась, когда солнце почти скрылось за Жигулёвскими горами. С Волги широкой волной плыл багряный свет заката. Расписные теремки пионерлагеря сияли всеми красками, словно обещания сказочных снов. Телезрители расходились взволнованные. Там, в телике, — напор, порыв, сражения Олимпиады, а здесь что? Чай с печеньем, пение комаров, гудок далёкого теплохода. Глухая дремота, а не жизнь.

Валерка незаметно свернул за угол иероновской дачи. Он не хотел возвращаться в отряд. Пускай там все уснут, тогда он и придёт. Нету сил видеть пацанов. Валерка сел на скамейку в тени. В памяти всплыло лицо Мируса Ифтера, схваченное телекамерой на финишном броске. Страшные вытаращенные глаза, острые скулы, запавшие щёки, белозубый оскал. Это не лицо победителя, вдохновенно летящего к триумфу. С таким лицом мчатся прочь от смертельной опасности. Похоже, что эфиопский негритосик всю дистанцию полагал других бегунов собратьями по спорту, а перед финишем внезапно осознал: они — враги! Они готовы столкнуть, затоптать, ославить его! И в надежде на спасение он отчаянно метнулся вперёд. Его гнал чистый ужас. Мирус Ифтер убегал от остальных спортсменов в диком нежелании быть рядом. Валерка догадывался, что Мирус Ифтер — это он сам.

— Не помешаю? — раздалось неподалёку.

Возле угла домика стоял Серп Иваныч.

— Извините, — Валерка вскочил. — Я уже ухожу...

— Да сиди, сиди, — ответил Серп Иваныч. — Места хватает.

Он тяжело опустился на другой конец скамейки. Он молчал, но Валерка почувствовал стеснение и даже горечь: и укрыться-то негде, чтобы побыть одному. Лагерь большой, а не отыскать уединённого уголка.

— Что-то случилось? — вдруг спросил Серп Иваныч.

— Ничего, — ответил Валерка.

— Я же вижу, — Серп Иваныч посмотрел на Валерку. — Тебе плохо.

— Да нормально... — упрямился Валерка.

— Обидели? Отругали? Запретили чего-нибудь?

Валерка не знал, что сказать.

— Можешь наврать, что по дому заскучал, — предложил Серп Иваныч. — Я сделаю вид, что поверил.

— А если я и вправду заскучал? — строптиво спросил Валерка.

— По дому скучают под одеялом с головой, — усмехнулся Иеронов. — А среди чужих прячутся, когда в своих разочаровался.

Валерка с удивлением покосился на старика: откуда тот знает?

— Люди не такие, как ты думал? Ждал от них что-то хорошее, верил в них, а они тебя подвели, обманули, оказались мелкими и равнодушными?

У Валерки в животе что-то дёрнулось, и глаза стали набухать слезами. Серп Иваныч говорил истинную правду — всё именно так, как Валерка и чувствовал. Валерка отвернулся и шмыгнул носом. Можно быть стойким, когда ты один, но, когда тебя поняли, сдерживаться не получается.

— Расскажи, — попросил Серп Иваныч. — Мне действительно интересно.

Лицо Иеронова странно светлело в сумраке. Тёмные глаза словно бы звали куда-то. И Валерке захотелось каким-то образом присоединиться к этому старику, быть рядом, любить его и слушаться, как мудрого учителя. Хорошо иметь такого деда. Или соседа в подъезде. Если бы Серп Иваныч был полководцем, Валерка, наверное, мечтал бы служить в его войске.

И он начал рассказывать. И про футбол Лёвы Хлопова, и про кружок пения, и про рисунки с танками и ракетами, и про Анастасийку с Беклей, и про пионерское собрание, на котором ему надавали по морде просто за то, что он не такой, как все. А он очень хотел быть как все, только при этом пусть все будут хорошими. Серп Иваныч не перебивал и задумчиво кивал.

— Эх, братец... — вздохнул он и положил руку Валерке на плечо.

Рука была большая, тяжёлая и по-молодому крепкая. Валерка ощутил, что она готова сжаться и цепко схватить, но не сжимается.

— Знаешь, в чём секрет? — спросил Серп Иваныч, глядя Валерке в глаза.

И во взгляде старика для Валерки опять разверзлась бездна, но теперь Валерку властно потянуло туда — там, в бездне, он тоже сделается мудрым, бесстрастным и всемогущим, как Серп Иваныч.

— Секрет в том, что люди могут отказаться от себя только ради большого дела. Не ради того, чтобы спеть песню или сыграть в футбол. А большое дело получается только тогда, когда люди думают о больших вещах. Если они думают о себе, о каких-то благах, о близких или друзьях, то рано или поздно предадут большое дело. Откажутся от него. И не станут такими, какими ты хочешь их видеть. Увы, мой мальчик, это так. У меня опыт.

— А у вас у самого когда-нибудь был такой надёжный отряд? — спросил Валерка. — Чтобы все заодно, и никто для себя?

— Был, — кивнул Серп Иваныч. — Был, но много-много лет назад... Кто-то погиб, кто-то до старости дожил, однако уже умер. Я последний остался.

— Теперь вы расскажите, — робко попросил Валерка.

Серп Иваныч посмотрел куда-то туда, где угас закат.

— Это случилось в восемнадцатом году. Уже разгорелась Гражданская война. Самару, Куйбышев по-нынешнему, захватили белые. В Царицыне, по-нынешнему в Волгограде, оборонялись красные. А мы с хлопцами жили в деревне при этих дачах. Батрачили на господ, которые здесь летом отдыхали. Дачи назывались Шихобаловскими — принадлежали буржую, владельцу паровых мельниц. А мы ещё мальчишками были — младше ваших

136

вожатых... Но мы хотели к большевикам. И пронёсся слух, что от Царицына к Самаре двинутся боевые пароходы с красногвардейцами. Сюда, на дачи, белые сразу привезли батарею, чтобы с берега из пушек расстрелять царицынский десант. Мы с хлопцами посовещались и решили уничтожить эту батарею. А у нас и оружия-то не имелось, одни косы да вилы, лишь мой брат добыл где-то ржавый наган. Однако требовалось любой ценой выручить своих. Как сейчас помню, третьего августа вечером мы собрались за околицей и поклялись друг другу, что не струсим, не предадим. И ночью напали на белых...

Серп Иваныч замолчал и помял себе горло, словно охрип.

— Бой был беспощадный. Рубили мы и кололи среди этих дач направо и налево. А по нам стреляли из винтовок и револьверов. Но никто из хлопцев не убежал, не спрятался. Всё было кровью залито, кругом убитые лежали. Мы сорвали затворы с белогвардейских орудий, а потом захватили пароход, который стоял у пристани, и на нём ушли в Царицын. Меньше половины нас отсюда вырвалось. И через три дня в Царицыне нас приняли к Будённому... Вот те хлопцы и были моим отрядом. Мы вместе о большом деле мечтали. Даже не о советской власти — о новом мире, о новом человеке. Мы хотели, чтобы все люди стали другими. А что с нами произойдёт — это не важно.

Валерка озирался, оглядывая старинные дачи. Он и вообразить не мог, какое сражение здесь разгорелось. Как беззаветно погибали деревенские парни, чтобы десантные пароходы добрались до захваченного города...

Она вся была такая — далёкая Гражданская война! Полыхали пожары за горизонтом, и небо озаряли алые зарницы. С саблями наголо мчались в степной пыли будённовские эскадроны, и лёгкие тачанки на виражах косили из пулемётов ряды белых офицеров. Рокотали в вышине двухэтажные аэропланы, и лётчики в мотоциклетных очках вручную сбрасывали бомбы на вражеские штабы. Грохоча орудиями, вламывались на станции закованные в железо бронепоезда. В морях, вспарывая штормовые волны, плыли мятежные крейсера с башнями и дымящими трубами. Поднимались в штыковые атаки матросы с патронными лентами крест-накрест. Всадник-трубач одной рукой держал развевающееся красное знамя, а другой рукой подносил к губам горн. В те времена погода была как на Олимпиаде: всегда солнце, синева и белые облака. В те времена люди говорили о революции по всему земному шару и о свободном человечестве, и никто ничего не хотел для себя одного.

— Совсем стемнело уже, — Серп Иваныч снова потрепал Валерку за плечо. — Боюсь, опять будут тебя ругать. Пора тебе к своим ребятам.

— Да, конечно, — очнулся Валерка.

Свет в окнах старых дач, запах сосен, гавканье собак у пищеблока...

— И не расстраивайся понапрасну, — добавил Серп Иваныч. — Придёт твой срок, и обретёшь свой отряд. Не всё сразу, дружок.

Глава 7

ПОРОРОКА

— Мне отлучиться надо, — сказал Игорь Саше. — Покараулишь пионеров?

Просьба была необременительной. Что тут караулить? Ирина внизу уже вела вечернюю «свечку», потом дети разберутся по палатам, вожатому надо будет лишь пройти и проверить, как легли. Но Саша всё равно помрачнел.

— А ты куда? Олимпиаду смотреть?

— У меня свидание, — пояснил Игорь.

Округлое и мягкое лицо Саши сделалось ещё жёстче и суровей.

— Мы сюда приехали работать, а не по свиданьям бегать.

— Не будь занудой, Плоткин.

Игорь знал, что в соседнем корпусе сейчас Вероника тоже проводит «свечку». Когда Ирина вернётся, Вероника получит свободу. Местом встречи с Игорем был назначен памятник горнистке у входа в лагерь.

Игорь закрыл дверь вожатской комнаты, задвинул шпингалет и достал из-под кровати свой рюкзак. Увидев, что Игорь намеревается переодеться, Саша воспитанно отвернулся. Игорь стащил джинсы и сменил сатиновые семейные трусы на стильные плавки с вышитым якорем. Вдруг на свиданке дело дойдёт до главного? Надо выглядеть как следует.

— Я этой пошлости не одобряю! — хмуро заявил Саша.

— Как говорят на телефонных станциях, даёшь связь без брака! — цинично ответил Игорь.

— Если ты уважаешь девушку, ты не будешь этого делать.

— А если девушка сама захочет?

— Порядочная не захочет! — отрезал Саша.

— Ты просто девушек не знаешь, — свысока возразил Игорь.

Если честно, то Игорь и сам-то не особенно их знал. Во всяком случае, он ещё ни разу не сталкивался с ситуацией, когда девушка «сама хотела». Но нельзя было пренебречь возможностью уязвить высокоморального соседа.

Саша возмущённо засопел.

— Между прочим, у меня невеста есть, — сообщил он.

— Кто? — тотчас заинтересовался Игорь.

Воображение сразу нарисовало ему невесту Саши Плоткина — какую-нибудь простоватую толстушку в очках вроде Ирины.

— О своей невесте я не треплюсь на каждом углу!

Игорь проглотил колкость, не моргнув глазом. Ему было любопытно.

— Ты живёшь с ней? — напрямик спросил он.

— Я её уважаю. Для меня добрачные отношения неприемлемы.

— А свадьба когда?

Саша помялся, размышляя, открываться или нет, но его явно терзала ревность к вольностям Игоря, и он хотел превосходства.

— Не знаю, где-нибудь через год, — выдал он. — У меня родители вступили в кооператив. К январю дом достроят, квартиру сдадут. Пока ремонт, отделка, пока сессия — уже снова лето наступит. Тогда и свадьба.

— Подфартило тебе с родителями, — искренне позавидовал Игорь.

Квартира — это предел мечтаний. Многие только к пенсии получали отдельное жильё. И самому Игорю о квартире, тем более кооперативной, даже думать не приходилось. У мамы зарплата маленькая, и на однушку не скопить. В лучшем случае на будущей работе Игорю дадут комнату в коммуналке, если он успеет жениться. Впрочем, жениться он не спешил.

— Не следует всё полагать заслугой родителей, — важно сказал Саша, будто он сам заработал на первый взнос за квартиру.

— А невеста дождётся? — плеснул дёгтя Игорь.

— Так ведь обязана же! — удивился Саша.

Игорь понял, что Саша считает себя незаурядной партией, и ему в высшей степени странно представить, что им могут пренебречь. Он принял решение жениться — и всё, вопрос исчерпан, возражения не принимаются. Да и кто откажется от такого жениха — с квартирой и высшим образованием?

Игорь шагал по Пионерской аллее к выходу из лагеря и думал о Саше Плоткине. Вот для кого в жизни расстелена ковровая дорожка. Недаром Саша такой моральный. Его и так всем обеспечат, незачем ловить шансы.

Пока на берегу никого не было, Игорь заглянул под подол гипсовой горнистки. Просто надо было так сделать, чтобы больше не терзаться.

Вероника пришла в джинсах и в клетчатой рубашке с подвёрнутыми рукавами. Одежда — это важно. Как говорили на филфаке, это невербальное послание. Чем сложнее одежда для снятия, тем меньше девушка настроена на близость. Но Игорь не смог оценить настрой Вероники. Он поцеловал её, проверяя намерения, и Вероника приняла поцелуй как жест вежливости — без противодействия и без ответного движения навстречу.

— Куда пойдём? — спросил Игорь.

Они направились в сторону речки Рейки и деревни Первомайской. Тропка тянулась вдоль берега по опушке соснового бора, а потом по краю обширной Концертной поляны, на которой после закрытия смен разводили огромный прощальный костёр. Тихий и редкий плеск воды казался потаённым дыханием любовницы. Огненный закат за Жигулями догорал так, словно угасало сознание дня, и пространство тонуло в сиреневом полусвете, будто погружалось в зыбкое и невесомое безумие. Свежесть Волги мягкими наплывами теснила духоту прогретого леса.

— Не молчи, — потребовала разговора Вероника.

— Ты с Плоткиным в одной группе учишься? — спросил Игорь.

— В одной параллели, — сухо сказала Вероника. — А при чём тут он?

— Он только что мне про себя всю правду поведал. Зимой квартиру получает, следующим летом женится.

Подозреваю, что у него уже до пенсии жизнь разлинована. Через два года — ребёнок, через три — аспирантура, через пять лет — машина, через семь — должность... Обнять и плакать.

— Это же прекрасно! — с издёвкой ответила Вероника. — Если бы он в тюрьму нацелился — да, плохо. А он стремится к достойным вещам: семья, работа, благополучие. Нам пример надо брать. А ты морду кривишь.

Игорь страдальчески вздохнул и бросил на Веронику косой взгляд.

— Я ж тебе не враг. Чего ты задираешься?

— А ты чем недоволен? — не утихомирилась Вероника.

— Мне нет никакого дела до Плоткина, — чётко сформулировал Игорь. — Но меня удивляет, когда люди считают благом предопределённость жизни.

Вероника нехотя сдалась.

— Чем же это не благо, если намечено только хорошее? У Плоткина отец работает в обкоме, а мать — какой-то зам в гороно. И у Сашки всё будет: квартира, машина, должность, жена. Он прав, когда всё распланировал.

— Везёт дуракам, — туманно сказал Игорь.

— Давай о другом.

Перелесок закончился, и сумрак стал прозрачнее — впереди обозначился небольшой залив, устье Рейки. Из-за кустов лещины полз загадочный шёпот: в речке журчали опущенные в воду ветви. Над Волгой висела круглая луна, подтаявшая с одного края, и плоскость плёса блёкло отсвечивала. Вдали мерцал длинный гранёный кристалл туристического теплохода. Озарённый изнутри, теплоход казался стеклянным фокусом, в котором скрестились и вспыхнули невидимые линии навигационной обсервации по созвездиям.

Игорь и Вероника присели рядом на травянистый пригорок. В тёмном кошачьем тепле этой ночи чуть потрескивали крохотные искорки.

— Отсюда и до Каспийского моря друг за другом идут водохранилища, — задумчиво произнёс Игорь. — Всё на реке спокойно, как в пруду. А я хочу увидеть поророку. Ты знаешь, что это такое?

— Что?

— Гигантская волна на Амазонке. Дважды в год, в дни равноденствия, воды Атлантики вторгаются в устье Амазонки и на сотни километров гонят вверх по реке этот вал — поророку. Его гул слышен ещё из-за горизонта.

— Класс, — согласилась Вероника.

Но поророка была не здесь, а на другой стороне земного шара. Там даже астрономия работала иначе: созвездия не вращались, подобно огромным иероглифам на огромном диске, а восходили и заходили, как луна и солнце. И вместе с Водолеем и Орионом там сияли Змееносец и Единорог.

Игорь придвинулся к Веронике и приобнял её, а потом осторожно положил ладонь ей на грудь. Если Вероника будет против, он остановится. Ладонью он ощутил под рубашкой Вероники жёсткую ткань купальника. Вероника надела купальник по той же причине, по которой он сам натянул плавки. Значит, он всё делает правильно. Он угадал направление течения.

Вероника чуть запрокинула лицо, чтобы что-то сказать, разомкнула губы, но Игорь погасил её слова поцелуем. И Вероника больше не возражала. Однако в её согласии было какое-то непокорство — будто отзвук поророки.

Глава 8

КОГДА НИКТО НЕ ВЕРИТ

Взволнованный разговором с Иероновым, Валерка не пошёл в корпус. Он и так прогулял «свечку» и нарушил режим, шляясь после отбоя, — семь бед, один ответ.

В загустевших сумерках Валерка пробрался к пищеблоку и сел на ящик возле хозяйственного входа. Рядом сразу очутился нечёсаный рыжий Бамбук; он повертелся и лёг, привалившись к ноге Валерки. Валерка погладил его. Собаки льнут к людям, потому что им хочется дружбы, и они умеют быть верными и надёжными, а людям настоящая дружба не нужна.

Валерка думал о тех временах, когда молодой Серп Иваныч воевал в своём отряде. Прекрасные были годы. Тревожные, просторные, яростные. Жаль, что они закончились. Где теперь найти товарищей?

Нет, ещё не всё потеряно, утешал себя Валерка. Когда вырастет, он может стать геологом. На зелёном и приземистом вездеходе-амфибии вместе с друзьями он будет ломиться через непролазную тайгу или плыть по диким болотам. В кузове будут громоздиться рюкзаки с полезными ископаемыми, но геологи будут ценить дружбу выше золота и алмазов. И когда вездеход заглохнет, а со всех сторон его окружат волки, он, Валерка, с товарищами заляжет за грузы, отстреливаясь от хищников, и они вместе будут сражаться до последнего патрона, ожидая военный вертолёт...

Или можно стать полярником. Гигантский атомный ледокол, обросший инеем, будет с грохотом прорываться через толстенные льды, будет свистеть арктическая вьюга, но если он, Валерка, упадёт за борт в чёрную воду, друзья тоже прыгнут за ним со спасательными кругами... А ещё хорошо бы стать космонавтом. Если на орбите в вакууме метеорит пробьёт ему кислородный баллон, отбросив его от космической станции в бездну, товарищ помчится за ним, за Валеркой, вращающимся в пустоте, схватит его и даст свой воздух... Бамбук вздыхал, словно сожалел, что его-то, безродного пса, не возьмут ни в тайгу, ни в Ледовитый океан, ни в космос, зато он может преданно ждать.

Над Волгой, Жигулями и пионерлагерем «Буревестник» горели звёзды, остро пронзая чёрные и разлохмаченные сосновые кроны бледно-голубыми электрическими импульсами. Ничего не поделать: пора было возвращаться в корпус. Валерка потрепал Бамбука по загривку и поднялся на ноги.

Он направился к Пионерской аллее напрямик — мимо второго корпуса, через пустырь стадиона и по участку пятого отряда. Аллею ограждал плотный ряд акаций, однако Валерка знал в зарослях узенькую расщелину. Бамбук зачем-то бежал за Валеркой и тоже полез за ним в заросли.

Ровную асфальтовую аллею ярко освещали ртутные фонари. Большие стенды отбрасывали на дорогу и на кусты непроглядные прямоугольные тени. В одной такой тени, как в чёрной коробке, укрывалась скамейка, и Валерка замер в листве, потому что на скамейке сидели пацан и девчонка. Похоже, они целовались. Нехорошо мешать, да и подсмотреть любопытно. Но Бамбук вдруг почему-то тихо заскулил и попятился из акаций.

Трудно было что-либо различить во мраке, пока слабый отсвет звёзд не очертил запрокинутое лицо девчонки и линию плеч пацана. Эти двое вовсе не целовались. Девчонка безвольно полулежала на скамейке, навалившись на спинку и вытянув ноги, а пацан как-то хищно сгорбился, прижимая к своим губам девчоночью руку. Валерка услышал отвратительное чмоканье — такое же, как в том сне, когда Лёва пил кровь у Славика Мухина. Только теперь был не сон. На Пионерской аллее вампир по-настоящему сосал кровь у жертвы. Валерку от ужаса парализовало. А сзади призывно гавкнул Бамбук.

Мальчишка-вампир вскинулся и оглянулся. Валерка увидел мертвенно-белый блеск его глаз. Это Лёва?.. Лёва?.. Он вышел на охоту за людьми?.. Вампир мгновенно вскочил, нечеловечески ловко перемахнул скамейку и почти без шума растворился в зарослях на другой стороне аллеи.

Валерка тупо стоял, как пень, осмысляя то, чему оказался свидетелем. Если сейчас не сон, значит, и в прошлый раз был не сон! Он, Валерка, просто убедил себя, что ему приснилось, как Лёва пьёт кровь, потому что нельзя поверить в реальность такого события! Лёва Хлопов — вампир? Упрямый и рассудительный футболист Лёва со своей грязной майкой и мятым красным галстуком — жуткий вампир из древних преданий?! Невозможно! Но вот ведь лежит жертва — девчонка на скамейке!..

Малодушный Бамбук, хлызда, всё почуял и удрал, бросив товарища... Обмирая от ужаса, Валерка сделал шаг из кустов на асфальт. Никого. Тихо жужжат газосветные фонари над аллеей. Со стендов, отдавая салют, пялятся бессмысленно-весёлые пионеры в пилотках. Девчонка лежит на скамейке, уронив руки. Валерка приблизился к ней. Кажется, он её знает. Это та кудрявая дура, которая на изобразительном кружке потребовала у него, у Валерки, убрать с рисунка ракету. Она из первого отряда. В старших отрядах девчонки уже вовсю гуляют и целуются с пацанами.

Валерка смотрел девчонке в лицо и не мог понять, жива она или нет. И девчонка наконец вздрогнула и вздохнула, словно пробудилась. Валерка стремглав кинулся прочь. Почему-то он не мог остаться здесь. Остаться рядом с жертвой вампира было страшнее, чем с самим вампиром. Всё равно вампир — это бред, злая сказка, бабкины суеверия, но человек, у которого пили кровь, — это правда, ведь он является доказательством реальности.

Игорь Александрович сидел на ступеньках крыльца четвёртого корпуса и курил; вид у него был какой-то странный — одновременно счастливый и обалделый. Похоже, в мыслях он находился где-то не здесь, а потому ночное появление исчезнувшего пионера не произвело на него впечатления.

— Валера? — поверхностно удивился он. — Ты почему не в палате?

— Я у Серпа Иваныча был, — почти не соврал Валерка.

— Ну и хорошо. Иди спать.

Но Валерка, взъерошенный и растрёпанный, не двинулся с места.

— Горь-Саныч, там на аллее девчонке плохо. Она лежит.

— Лежит? — глупо переспросил Игорь.

— Горь-Саныч, ей плохо! — требовательно повторил Валерка.

Игорь встряхнулся, сбрасывая сладкий морок. Чёрт возьми! Ребёнку плохо! Что-то стряслось, а он разомлел, как дэбил!

— Веди! — бросая сигарету, приказал Игорь.

Аллея, залитая химическим светом фонарей, простиралась пустая и вперёд, и назад. Стенды казались выключенными телевизорами.

— Где твоя девчонка? — Игорь посмотрел на Валерку с подозрением.

Валерка хмуро озирался. Вон та скамейка, с которой он спугнул Лёву. В кустах ещё таилась тень убежавшего вампира. Может, на скамейке остались капли крови? Валерка окунулся во тьму, разглядывая доски скамейки, и даже втянул носом воздух, пытаясь что-нибудь унюхать. Но пахло только акацией.

— Она тут была, — пробормотал Валерка. — Тут лежала.

— Может, просто отдыхала и задремала?

Валерка тяжело засопел.

— Её вампир укусил, — глухо сообщил он. — Она сознание потеряла.

Игорь Александрович виновато помолчал.

— Вампир? — осторожно уточнил он.

— Да, — убито подтвердил Валерка. — Лёва Хлопов.

Игорю всё стало понятно. Этого мальчика сегодня унизили, оскорбили, обидели. Ему кажется, что его все предали, что он один и никому не нужен. И он придумал нелепую историю, чтобы вернуть к себе внимание.

— Пойдём, Валер, — Игорь взял его за руку.

— Вы считаете, что я вру? — подчиняясь, спросил Валерка.

Тихо гудели фонари, где-то стрекотал кузнечик, из леса доносился едва слышный голос ночной кукушки. Валерке было очень горько: опять его не понимают. Душило разочарование в Игоре Саныче. Валерка почти поверил, что Игорь Саныч — свой, а он оказался таким же чужим, как все прочие.

— Я не псих, — сердито сказал Валерка. — Лёва — вампир. Днём он один, а ночью другой. Он встаёт и пьёт кровь. Он у Славика Мухина пил. А тут в девчонку из моего бывшего кружка вцепился.

— Я почти час на крыльце торчал. Никто из корпуса не выходил.

— Он из окна, — упорствовал Валерка.

— Окно твоей палаты видно с крыльца.

— Он из другого окна.

Игорь решил не спорить с мальчишкой. Не время.

Фигурный и резной теремок их отряда в зыбком свечении усечённой луны казался призрачным, словно его построили из голубого дыма.

— Проводить тебя в палату? — спросил на крыльце Игорь. — Вместе убедимся, всё ли в порядке с Лёвой.

Валерка хотел гордо отвергнуть Горь-Саныча, чтобы тому сделалось совестно, однако в палате подстерегал ужас, и даже снисходительность вожатого помогла бы Валерке пробраться в «домик».

Игорь вошёл в палату с преувеличенной осторожностью, чтобы Валерка убедился в его серьёзном отношении. В палате все спали — не притворно, как на проверке, а по-настоящему. Косой свет фонарей из окна озарял на койках белые, покрытые тёмными складками фигурки мальчишек, которые, спасаясь от комарья, залезли под простыни с головами. Кто-то похрапывал.

— Всё спокойно, — оглянувшись, шёпотом сообщил Игорь.

Валерка понимал, что Горь-Саныч играет, но страх всё равно приугас.

— Лёва спит, — наклоняясь над закутанной тушкой, добавил Игорь.

— Это Титяпкин, а не Лёва.

Игорь приподнял угол простыни над лицом.

— Соси банан, чуханец! — во сне пробормотал Титяпа.

Валерка быстро и умело соорудил себе «домик» и нырнул под полог.

— Ну, спи, — виновато прошептал ему Игорь, потоптался и на цыпочках удалился из палаты, бесшумно затворив за собой дверь.

Валерка лежал и обречённо вслушивался в живую тишину, заполненную потаёнными шорохами, дыханием пацанов и скрипами старого деревянного дома. Окно просвечивало сквозь простыню синим квадратом. Запели комары. Летняя ночь была тёплой и безмятежной, но в ней где-то пряталось зло. Как Лёва может быть вампиром? Он же обычный школьник, пионер, спортсмен. У него папа и мама есть. Футбольный тренер. Классный руководитель. Вампирство, такое чудовищное в своей ненормальности, просто не влезает в нормальную жизнь! Не война же вокруг какая-нибудь, не времена рыцарей и ведьм! И бога никакого нет, откуда чёрту взяться?

За пологом у окна заскрипели пружины койки и шлёпнули босые ноги. Кто-то встал с постели. «Это не Лёва!» — леденея, убеждал себя Валерка.

Тёмный силуэт заслонил синий квадрат окна за простынёй.

— Лагунов! — услышал Валерка голос Лёвы. — Лагунов!

Валерка зажал себе рот. «Сейчас скажет, что мне же лучше будет!»

— Тебе же лучше будет! — вкрадчиво прошелестел голос Лёвы. — От этого всем бывает лучше. Правда, Лагунов. Позови меня!

Валерка чувствовал, что из него так и рвётся ответ — «Зайди!». Только один миг ужаса — и он больше никогда не будет бояться, не будет мучиться. Это как в холодную воду нырнуть: бултых! — а затем уже хорошо. Но нельзя! Есть вещи, на которые нельзя соглашаться!

— Ты ещё сам захочешь, Лагунов! — замогильно пообещал Лёва.

Тёмный силуэт отодвинулся, и в «домик» под полог словно бы хлынул тёплый воздух. А босые ноги прошлёпали в сторону, потом стукнули о пол голые колени, зашуршала откинутая ткань, и раздалось мерзкое чмоканье.

Глава 9
ФУТБОЛ С ВАМПИРАМИ

Пацаны ждали начала игры как звонка на урок — с унылой неохотой. Цыбастыш нагонял мяч. Лёва палкой расчерчивал утоптанное земляное поле на игровые зоны, а Титяпкину явно уже осточертел футбол.

— Чё ты в пионерском галстуке, как чухан? — придрался Титяпа к Лёве.

— Ты бы ещё со знаменем бегал! — поддержал Титяпу Гельбич.

— А классно же! — от скуки воодушевился Гурька. — Флагом можно как копьём тыкать! Пацы, давайте флаги возьмём!

— Я капитан, я должен быть заметен, — терпеливо объяснил Лёва.

— Нафиг заметен? — не унимался Титяпа. — Кто не знает, что ты капитан?

— А на войне командир снимает погоны? — риторически спросил Лёва. — Гурьяныч, подтяни шнурки. Ты же голкипер.

Гурька присел, разбирая завязку на кеде, и тотчас получил такой пинок от Горохова, что чуть не упал.

— Ты чё, урод? — вскакивая, возмущённо завопил он.

— Закон гор! — завопил в ответ Горохов. — Нагнулся — тебе пинают!

— Я присел, а не нагнулся! Давай свою жопу, я отпинываться буду!

— Гурьянов, отставить! — по-военному приказал Лёва, и Гурька, всегда неукротимый, почему-то подчинился.

Валерка вспомнил, что вчера ночью голые коленки Лёвы стукнули об пол где-то в той части палаты, где находилась койка Жеки Гурьянова.

Валерка подумал, что Лёва очень правильно сказал про войну. Ночью, чтобы хоть как-то уснуть при вампире, Валерка убеждал себя, что сейчас он будто бы на фронте, в землянке, на которую в любой момент могут упасть бомба или снаряд, куда в любой момент могут ворваться враги с автоматами или гранатами. Но спать-то всё равно надо, пусть и вполглаза.

— Без разминки тренируемся, а это неправильно, — озабоченно сказал Лёва и внимательно, как земледелец на засеянной пашне, посмотрел на небо. — Хорошо хоть, что сегодня не жарко и не холодно.

Горь-Саныч курил в стороне. Валерка обречённо торчал на лавке, не зная, чем себя занять. Товарищеским судом он был приговорён к коллективу.

Угрюмо разглядывая Лёву, Валерка думал: никто сейчас не поверит, что Лёва — вампир. Но лично у него, у Валерки, ночью развеялись все сомнения. Может, вампирство — это болезнь какая-то? Существуют же разные психи и лунатики. А может, это тайная, чёрная сторона обычного мира? Та сторона, где живут Беглые Зэки, людоеды, мертвецы и всякие колдуны с ведьмами. Нормальных людей от чёрной стороны охраняют врачи и милиционеры.

Тем временем Лёва приступил к моральной подготовке игроков:

— Ставлю всем задачу. Голы вам не важны. Учитесь исполнять обводку противника и совершать длинные передачи. Особое внимание уделяйте угловым. У вас должны работать ноги. Только техника, никакой физики.

Игорь искоса посматривал на Валерку. Валерка словно бы не замечал его, и это смущало Игоря. Если бы вчера ночью Валерка насочинял, наврал, то сегодня от стыда избегал бы вожатого, но Валерка не избегал его, а просто держался отчуждённо — так, словно жестоко разочаровался. Игорю это не нравилось. Нехорошее напряжение следовало разрядить. Игорь выбросил окурок, подошёл к Валерке и опустился рядом на лавку.

— Как спал?

— Нормально, — не глядя на Игоря, ответил Валерка.

— Я про вчерашнее хочу поговорить. Ты не против?

Валерка молча смотрел на поле и футболистов.

Пацаны бегали туда-сюда, то сбиваясь в орущую кучу, то рассыпаясь; мяч вычерчивал по земле зигзаги или свечкой взлетал вверх. Поначалу никто особо-то и не стремился окунуться в футбол, но потихоньку все втянулись и разгорячились, и даже Юрик Тонких, задохлик, носился за пацанами, как щенок за сворой больших собак, и что-то увлечённо выкрикивал.

— Мухин, не теряй позицию! Макеров, ускоряйся, меняй фланг! — на ходу командовал Лёва и своим, и чужим. — Домрачев, оттирай его от мяча! Горохов, открывайся! Гельбич, навешивай угловой! Проводи, а не подсекай, Подкорытов! Титяпа, пробрасывай в противоход!

Удивительно, но вести игру у Лёвы получалось. Мяч не улетал в кусты, пацаны не сцеплялись друг с другом, баталия вскипала то на одной стороне поля, то на другой, как в настоящем футболе по телику.

— Бей по мячу голеностопом, а не носком! — задыхаясь, посоветовал Лёва Славику Мухину.

— Я ваще в ударе на шпагат сел! — восхищённо ответил Славик. — Чуть не порвался до пупа!

Но Игорь Александрович отвлекал Валерку от наблюдений.

— Понимаешь, почему я не могу поверить... — неловко начал объясняться он. — Вампир ведь не просто пьёт кровь... Он существует по определённым правилам. А Лёва им не подчиняется. Ну, например, вампир — это мертвец. Но Лёва-то вроде живой.

Лёва действительно ничем не напоминал мертвеца. Он метался по футбольному полю, и красный галстук болтался у него на шее, раскидав хвосты. На колене у Лёвы темнела свежая ссадина, и Валерка подумал: чья кровь течёт из Лёвы? Его собственная — или та кровь, которую он выпил? Вот бы какой-нибудь доктор взял её на анализ.

Валерка не возражал, и это ободрило Игоря.

— А ещё вампир не переносит солнечного света, — продолжил Игорь. — По теории, он вообще днём спит в своём гробу, а пробуждается после заката. Если его вытащить на свет, он сгорает или рассыпается в прах.

В небе висели светящиеся белые облака — беспорядочно, как уцелевшие фигуры в конце шахматной партии, и солнце то выныривало, то скрывалось, но Лёва не обращал на солнце никакого внимания.

После очередного гола Лёва собрал пацанов в центре поля.

— Я вот что скажу, — он задумчиво стёр с мокрого лба рассыпавшиеся светлые волосы. — Цыбастыш у нас — главный финтер.

Лёха Цыбастов сразу принял надменно-пренебрежительный вид.

— На нём вам надо учиться обводке. Он старается запутать, а вы будьте как зеркало. Надо двигаться под его слабую ногу, — пацаны оценивающе посмотрели на грязные триканы Цыбастыша, сравнивая его ноги. — Как это делается? Лучший способ — пропнуть мяч с одной стороны и обогнуть соперника с другой. Но там должно быть оперативное пространство.

— Да фиг вы меня обойдёте, — самоуверенно пообещал Цыбастыш.

— Ерунда всё это! — с досадой отверг Лёвину теорию Гельбич.

Он заламывал руку, пытаясь лизнуть на локте свежую ссадину, и напоминал вампира, который от голода пьёт кровь у самого себя.

— Для обводок вам нужно отработать дриблинг, — продолжил Лёва, игнорируя скепсис Гельбича. — Заучите три правила: смена направления, смена ритма, удары по три серии. А нам на поле мешает сись... сисе...

Титяпкин тотчас сжал кулаки. От «сиськи» до «Титьки» — рукой подать. Тем более что Титяпкин и вправду в игре всем мешал: лез вперёд, толкался, пинал и соперников, и своих.

— ...системная ошибка, — выговорил Лёва.

Но Титяпа уже не мог затормозить.

— Сам ты ошибка! — крикнул он. — Мячеполевая система!

Титяпкин оттолкнул Цыбастыша и обиженно пошагал прочь.

Гельбич проводил его взглядом и снова повернулся к Лёве.

— Только и умеешь людей мучить, Хлопов! Один уже готов! Всё, дёргай сам себя за дриблинг, а я тоже ухожу!

Валерка смотрел, как Гельбич уходит вслед за Титяпычым.

— В конце концов, вампиризм передаётся как инфекция, — сбоку сказал Игорь. — Вампир пьёт кровь у жертвы, жертва умирает, а потом восстаёт из мёртвых тоже как вампир. И количество вампиров должно возрастать. Там, где появился вампир, все остальные люди тоже превращаются в вампиров. Сегодня — один, завтра — два, послезавтра — четыре, потом восемь, и так далее. Геометрическая прогрессия. Но другие-то мальчишки у тебя в палате не вампиры, верно? Они же не встают по ночам вместе с Лёвой.

Соображение о геометрической прогрессии для Игоря всегда было главным аргументом против вампиров. Существуй в реальности хоть один вампир, вампиры бы достаточно быстро захватили весь мир, а затем вымерли от недостатка жертв. Элементарная логика. Конечно, можно было привести и контраргументы. Скажем, чума. В средневековье лечить её не умели. Чумные умирали за несколько дней. Чума стремительно истребляла города. Спасения не существовало. Однако, вопреки очевидному, и человечество не исчезло, начисто уничтоженное чумой, и вирус чумы каким-то образом сохранялся, хотя убивал своего носителя. Чёрт разберёт эти механизмы эпидемии. Но для пионера Лагунова аргументов достаточно.

Игорь не желал разрушать картину мира у Валерки. И оправдываться за своё неверие тоже не желал. Он надеялся, что Валерка сам научится мыслить здраво, и тогда сами собой распадутся все его ложные представления о жизни. Представления о вампирах и представления о друзьях-предателях.

— Убедил я тебя? — осторожно спросил Игорь.

— Нет, — спокойно и твёрдо ответил Валерка.

Глава 10
ПОНАРОШКУ

На Пионерской аллее Валерка встретил Анастасийку. Асфальт был расчерчен мелом на «классики», и Анастасийка сама для себя, без подружек, прыгала по квадратам задом наперёд на одной ноге, а другую ногу держала рукой. Время от времени она замирала в причудливых позах.

— Лагунов, стой! — окликнула она. — Ты куда идёшь?

— Никуда, — тотчас набычился Валерка.

— Будешь свидетелем, что я допрыгала. Поклянись на дохлую кошку.

Не надо было связываться с этой предательницей, но Анастасийка всё равно нравилась Валерке — даже после того, как предала.

— Кошка сдохла, хвост облез. Кто обманет, тот и съест, — сказал Валерка.

Анастасийка снова принялась прыгать, комментируя «классики»:

— Один — маргарин. Три — сопли подотри. Пять — в компот наплевать. Восемь — поднимем и бросим. Десять — «домик»!

Валерке было приятно смотреть на гибкую и красивую Анастасийку.

— Как-то странно ты прыгаешь, — заметил он.

— У нас соревнование, — разворачиваясь, пояснила Анастасийка. — Я уже пропрыгала «садик», «школу», «больницу», а сейчас «столовка». Если тебя спросят, ты обязан сделать так, — Анастасийка показала ему скрещенные пальцы, — и сказать про меня правду. А не скажешь правду — умрёшь во сне.

— Из-за каких-то «классиков»? — усомнился Валерка.

— У нас во дворе одна девчонка всем всегда врала, а потом ногу сломала. Тебе кто хочешь подтвердит. Её чёртик наказал.

— Какой чёртик? — удивился Валерка.

— Ты, что ли, ни с какой девушкой нисколько не дружишь, Лагунов? — ответно удивилась Анастасийка.

Валерка фыркнул. Глупый вопрос. Как можно дружить с девчонкой?

— У каждой девушки свой чёртик, — важно сообщила Анастасийка. — Можешь проверить. Вот у тебя есть какая-нибудь сестра, хоть троюродная?

— Нормальная есть.

— Пусть она напишет на бумажке: «Я в доме хозяйка!» — и положит в подъезде под коврик у двери. А утром там будет лежать другая бумажка, и на ней будет написано: «Нет, я в доме хозяин!». Это чёртик напишет.

Валерка задумался. Сестрёнка Люська закончила первый класс. На девушку она ещё не тянула, на хозяйку тем более, да и писала кривыми буквами, к тому же с ошибками. Но надо попробовать подразнить чёртика.

— А сама-то не боишься, что тебя чёртик накажет? — спросил Валерка, намекая на вчерашнее предательство Анастасийки. — Умрёшь во сне, и всё.

— Я бессмертная, — уверенно заявила Анастасийка. — У меня имя от слова «анастезия». В больнице всем анастезию делают, чтобы не умерли.

Она вытащила из кустов цветастый пакет и подала Валерке:

— Неси. Мы в одно место пойдём.

— В какое? — принимая пакет, спросил Валерка.

Почему-то ему было очень легко подчиняться Анастасийке.

— В какое надо. Ты в школе как учишься по матике и руссишу?

Математика и русский язык были самыми трудными предметами.

— На четыре.

— Я думала, ты двоечник. А я отличница. У меня золотая медаль будет.

— В пятом классе ещё неизвестно, — возразил Валерка.

— Кому надо, тому известно. А чего ты кружок больше не посещаешь?

— Не хочу петь дурацкие песни вроде «Чунги-Чанги».

— И я не хочу, но ведь пою, — Анастасийка пожала плечами. — Дурацкие дела надо делать вместе с кем-то, тогда они уже кажутся не дурацкими.

Валерка внутренне согласился. Наедине с собой он счёл бы прогулку с Анастасийкой занятием бессмысленным, а сейчас ему было приятно.

— Ты меня в кружок зовёшь? — осторожно уточнил он.

Но Анастасийка ловко увильнула от темы:

— А тебе кто больше нравится — Ирина или Вероника?

Она имела в виду вожатых.

— Никто, — признался Валерка. — Вероника злая, а Ирина как в школе.

— А мне больше нравится Игорь Александрович. У него усы вот такие, — Анастасийка приложила ко рту ладони, скрючив пальцы. — Как зубная щётка. Он в Веронику влюбился. Если они поженятся, у них дети будут похожи на французов. Французы красивые, немцы страшные, а китайцы одинаковые.

Валерка не поспевал мыслью за кульбитами Анастасийки.

— Отгадай загадку, — предложила она. — Сколько китайцев нужно, чтобы вкрутить лампочку?

— Э-э... сдаюсь, — растерялся Валерка. Эту загадку он раньше не слышал.

— Пять, — твёрдо сказала Анастасийка и замолчала.

— Почему пять? — робко спросил Валерка.

— Один лампочку держит, а четверо крутят стол, на котором он стоит. Теперь ты загадывай загадку мне.

Валерка вспомнил другую загадку про китайцев.

— Сколько китайцев нужно, чтобы вставить раму в окно?

— Сколько? Давай говори быстрее, дурак!

— Много. Миллион. Все. Один раму держит, остальные дом двигают.

Солнце горело над Пионерской аллеей, и кусты акаций, в которых чирикали птицы, напоминали электрические батареи, заряженные энергией света. В воздухе полыхали невидимые искры.

На стыке территорий пятого и шестого отрядов под соснами стояла старая дощатая беседка с тесовой крышей-шатром и скамеечками. Обычно здесь сидели вожатые, следившие за тем, как пионеры убирают свои участки. Сейчас беседка была пуста. К ней Анастасийка и вела Валерку.

— Это место волшебное, — сказала она со значением в голосе.

— Там желания сбываются? — догадался Валерка.

— Ну, не желания... Побудешь там, и всё сделается просто хорошо. Но сперва надо гномику подарок дать. Там гномик живёт под полом.

Анастасийка забрала у Валерки свой пакет, достала из него какую-то толстую тетрадь в разрисованной обложке и вытащила из-под её клапана свёрнутый фантик от конфеты.

— А у меня нет подарка, — с сожалением сообщил Валерка.

Анастасийка поколебалась.

— Ладно, — согласилась она, отдавая фантик. — Пусть это будет подарок от тебя. Я вчера уже дарила гномику золотку. Просунь в пол.

По двум ступенькам они поднялись в беседку, где после малышовых отрядов пахло яблоками и карамелью. Валерка, оглядевшись, наклонился и опустил фантик в щель между досок.

— Теперь надо подождать, — Анастасийка уселась на скамейку.

Валерка тоже сел, и Анастасийка шлёпнула свою тетрадь ему на колени.

— Заполни, — небрежно велела она и полезла в пакет за ручкой.

Валерка открыл тетрадь, и в животе у него всё запылало, а по щекам поплыл румянец. Это был Анастасийкин «откровенник» — заветный альбом любой девчонки. К «откровенникам» девчонки подпускали только лучших подруг и выдающихся мальчиков. Поскольку Валерка не мог считаться выдающимся, поступок Анастасийки означал глубокую симпатию.

На первой странице красовалось предупреждение: «Альбом прошу не пачкать, листы не вырывать, и слов плохих, друзья, не надо тут писать!». Потом шли страницы с пожеланиями Анастасийке. Все они были густо и ярко изрисованы фломастерами: цветы, кошки, бабочки, принцессы, птицы и разные узоры. Валерка, волнуясь, читал: «Котик лапку опустил в синие чирнила и на память написал Настя будь счаслива!», «Писал не художник, писал не поэт, писала девчёнка 12 лет», «Любовь это счастье а счастье стекло, стеклянную вазу разбить так легко!», «Запомни эту фразу, не люби двух сразу!», «Девчонке можно улыбатся, девчонку можно не любить, но знай!!! Над ней нельзя смеятся, девчонка может отомстить!», «Не влюбляйся ты в блондина, у блондина серце льдина, у блондина стынет кровь, разрушит он твою любовь!». Валерка почувствовал, что заглядывает в какую-то тайну Анастасийки, в её душу, хотя, конечно, пожелания писали другие девочки.

Одна страница была по диагонали согнута пополам, и на отвороте значилось: «Секрет! Не открывать!». Валерка искоса глянул на Анастасийку. Анастасийка смотрела куда-то в сторону, делая вид, что ей всё равно. Валерка разогнул страницу. На ней был нарисован поросёнок, а под ним помещалось послание: «Ну какая ты свинья! Веть указано нельзя!!!».

Затем потянулись страницы с отпечатками напомаженных губ — поцелуи хозяйке от подруг. Затем началась анкета, которую Валерка должен был заполнить: «Как тебя зовут?», «Твоё любимое время года, цветок, праздник, женское имя, игра, кино, животное, артист?», «Зачем люди целуются?», «Что такое настоящая любовь?», «Кем ты будешь, когда вырастешь?», «Напиши что ни будь по французки!». Валерка пробежал глазами уже имеющиеся ответы. На очень личные вопросы респонденты отвечали одинаково: «Нискажу!». Но девочек и мальчиков, присутствующих в «откровеннике», Валерка не знал. Из его отряда в альбоме Анастасийки не было никого.

Валерка понял, что Анастасийка включила его в круг самых близких. И ему стало горько при воспоминании о вчерашнем предательстве.

— Почему же вчера ты на меня настучала? — мрачно спросил он.

— Ты дурак? — искренне удивилась Анастасийка. — Так положено! Ты что, обиделся? Маленький, что ли? Это же всё как бы понарошку! Разные там пионерские собрания, флаги, звёздочки, галстуки — они все понарошку!

«Ничего себе "понарошку"!» — чуть не рассердился Валерка.

— А гномики, чёртики, «откровенники» — по-настоящему, да?

— Конечно, по-настоящему! — убеждённо заявила Анастасийка.

Глава 11
РАБОЧИЙ И КОЛХОЗНИЦА

— На верхней палубе нам сидеть нельзя, там нас заметят, — сказал Игорь. — Сидеть надо в салоне. А как мы туда проберёмся?

Пробраться было трудно. Покидая маленькие теплоходы вроде речного трамвайчика «Москвич», капитаны обычно запирали их, как автомобили.

— Я уже всё придумал! — Димон Малосолов хохотнул, восхищаясь своей хитростью. — Я Палычу втёр, что пионэры хотят ночью по судну полазить, типа надо караулить. Вот он и дал мне ключ!

Димон побренчал увесистой связкой на пальце.

— Короче, я с Иришкой буду, ты — один, если твоя баба никак не может, и ещё доктор этот с Ленкой — итого нас пятеро!

Предприимчивый Димон разработал блестящий план по соблазнению Ирины: банкет на борту корабля. Когда бравый капитан Капустин, сойдя на берег, в лагерном общежитии утомлённо упокоится в объятиях заведующей пищеблоком, Димон соберёт на трамвайчике тёплую компанию. Все выпьют и расслабятся. Затем ненужные люди удалятся, оставив Димона наедине с Ириной, и мореход овладеет островитянкой.

Игорь легко согласился помочь Димону. Поскольку Ирина и Вероника занимали общую комнату, Веронике волей-неволей придётся караулить свой отряд, пока Ирина пирует на пароходе, а без Вероники Игорю теперь было скучно. Вероника уже занимала все его мысли.

— Димон, а на кой фиг тебе доктор? — спросил Игорь.

Но Димон, оказывается, предусмотрел и альтернативный вариант.

— У меня башлей хватило только на два пузыря — на винище и водяру. Если Иришка продинамит, я пойду к доктору догоняться. У него спирт есть.

— А если доктор с Ленкой захочет уединиться?

Ленку Димон позвал как замануху для несговорчивого доктора.

— Отошью дуру, — самоуверенно пообещал Димон.

Плоткин тихо закипел, когда узнал, что Игорь опять куда-то идёт.

— Твои свидания мешают нормальному режиму! — процедил он. — Пора это прекратить! Ты на работе, а не в Доме отдыха!

— Сегодня не могу отказаться, — озабоченно ответил Игорь. — Извини! Сегодня разврат с пьянкой намечается, а это святое!

Угасающее зарево заката окрасило трамвайчик в телесно-розовый цвет. Окошки судёнышка отчаянно пламенели — немо и слепо, как в страсти. Вода тихо покачивалась и нежно чмокала под бортом. Над Волгой носились чайки.

Игорь перешагнул с дощатого причала на железную палубу кораблика и повернул за собой створку ограждения. Посиделки Димон устроил в носовом салоне — этот салон был на треть меньше кормового, а потому уютнее. Спуск находился внутри тёмного металлического грота, образованного крыльями надстройки и округлым выступом будки, прикрывающей лесенку. Снаружи этот выступ, украшенный пятиконечной звездой, всегда напоминал Игорю человеческий нос. Над ним строго сверкали глаза — окна капитанской рубки.

Распахнутую дверь в будку Димон заботливо примотал к стене кусочком проволоки. Димон вообще расстарался: припёр от пищеблока дощатые ящики, соорудил между двумя рядами диванчиков стол и культурно застелил его газетами; добыл в столовке стаканы и алюминиевые вилки. Гостей ждали эмалированные тарелки с кабачковой икрой и домашним лечо. Для темноты была заготовлена парафиновая свеча в жестянке из-под скумбрии.

Димон уже откупорил бутылку и разливал портвейн. Доктор Валентин Сергеевич колупался с пробкой-бескозыркой на водке. Ирина и Лена ждали. Низкий салон смахивал на вагон электрички, только не трясло и не стучали колёса. Плотно запаянные двойные окна не пропускали внешнего шума.

— Рассказываю анекдот! — бодро разглагольствовал Димон. — Девка говорит парню: «Я от тебя уйду! Ты всегда прикалываешься, что я толстая!». Парень такой: «Ты чё, а как же наши дети?». Девка-то не врубилась: «Какие дети?». Парень такой: «Ну ты же беременная!».

Худенькая Лена хихикнула, а пухлая Ирина поджала губы.

Димон чувствовал себя неотразимым.

— Тоже анекдот, — без паузы продолжил он. — Лягушка плавает у берега, ногами бултыхает. Заяц подходит, говорит: «Лягушка, вода тёплая?». Лягушка такая: «Между прочим, я здесь как женщина, а не как градусник!».

— Димон у нас в классе самым остроумным был, — усаживаясь, сообщил Игорь. — Однажды он учительнице химии в колбу засунул собачью какашку.

Димон залился счастливым хохотом.

— Давай тост, — оборвав Димона, Ирина блеснула очками на Игоря.

— За девчонок! — щедро объявил Димон, поднимая стакан.

Леночка зыркала по сторонам, примеряясь, на кого взять курс: на Игоря или на доктора? Игорь — весёлый, а доктор — какой-то хмурый. Зато Игорь — просто студент филфака, и не более, а доктор старше и уже с про-

фессией. Иметь мужем врача куда выгоднее, чем фило-
лога, хотя про замужество думать ещё рановато. Но за-
глядывать в перспективу всегда полезно.

— Мы с вами уже вторую смену вместе работаем, а всё
ещё на «вы», — Леночка улыбнулась Валентину Сергеевичу. — Перейдём на «ты». Я Лена.

— Валя, — кисло сказал доктор Носатов.

Ему явно было не до компании. «Зачем же припёрся?» — подумал Игорь.

— Ещё анекдот, — не унимался Димон. — Парень
и девка лежат в постели. Двенадцать ночи. Парень такой:
«Иришка, можно?»...

— Имена-то выбирай, — деланно грозно предупредила Ирина.

— Да ладно тебе, всё ништяк! — отмахнулся Димон,
придвигаясь к Ирине поближе. — Короче, два ночи. Парень такой: «Иришка, можно?». Она молчит. Пять утра.
Он такой: «Иришка, можно?». Она ему: «Ладно, слазь!».

Димон незаметно ущипнул Ирину.

— По рукам дам!

— Да чё ты? — ухмыльнулся Димон. — Говоришь, как
моя жена!

— Ты женат?! — изумилась Ирина.

— Собираюсь! — горячо заверил Димон.

Ирина покраснела от досады и удовольствия.

— Таких женихов, как ты, у нас по двадцать центне-
ров с гектара!

Игорь понял, что рабочий дух Димона Малосолова
неудержимо тянется к колхозной плоти Ирины Копы-
ловой. Впрочем, как ни странно, в Ирине и вправду
было что-то очень чувственное. Природная избыточ-
ная спелость. Но Игорю больше нравилось тайное изя-
щество — такое он уловил в Веронике. Игорь вспомнил, как Вероника вдруг перевернула его и оказалась
сверху, но гибко склонилась, целуя в губы, — словно

извинялась, что перехватывает первенство в любви. Игорь обвёл салон кораблика глазами — ему захотелось выбить запаянное окно головой и помчаться к Веронике.

— А ты правда трупов резал? — наивно спрашивала Леночка у доктора.

— Не будем об этом, — поморщился Валентин Сергеевич.

— Тебе, наверное, неинтересно со мной, — обиделась Леночка. — К тебе на приём в больницу, наверное, много девушек приходит. Ты уже всё видел.

Валентин Сергеевич тоскливо вздохнул и потянулся к водке.

За Жигулями догорел закат, над Волгой стемнело, и в салоне зажгли свечку. Маленький жёлтый огонёк отразился в каждом окне — блестящем и чёрном. По низкому потолку плескало отсветами, когда трамвайчик чуть покачивался на уже бессильной волне от прошедшего вдали теплохода.

Захмелев, Димон приобнял Ирину и бубнил ей в ухо:

— Палычу на пенсию через два года, ему ваще ничё не надо, а я судно как бог знаю, спокойняк меня капитаном поставят!

Захмелевшая Лена, не замечая бесполезности своих усилий, заигрывала с доктором, который от выпивки всё глубже впадал в меланхолию. Казалось, что наплывающая темнота пугает его до чёртиков, потому он и торчит в компании, в которой ему нечего делать и нечего говорить.

— Я что-то кашляю уже два дня, — жеманно жаловалась Лена. — У тебя в медпункте есть аспирин? Пойдём к тебе туда?

— Есть... Нету... Туда нельзя... — мялся Валентин Сергеич. — Там у меня больной ребёнок в палате... Лучше покурим!

— Я с тобой! — быстро подхватилась Лена.

Валентин Сергеевич, а за ним и Лена протиснулись между столом и диванчиками и направились к лесенке наверх. Ирина проводила их взглядом.

— Чего же ты Ленку проворонил? — с усмешкой спросила она у Игоря. — Отбили девку у лопуха.

— Игорёха-то не лопух! — хохотнул Димон. — Чё ему Ленка? Он уже с Вероничкой на штукель-дрюкель замазался!

Игорь едва не взорвался от возмущения. Ведь он же просил Димона молчать!.. Блин, сам виноват! На кой хрен он рассказал этому дэбилу про Веронику?! А Ирина даже отстранилась от Димона, глядя на Игоря с таким хищным интересом, словно узнала про непогашенную судимость.

— С Несветовой? — переспросила она так, будто не могла поверить в чудовищность этого морального падения. — Ты с Несветовой?

— Замяли тему, — поставил границу Игорь.

Ирина понимающе хмыкнула.

— Ладно, нам пора, — завозилась она, освобождаясь от лап Димона.

Связь Игоря с Вероникой послужила ей назидательным укором.

— Куда?! — отчаянно возопил Димон.

— Пора-пора, — твёрдо сказала Ирина. — Пусти!

— И я пойду! — сразу заявил Игорь.

Если Ирина возвращается в корпус — значит, Вероника свободна.

На верхней палубе доктор Носатов и Леночка стояли возле ограждения и смотрели на Волгу. По Леночке было понятно, что ничего не случилось — ни объятий, ни поцелуев. У обоих — у доктора и вожатой — был такой вид, будто они размышляли: не броситься ли им за борт? Но причины утопиться в Волге у Леночки и Валентина Сергеевича явно были совершенно разные, и тонули бы доктор с вожатой совсем поодиночке, без взаимопомощи.

Валентин Сергеевич смущённо обрадовался, когда Ирина забрала Лену.

«Пусть Носатов напивается с Димоном! — подумал Игорь. — Кисляй и балабол — два сапога пара, и оба левые!»

Ирина решительно шагала под фонарями Пионерской аллеи, под руку поддерживая поникшую Леночку. В кустах акации чирикали ночные птицы. Игорь шёл следом. Ирина довела Леночку до ответвления дорожки в первый корпус и направила домой. Леночка даже забыла попрощаться с Игорем.

Ирина развернулась на Игоря. Её очки сверкали под фонарями.

— Передай Диме, чтобы не обижался на меня, — потребовала Ирина. — Он хороший парень, нормальный, не то что ты. Но ни о чём таком пусть не мечтает. Я девушка порядочная, и до мужа ничего не будет.

Игорю захотелось снять шапку, если бы она у него имелась.

— Передам, — согласился он, — если ты передашь Веронике, чтобы вышла.

— Поздно уже! — отрезала Ирина. — Надо спать! Она не выйдет к тебе.

— Выйдет, — спокойно возразил Игорь.

Глава 12

ИХ МНОГО

— Усатого сёдня ночью не будет, пацы, — авторитетно заявил Гурька. — Он на корабле бухает со своим моряком. У них ещё доктор и Толстая.

Толстая — это, конечно, Ирина Михайловна.

— Откуда знаешь? — не поверил Славик Мухин.

— Я спецом подсекать летал.

— Если вожатые свалили, надо баб зубной пастой мазать! — заволновался Горохов. — В лагере всегда так положено! Это закон!

Пацы лежали в своей палате по койкам, но никто не спал. За окном в сиреневых сумерках ещё чуть светились розовые стволы сосен, похожие на остывающие нити накаливания в только что выключенных лампочках.

— Лучше не щас, а дождаться, пока совсем стемнеет, — сказал Титяпа. — Девки отрубятся, и хоть что с ними делай — нифига не почувствуют!

Валерка молчал и думал: чем больше суеты, тем меньше страха.

— Не надо ходить девчонок мазать, — вдруг твёрдо возразил Лёва.

— Почему? — дружно возмутились пацы.

— Нарушение дисциплины.

— Нихрена не нарушение! — Титяпкин приподнялся и посмотрел на Гурьку с Горохом, требуя от них поддержки. — Нету Усатого с Толстой — нету никакой дисциплины, понял? Кудрявый нам не вожатый!

Кудрявый — это Саша Плоткин; Плоткин был вожатым в третьем отряде, а потому в четвёртом считался как бы ненастоящим командиром. Да и не в этом дело. Пацы чувствовали в Кудрявом слабину. Он канил. Боялся, что пионеры чужого отряда не будут ему подчиняться, а потому и не лез командовать. Если пионеры нарушают режим, то виноваты пионеры, а если пионеры не слушают вожатого, то виноват вожатый. Зачем Кудрявому быть виноватым за чужих пионеров?

— Не нравится — не ходи, Лёвыч, — подвёл итог Горохов. — А нам ты не имеешь права запрещать, понял?

Пацы успокоились, отстояв свою свободу.

— Старшаки в прошлую смену говорили, что они тоже девок мазали, — вспомнил Серёжа Домрачев. — Только у них у одного кончилась зубная паста. Он такой пошёл куда-то и где-то взял какую-то мазь. Они все ночью залезли к девкам в палату, и тот парень своей мазью намазал одну девку. А у неё ночью всё лицо облезло, и она даже не заметила. Утром встали — у неё череп!

— Фигасе! — ужаснулись пацы.

— Бли-ин, я бы тоже намазался такой мазью! — Гурька от возбуждения даже сел на койке, схватил подушку и нахлобучил на голову, будто компресс, остужающий горячие фантазии. — Бегал бы с черепом по ночам и всех пугал!

Гурька пальцами оттянул себе подглазья вниз, высунул язык и захрипел.

«Без тебя есть кому бегать и пугать!» — мрачно подумал Валерка.

— Не бывает такая мазь, — тихо возразил Юрик Тонких.

— Чё не бывает-то? — расстроился Гурька, возвращая своей подвижной физиономии привычный вид. — Ты-то откуда это знаешь, глистопед? Самый умный — по горшкам дежурный!

Славик Мухин тоже решил поведать историю из жизни.

— А у нас, пацы, одной девке говорили, чтобы не фоткалась у старшаков из девятых классов, потому что у них красная плёнка, а она говорила, что красной плёнки нет. Дак чё, сама чеканутая. Все потом над ней ржали.

Гурька и Серёжа Домрачев понимающе засмеялись.

— А красная плёнка бывает, это правда, — печально согласился Юрик.

— Чё за плёнка? — заинтересовался Титяпкин.

— На неё фотографируют, как на нормальную, а потом... — от смущения Славик понизил голос, — а потом на фотках все голые!

— Обацэ! — восхитились пацы.

— Это иностранцы придумали, — пояснил Юрик. — Они на Олимпиаде хотели всех наших так сфотографировать, а потом фотографии разбросать везде. Но милиционеры у них эти плёнки из фотоаппаратов вынули.

Валерка даже на миг забыл о своих страхах, поражённый коварством врагов и возможностью проникнуть в тайну девчонок. Пусть это и плохо, но, блин, так классно!.. Будь у него такая плёнка, он без спроса взял бы папин фотик и сфоткал Анастасийку. Конечно, эту фотку он никому бы не показал, но для себя бы всё увидел!.. Везёт же дуракам, которые эту плёнку добыли!

Неистовый Гурька измаялся ждать начала потехи.

— Всё, стемнело! — объявил он и вскочил, отшвырнув одеяло.

Так голодный человек объявляет: «Всё, закипело!» — и зачерпывает себе из кастрюли поварёшку недоваренной каши.

Лёва, лёжа в своей постели, приподнялся на локте.

— Не ходите! — повторил он, оглядывая палату.

В его тихом и уверенном голосе звучало такое гнетущее повеление, что Валерке почудилось, будто и люди, и вещи вокруг сделались вдвое тяжелее. Однако вслед за Гурькой вскочили Титяпа и Горох. Что ж, про них давно уже было понятно, что эта гоп-компания — психи дикошарые. Преодолевая сопротивление, Валерка тоже сел и спустил босые ноги на пол.

— Ты пойдёшь? — спросил он Юрика Тонких.

— Я боюсь, — виновато признался Юрик. — Поймают — накажут...

Но для Валерки общество Лёвы было страшнее возмездия вожатых.

— Тогда дай мне твою зубную пасту!

Своей-то пасты у Валерки теперь не имелось.

Друг за другом Валерка, Титяпа, Гурька и Горох выскользнули из палаты в коридор. В отсвете фонарей из окон блестели крашеные косяки и железные кнопки на стендах; тускло белели ступеньки деревянной лестницы, ведущей на верхний этаж, где располагались палаты девочек.

— Темнота — друг молодёжи! — удовлетворённо прошептал Горохов.

— Иду — темно! — подключился Гурька. — Смотрю — пятно! Нюх-нюх — говно! Ням-ням — оно!

— Молчите, уроды! — зашипел Титяпкин. — Зашубят!

Ступеньки предательски скрипели. Пацаны замирали на каждом шагу.

Валерка редко посещал верхний этаж — только когда поднимался в кладовку, где хранились чемоданы, или в комнату Горь-Саныча. На втором этаже всё казалось таинственным, и пацаны крались, как партизаны в лесу.

— Вот их палата! — еле слышно выдохнул Титяпкин, указывая пальцем на ближайшую дверь. — Я первый захожу, Гурекакил за мной, потом Горох!

— За Гурекакила ответишь! — пообещал Гурька.

Валерка знал, что Анастасийка жила не в той палате, куда нацелился Титяпыч, а в другой, дальней.

— Я в другую палату пойду! — предупредил Валерка.

— Вали-вали, чтоб не с нами, — охотно согласился Титяпа. — Если девки проснутся, ты нас всех выдашь! Тебя по очкам узнают!

— Ага, а тебя ваще никто никак не узнает, да? — огрызнулся Валерка.

Титяпкин чуть-чуть приоткрыл дверь, сжался и привидением бесшумно втёк в пустоту палаты. За ним растворились и Гурька с Гороховым.

Валерка на цыпочках переместился дальше, остановился у входа в палату Анастасийки и огляделся по сторонам. Потолок с балками, стены с электропроводами, натянутыми на изоляторы, гладкий пол... Глубокие тени. Чуткая тишина старого деревянного дома. Чужое пространство — понятное, но необычное, словно залез к другу под одеяло. На этаже у девочек даже пахло иначе: молоком, ирисками, сладкой акварельной краской.

Валерка бестелесным движением толкнул дверь в глубину. И на него вдруг дохнуло таким холодом, будто окно в палате было настежь распахнуто в декабрь. Ртутные фонари освещали помещение не так, как привык Валерка, — отражением со стены, точно с белого экрана кинозала. Восемь кроватей в два ряда вытянулись как могилки на заснеженном кладбище. Девочки спали. Вернее, почти все девочки спали, — но не все.

Маша Стяжкина сидела в своей постели, уронив голову; в странной покорности она протягивала вперёд руку. Рядом с кроватью Маши в трусах и в майке стояла Маринка Лебедева, стояла, чуть склонившись, и на весу поддерживала руку Маши, как поддерживают перед губами ковш с водой. Маринка сосала кровь. Маша печально вздохнула, и Маринка недовольно качнула плечами, возвращая руку жертвы в удобное положение. Валерка увидел просверк двух клыков, вонзённых в тонкое девчоночье запястье.

Валерка даже испугаться не успел. Он шагнул назад и потянул дверь на себя, убирая с глаз зрелище вампира. Почему-то сейчас у него в голове была только одна мысль: а Горь-Саныч не врал!.. В ту ночь, когда Валерка заметил вампира на скамейке Пионерской аллеи, Горь-Саныч, куривший на крыльце их корпуса, не соврал, что Лёва не выходил на улицу. Лёва и не выходил. На аллее был другой вампир, вовсе не Лёва. Потому что в пионерском лагере «Буревестник» на самом деле вампиров было много!

Часть третья
СЕТЬ ВАМПИРА

Капли крови густой из груди молодой
На зелёные травы сбегали.

Н.Кооль, «Там вдали за рекой...».
1924 г.

Глава 1

ЧЕТВЁРТЫЙ ПРИДУРОК

— Ты чё, ослеп?

Венька Гельбич отодвинул Валерку, наклонился и вытащил из кучи мусора мятый фантик от конфеты. Такие конфеты — дешёвые «батончики» — иногда выдавали на полдник. В городе фантики от «батончика» считались бросовыми, но в лагере поднимались в цене. Фантик можно было особым образом туго свернуть в треугольник, и тогда он становился буцкой. Буцками бились на ступеньках крыльца и на подоконниках. По преданию, Цыбастыш в первый же день смены простецким фантиком от «батончика» отбуцкал у Вовки Макерова роскошную золотку от конфеты «трюфель». Впрочем, сейчас Валерке не было дела до фантиков. Какие фантики? Кругом вампиры!

Утром, как обычно, отряд маялся на «трудовом десанте» — на уборке своей территории. Пацаны граблями скребли землю под соснами, девчонки мётлами шаркали по дорожкам вокруг корпуса. Никто не знал, откуда за сутки набиралось столько мусора. У каждого звена была своя куча, которую в вёдрах переносили в общую кучу возле Пионерской аллеи. В тихий час по аллее проезжал мужик на телеге и вывозил все кучи за ограду лагеря.

Мимо четвёртого отряда шли Свистуха и директор лагеря Колыбалов.

— Чего такие смурные? — бодро закричала Свистуха пионерам. — Ну-ка встряхнулись! Давайте соревнование: кто первым соберёт сто шишек, тому испекут яблочный пирог! Вперёд, бойцы!

Пионеры напоказ заулыбались старшей вожатой, но никто не ускорился. Даже Рин Халовна постаралась как бы невзначай затеряться среди сосен. Ежедневная возня с мусором всем давно надоела.

Валерка нехотя и мрачно ворочал граблями. К нему подошёл Гельбич.

— Задрало уже слона чесать! — раздражённо сказал он. — Ваще всё тут задрало, особенно футбол. Я бы этот мяч Хлопову в гудок забил. Слышь, Лагунов, тебя в Дружняке из каких кружков выперли?

— Из рисования и пения, — отчуждённо ответил Валерка.

— Не, рисовать я не умею, — тяжело вздохнул Гельбич. — У меня даже фашистский крест косой получается. А на пении чё делают?

— Поют.

— А-а, — Гельбич потоптался, зыркая по сторонам. — Пошли со мной в Дружняк, Лагунов, а? Одному чё-то неохота, а ты всё там знаешь.

Оказывается, грубый и рослый Гельбич умел стесняться!

— Мне же нельзя, — уныло напомнил Валерка.

— Фигня базар. Выпросимся. Я тебя на поруки возьму. Я же знаменосец.

Валерка подумал, что Гельбичу легко. Он избавляется от футбола. А в какой кружок записаться, чтобы спастись от вампиров?

Откуда-то прилетела шишка и стукнула Гельбича в затылок.

— Кто такой борзый?! — тотчас заорал Гельбич и завертелся.

Кидаться шишками запрещалось. Официально — потому что могли попасть в глаз, на самом деле — чтобы не отвлекались от обязанностей.

— Ну-ка, ну-ка!.. — издалека грозно закричал Игорь Саныч.

Валерка посмотрел на девочек. Маринка Лебедева шаркала метлой под ступеньками крыльца. Маринка была звеньевой и потому повязала красный галстук. А Маша Стяжкина совковой лопатой неумело переваливала мусор из кучи в мятое ведро. Мусор не влезал, сыпался мимо. И Маша, и Маринка выглядели совершенно обычно: футболки, выгоревшие спортивные штаны, исцарапанные сандалии; у Маши — косички, у Маринки — хвост с заколкой.

Валерка положил грабли, подошёл к Маше, забрал у неё лопату и сам наполнил ведро, а потом с хрустом утоптал ногой.

— Ты меня вчера ночью видела? — как бы ненароком спросил он. — Я к вам в палату пастой мазать приходил. И тебя видел.

Маша скептически сморщилась — а может, прищурилась на солнце.

— Не ври, Лагунов. Пастой мазали первую палату, а не нашу. И не ты, а те три придурка, — Маша кивнула на Гурьку, Титяпу и Гороха.

Гурька, Титяпа и Горох, забыв о «трудовом десанте», сражались друг с другом граблями. К ним спешила разгневанная Ирина Михайловна.

Валерка поглядел Маше прямо в глаза.

— Я видел, как Маринка Лебедева пила у тебя кровь.

Маша помолчала, оценивая Валерку.

— Четвёртый придурок, — спокойно сказала она.

Маша подняла ведро и направилась к аллее.

Валерка вдруг вспомнил, как подобным же образом пытался выяснить правду у Славика Мухина — и Славик тоже решил, что Валерка просто прикалывается. Валерка молча смотрел Маше вслед. Наверное, те, кого кусал вампир, даже не знают об этом. Вампир будто бы заколдовывает их. Или усыпляет, как доктора усыпляют больного, чтобы вырезать аппендицит.

Валерка ощущал себя шпионом, который следит за всеми вокруг. Или локатором, который в чистом небе нащупывает невидимый вражеский самолёт. Или микроскопом, который пристально изучает каждую пылинку. Валерка выискивал то, что хоть как-то выдало бы вампиров и жертв. Не может быть, что днём не остаётся никаких свидетельств ночного ужаса! Как-то ведь должны вампиры проявляться при свете солнца! Должны быть хоть какие-то признаки кошмара, по которым можно опознать тех, кто пьёт кровь, и тех, у кого пили! От обычного укуса комара и то зудит почесуха!

— Машка! — вдруг от крыльца сердито окликнула Маринка Лебедева.

Валерка вздрогнул. Что нужно Маринке-вампирке?

— Ты мусор потеряла! — Маринка указала метлой на сосновую ветку.

Маша вернулась, без возражений подобрала с дорожки грязную сухую ветку, сунула в ведро и снова направилась к аллее.

Это была какая-то мелочь, ерунда... Однако сейчас Валерка наблюдал за окружающим с такой жадностью и торопливостью, с какой вор обшаривает квартиру, опасаясь, что скоро придут хозяева. Маша вернулась за веточкой... Он, Валерка, ни за что бы не вернулся. Подобрал бы эту дрянь на втором рейсе. А Маша вернулась... «Мне в психбольницу надо», — подумал Валерка. Наверное, Маша — просто послушная и хорошая девочка, а он, Валерка, — поперечный, как говорит мама, и вообще чеканутый, вот и вся причина.

Валерка побрёл обратно к пацанам. Гельбич поджидал его, по-прежнему размышляя о кружке, в котором можно спрятаться от футбола.

— Слышь, Лагунов, а как в кружке поют? Хором или один для всех? И песни-то какие? Свои любимые, да? Я про тюрьму люблю.

— Чё скажут, то и поёшь, — буркнул Валерка. — Это тебе не дома — сел на кухне и пасть распахнул. Про тюрьму нельзя петь.

— Жаль, — огорчился Гельбич. — Про тюрьму — правда жизни. Это тебе не спичками чиркать. Ладно, идём Усатого за усы тянуть.

Игорь бесцельно ходил между пацанов с граблями и хмурился, делая вид, что придирчиво контролирует работу и её результаты.

— Горь-Саныч, отпустите нас заместо футбола в кружок пения, — напрямик рубанул Гельбич. — Я ваще петь люблю, а за ним, — Гельбич ткнул пальцем в молчащего Валерку, — я прослежу, честное пионерское.

Валерка прятал глаза. Ему было неловко, что он не поверил Горь-Санычу, когда тот ночью ответил про Лёву честно. А Игорь отвёл взгляд. Он чувствовал себя виноватым за то, что обидел Валерку неверием в вампиров.

— Ну, хорошо... — поколебавшись, разрешил Игорь.

Гельбич покровительственно хлопнул Валерку по спине.

«Честное пионерское», — про себя повторил Валерка слова Гельбича. Ну какой из Гельбича пионер? На линейках флаг отряда носит, а сам считает, что тюремные песни — правда жизни. Может, человек-то Гельбич и неплохой, но пионер фиговый. А если и вампиры такие же ненастоящие, как пионеры? Куснут — и всё, гуляй, ничего особенного с тобой не случилось. Не страшно, что есть вампиры. Не страшно, что кусают. И вампир никакой не мертвец, который боится солнца. И тот, кого укусил вампир, не превращается тоже в вампира, а ходит себе, как прежде: палка, палка, огуречик, получился человечек. Эх, всё как всегда. Нету больше тачанок и будёновцев, хотя есть красные флаги и горны. Нету и вампиров, хотя есть странные люди, которые пьют кровь при луне. Пятиконечные красные звёзды сейчас уже ни шиша не значат, и от ночных кровопийц нынче тоже никому ни тепло ни холодно.

Глава 2

НА ПИОНЕРСКОМ РАССТОЯНИИ

— Дружинному знамени отдать салют! — скомандовала Свистуха.

Во всех отрядах, выстроенных на Дружинной площадке, все пионеры вскинули руки в пионерском приветствии, словно заслоняли глаза от солнца.

Утром, спросонья, обыденность ещё не успевала захватить внимание, и потому, когда поднимали флаг, все смотрели только на флаг и молчали, а не вертелись и не перешёптывались. Красное полотнище толчками взбиралось вверх по мачте и на макушке, поймав ветер, распахнулось крылом. А Игорь в это время разглядывал лица ребят — простые, хорошие и бесхитростные. Девчонки, загорев, пока что не стеснялись своих веснушек, а пацаны обросли лохмами, как лесные разбойники: парикмахерской в лагере не имелось.

Игорь думал, что с непредвзятой точки зрения порядки в пионерлагере могут показаться странными. Здесь же не воинская часть, а взрослые и дети — не солдаты, однако почему-то все через силу встают ни свет ни заря, идут на площадку, строятся, поднимают знамя и салютуют ему. Зачем? Почему? Никто не заставляет это делать — но так принято. «Мы так живём», — сказал себе Игорь с каким-то нелогичным удовлетворением от непонятности общей жизни. Непонятность объединяла, превращала всех вокруг в своих.

Конечно, причина удовлетворения Игоря была не в ритуалах пионерии. Причина была в ночном свидании с Вероникой, когда они вдвоём ушли на речку Рейку и купались в тёплой заводи, и гибкое тело Вероники светилось в воде зеленью, как у русалки. А потом они лежали в мягкой траве на казённом байковом одеяле, которое Вероника прихватила из корпуса, и над ними сквозь созвездие Кассиопеи беззвучно плыл авиалайнер, мерцая красными и синими огнями. Да, Игорь влюбился. Влюбился — и Вероника ответила ему взаимностью, и теперь между ними не осталось преград: вот поэтому Игорь ощущал себя каким-то очень укоренённым, благополучным, обеспеченным всем, что нужно для полноты существования. Превосходство победителя позволяло увидеть привычный мир как бы извне и оценить странность его устройства. Однако эта странность и была основой благополучия.

На линейке Свистуха велела Игорю явиться к ней после «трудового десанта», и сейчас Игорь шагал по Пионерской аллее, щурясь на солнце. Всё было прекрасно. По трансляции играла бравурная музыка. Лагерь готовился к Родительскому дню. Парни из старших отрядов размашисто шоркали мётлами по асфальту и выгребали мусор из урн, девочки тряпками протирали скамейки, счищая надписи и птичьи отметины. Красивый юноша, отвинтив от стенда оргстекло, на кнопки прикреплял детские рисунки. Кастелянша тащила в медпункт стопу чистого постельного белья; куда-то шли уборщицы со швабрами и вёдрами; из пищеблока доносились звон посуды и заикающаяся ругань бабы Нюры; сторож вёл в поводу лошадь, запряжённую в телегу с автомобильными колёсами. Даже Серп Иваныч Иеронов в своём скверике большими ржавыми ножницами подстригал кусты акации. Тесовые стены и скошенные крыши теремков были пятнистыми от света и теней.

В Дружинном доме царили суета и переполох. Туда-сюда бегали мелкие девочки с шёлковыми лентами в руках, пацаны с грохотом передвигали столы и шкафы, кто-то натужно и неумело пытался протрубить в горн. Игорь остановился в коридоре, потому что в Знамённой комнате Свистуха спорила с Колыбаловым, директором лагеря. Колыбалов зачем-то приволок с собой тяжеленную бензопилу «Дружба» и водрузил её Свистухе на стол.

— Ты как ребёнок, Николай Петрович! — бушевала Свистуха. — Какие дрова для плиты? Напили их вечером!

— Отбой же! — упрямился Колыбалов. — Нельзя шуметь!

— Можно! Сегодня я разрешаю! Мне нужны работники, чтобы прибрали Концертную поляну! Туда родители попрутся — и что увидят? Бурьян до самой задницы! А приедет баба из горсовета, у неё во втором отряде дочка!

— Наталья, здесь я командую!

— Ты, Петрович, командуешь, когда приёмка лагеря, а Родительский день — моя ответственность! Кому выговор вкатят, если тут будет кавардак?

— Мне вкатят!

— Ничего не тебе, у тебя пенсия на носу! А я с вакансии слечу! Иди давай отсюда, не порти мне зрение!

Колыбалов подхватил бензопилу и, вздыхая, вывалился в коридор.

Свистуха была в джинсах и рубашке, а голову повязала косынкой, точно работница ткацкой фабрики во время субботника в цеху.

— Дверь прикрой, — сказала она Игорю, вылезая из-за стола. — С тобой, голубь, мне потолковать надо, но так, чтобы никто уши не погрел.

Она присела крепким задом на подоконник и скрестила руки.

— Я готов, — кивнул Игорь.

Старшая пионервожатая смотрела на него испытующе, будто на артиста, вышедшего на пустую сцену к публике. В этом была какая-то угроза.

— Разведка донесла, что ты с Несветовой романчик закрутил, — наконец напрямик заявила Свистуха. — Это верно?

У Игоря краска бросилась в лицо. В своих отношениях с Вероникой он не видел ничего дурного, но Вероника хотела держать их в секрете. Понятно, почему. Добрачные связи — предмет осуждения. Зачем оно Веронике? Однако получилось, что Игорь её подвёл. Он растрепал о Веронике Малосолову, Димон во время посиделок на речном трамвайчике ляпнул Ирине, а Ирина охотно выдала чужую тайну Свистухе. Димон — дурак, а Ирина — стервозина!

— Верно, — подтвердил Игорь и криво ухмыльнулся.

— Чего разулыбался? — разозлилась Свистуха. — Смех без причины — признак дурачины!

— Причина есть, — резонно возразил Игорь.

Свистуха пронзила его свирепым взглядом.

— Не умничай! Ты вообще в курсе, что у неё жених?

Игорю будто вмазали вторую пощёчину. Жених?!. Конечно, Игорь понимал, что у Вероники кто-то был до него, но жених?!. Сейчас?!. Так вот почему она так скрытничала! Неужели она хотела оставить жениха за собой, а с Игорем просто поразвлечься летом?! Игорь почувствовал себя обманутым и даже оскорблённым. Свистуха молча наблюдала за ним. Игорь провёл ладонью по лбу, словно стирал налипшую паутину. Нет, Вероника не такая!

— Не сказала, значит? — саркастически уточнила Свистуха.

— Да хоть пять женихов, — угрюмо ответил Игорь.

— И знаешь, кто это? — с насмешкой превосходства продолжала добивать его Свистуха. — Это Сашка Плоткин, с которым ты в комнате живёшь.

Игорь тупо уставился в угол на красное знамя дружины. О-бал-деть!.. Недавнее самодовольство истаивало в Игоре без следа. Он вдруг ощутил себя таким, каким бывал перед деканом в университете, перед военкомом или на комсомольском собрании, — обычным, ничего не значащим студентиком, нолём без палочки: серым человечком, обязанным выполнять приказы.

Теперь понятно, почему Вероника и Саша Плоткин работали на одном отряде... Игорь вспомнил, как Саша ревниво хвалился своим обеспеченным будущим: квартирой, свадьбой, работой... Ничего подобного пообещать Веронике Игорь не мог. Но ведь радость жизни не в материальных благах!.. Однако кого он убеждает? Себя?.. Вероника промолчала о Плоткине, и это факт! Не желала терять своего раскудрявого Сашеньку? Точнее, не желала терять свадьбу, работу, квартиру?.. В постели-то Плоткина можно и заменить кем-нибудь, например, им — Игорем Корзухиным.

— Я догадываюсь, каким местом Несветова думает, — сказала Свистуха. — Но у тебя-то мозги должны быть, ты же мужик. На кого ты губу раскатал?

— На кого? — не понимая, спросил Игорь.

— У Плоткина отец — завотделом капстроительства в обкоме. Мать — заместитель начальника в гороно. Если ты ихнего сыночка обидишь, они тебя в порошок разотрут. Вылетишь из вуза и в армию загремишь.

Игорь угрюмо посмотрел на Свистуху. В его душе нарастало какое-то мрачное сопротивление. Почему старшая пионервожатая стращает его, как ребёнка? Он что, дурачок? Даже если его используют и обманывают, ему не нужна забота Свистухи. Он не будет маршировать под пионерский барабан.

— А вам какое дело? — буркнул Игорь.

Свистуха соскочила с подоконника.

— А я не хочу, чтобы мой лагерь домом терпимости называли, будто это я тут устроила свальный грех! Кого накажут, что Плоткин ушами хлопал? Не Плоткина же! И не тебя — ты осенью уже сапоги натянешь! Накажут меня! Это я под гороно работаю, а не ты! А мне разнос от начальства ни к чему!

Конечно, Свистуха спасала свою шкуру. Ей плевать было и на чувства Саши Плоткина, и на коварство Вероники, и на судьбу Игоря.

— Я сам решу, как мне быть, — угрюмо сказал Игорь.

Свистуха скорчила презрительную гримасу.

— Не дрыгайся, Корзухин, — предупредила она. — Я сама могу тебе всю практику завалить и напишу декану докладную про твою аморалку — вылетишь из вуза как миленький безо всякого горисполкома!

Такое было уже нестерпимо. Конфликт с семейством Саши Плоткина — это одно: Плоткины хотя бы вправе быть в претензии. А лакейская подлость Свистухи — совсем другое. Плоткины, если они люди порядочные, могут и не мстить, а Свистуха побежит впереди паровоза и нагадит с упреждением.

— Не надо меня запугивать, Наталья Борисовна. И на вас управа есть, — со сдержанной злобой произнёс Игорь. — Я вам не крепостной.

Свистуха фыркнула, отвернулась и прошла к своему стулу за столом.

— Короче, не крепостной, — небрежно сказала она. — В любом случае развратное поведение — твой проступок. Я этого терпеть не намерена. Даю тебе последний шанс всё замять для ясности: закругляйся с Несветовой, пока

Плоткин ничего не пронюхал. Копылова будет молчать в тряпочку, я позабочусь. А ты держись от Несветовой на пионерском расстоянии. Хватит с тебя, шибко хорошо пригрелся, морда треснет. Свободен, вожатый.

Глава 3
«МОРДА КРОКОДИЛИЯ»

Валерка и Гельбич подошли к Дружняку — Дружинному дому. Играла музыка. Из открытых окон доносились грохот мебели и раздражённые голоса: Дружняк сотрясала большая уборка. Кружковцы, преимущественно девочки, пережидая бедствие, толпились перед крыльцом и в скверике.

— Всегда так, блин, — проворчал Гельбич. — Только начнёшь что-нибудь хорошее делать, сразу фигня какая-нибудь случится.

Валерка направился к Альберту — красивому культурному художнику из кружка рисования. Альберт был при параде: в белой рубашке и алом галстуке; он вежливо разговаривал с пацаном в пилотке со звездой. Валерка помнил этого пацана: Павлик, который нарисовал зыконский танк.

— Занятия-то сегодня будут? — спросил Валерка.

— Будут, но чуть попозже, — ответил Альберт. — А ты решил вернуться?

— Не к вам, — отрезал Валерка.

Он повертел головой, разыскивая Анастасийку. Анастасийка сидела на лавочке, положив рядом с собой цветной пакет, и листала песенник. Валерка присел бы рядом, но мешал Гельбич, требующий сопереживания.

— Меня мамка однажды послала в магазин за молоком, а там обед, — рассказывал он. — Я такой думаю:

пойду к пацану одному ненадолго, он мне обещал нип-пели для велоса, пошёл, а меня машина сбила!

Валерку и Гельбича, конечно, заметила разбойница Жанка Шалаева, которой наскучило болтать со своим тупым и неразлучным Лёликом.

— А-а, Вася! — радостно заулыбалась она Валерке как давнему другу и протянула руку. — Здорово, Вася! Держи пятёру!

— Я не Вася! — сквозь зубы процедил Валерка, не принимая рукопожатия.

— Жанка сказала Вася, значит, будешь Вася! — с угро-зой заявила Лёлик.

— Иди ты, Маруся, — буркнул Валерка.

— Ты чё борзеешь, очкастый? — напряглась Лёлик.

— Он не Вася! — встрял Гельбич по долгу дружбы, и Валерка испытал к нему прилив тёплого чувства. — Ты чё, в уши долбишься?

Лёлик даже обомлела от такой непривычной для неё наглости, однако высокий и вихлястый Гельбич явно не был ссыклом из музыкальной школы.

— А ты кто? — с интересом спросила Жанка.

Гельбич осклабился, с удовольствием разглядывая Жанку.

— Я к вам петь записываюсь.

— Ты чё, петь умеешь? — удивилась Жанка. — Спой.

— Чё спеть? — охотно поддался Гельбич.

— «Чунгу-Чангу».

Гельбич откашлялся, набрал воздуха в грудь и вдруг запел необычным, глубоким и сильным голосом:

— Чунга-Чанга, синий небосвод, Чунга-Чанга, лето круглый год!..

Валерка с недоверием поглядел Гельбичу в рот, не по-нимая, как там умещаются такие способности. Но Жан-ка упрямо хмыкнула:

— К нам без пароля всё равно не записываются!

— А какой пароль?

Жанка поколебалась, взвешивая своё решение.

— «Канада»! — наконец сурово сказала она.

Валерка удивился: Гельбич и Жанка Шалаева явно понравились друг другу. Жанка уступала, и за Гельбича теперь можно было не беспокоиться. Валерка словно бы невзначай переместился ближе к Анастасийке, а потом опустился рядом на лавочку. Анастасийка не обращала на него внимания.

— Привет, — сказал Валерка. — Какую песню учишь?

— Я все и так наизусть знаю.

— А что готовите к выступлению? — не отставал Валерка. — «Орлят»?

Он помнил, что Анастасийка хотела солировать на «Орлятах», а Жанка хотела, чтобы пели «Чунгу-Чангу», под которую можно танцевать.

— Конечно, «Чунгу-Чангу», — утомлённо сообщила Анастасийка.

Валерка кивнул с сочувствием. Учителя вроде Вероники Генриховны почему-то всегда поддерживают плохих детей вроде Жанки: защищают их перед другими учителями, назначают командирами на «Весёлых стартах» или при сборе металлолома, награждают грамотами за успехи в труде — больше-то не за что. Видимо, если учительница — или вожатая, не важно, — чувствует себя в своём коллективе чужой, то среди детей выделяет таких же чужаков: чаще всего, увы, шпану. А Греховна отличается от других вожаток: носит серьги, не наказывает за всё, не мучит дисциплиной. Горь-Саныч тоже отличается от Сан-Колаича, своего соседа по комнате, или от физрука Руслана. Поэтому, полагал Валерка, Горь-Саныч и полюбил Греховну.

— Вероника не понимает музыкального искусства, — высокомерно сказала Анастасийка. — Ей только деревенским клубом руководить.

Тем временем Гельбич знакомился с Жанкой.

— Ты где живёшь? — допытывалась Жанка.

— На «Стошке», — с гордостью отвечал Гельбич.

«Стошкой» называли посёлок «Сто шестнадцатый километр». Откуда отсчитывался этот километр, никто не ведал. Хулиганы из неблагополучной «Стошки» славились своей храбростью и доблестью.

— Кого знаешь?

— Сику знаю. Бокса. Баллона.

— А Беклю знаешь?

— Мой друган.

Жанка улыбалась. Ответы Гельбича её полностью удовлетворяли, и сам Гельбич был ничего такой — высокий, нормальный. Проверка пройдена.

— Давай галстук, — сдалась Жанка. — Я тебе распишусь.

Если девочка писала что-либо на пионерском галстуке мальчика, это означало глубокую симпатию. Но у Гельбича не было с собой галстука. Он отчаянно закрутился на месте, увидел Альберта и бросился к нему.

— Слышь, дай галстук! — попросил он, хватая Альберта за руку. — У меня есть, только в корпусе! Я тебе вечером свой принесу!

Альберт в замешательстве пытался отцепить от себя пятерню Гельбича.

— Э-э... нет-нет! Я... э-э... я не могу!

— Слово пацана — принесу! — горячо убеждал Гельбич. — Позарез надо!

— Галстук — это же символ!.. — беспомощно сопротивлялся Альберт, встряхивая своей богатой и ухоженной шевелюрой.

— Поглаженный принесу! — напирал Гельбич.

— Прекрати! — рассердился Альберт. — Оставь меня в покое!

Гельбич оглянулся. Жанка коварно ухмылялась, и Лёлик тоже.

И тогда Гельбич грубо заломил Альберту руку, будто милиционер — преступнику. Альберт, охнув, согнулся пополам, и его чёлка упала на лицо волной, как птичье крыло. Гельбич, удерживая пленника в наклон, сунул палец в узел его пионерского галстука и одним движением вытащил галстук за уголок — так фокусник выдёргивает платок из своей волшебной шляпы.

— Сам виноват! — Гельбич пихнул Альберта прочь от себя, выпуская на свободу. — Не надо крысить, когда пацаны просят!

— Дай ручку, — потребовала Жанка у Лёлика.

Гельбич возвращался победителем. Гордо расправив плечи, он растянул галстук за концы и расстелил у себя на груди, как манишку. Жанка попробовала ручку на своём запястье — пишет ли? — и принялась выводить на галстуке слова послания. Гельбич ласково смотрел на Жанку сверху вниз.

Валерка сощурился и прочитал две косые строчки: «На столе стоит стокан а в стокане лилия, что ты смотрешь на меня морда крокодилия». Гельбич тоже читал, хоть ему было и неудобно, и шептал от усилия понять. Послание привело его в восторг. Он заулыбался во всю пасть.

— Уроды, — с презрением подытожила Анастасийка.

Валерка перевёл взгляд на Альберта. С Альбертом происходило что-то странное. Он побледнел до какого-то неестественно пепельного цвета, под глазами легли тёмные тени, щёки пугающе запали, а губы почернели. И он весь вспотел, даже белая рубашка прилипла к спине. Его как-то корчило, кривило, встряхивало толчками. И вдруг Альберт кинулся к Павлику, сорвал с него пилотку со звездой и нахлобучил на свою голову. Белобрысый Павлик застыл от изумления. Трясущимися руками Альберт отколол у Павлика с футболки пионерский значок и пришлёпнул себе — похоже, воткнул иголкой прямо в тело. А потом бросился бежать к Дружинному дому.

Все провожали его глазами.

— Стучать дриснул, глиста инкубаторская, — убеждённо выдал Гельбич.

Но тут ему стало не до Альберта. По дорожке от Пионерской аллеи к Дружинному дому решительно шагали Ирина Михайловна и Лёва.

— Вот он! — Лёва указал вожатке на Гельбича.

Гельбич содрогнулся. Такого предательского удара он не ожидал.

— Ты чего с тренировки удрал? — прямо в лоб атаковала его Ирина Михайловна. — Ты чего команду бросил?

— Да надоел мне этот футбол! — сразу возмущённо заорал Гельбич. — Я петь буду! Пускай Хлопов гоняет, если его заклинило!

— Ты пионер или кто? — вожатка надвигалась на Гельбича, и тот пятился. — Ты помнишь, что такое ответственность?

— Какая ещё ответственность?!

— У нас на Родительский день матч с третьим отрядом, — спокойно сказал Лёва. — А тебя главным нападающим сделали. Как играть без тебя?

— Не хочу я! — взвыл Гельбич.

— Маленький, что ли? — ломила Ирина Михайловна. — Хочу — не хочу! Знаешь такое слово — «надо»? Не выпендривайся! Не позорь товарищей!

— Всё, пойдём, — скомандовал Лёва. — Будь сознательным.

Гельбич готов был разрыдаться от безысходности.

— Не заставляй меня твоим родителям рассказывать, какой ты, — добила его Ирина Михайловна и, оглянувшись, уронила Валерке: — И ты, Лагунов, собирайся обратно. Тебе вообще нельзя отряд покидать.

Валерка покосился на Анастасийку. Анастасийка листала песенник.

Глава 4
СПУРТ

Неимоверный внутренний объём велотрека в Крылатском не вмещался в объектив телекамеры целиком, и оператор показывал только отдельные фрагменты гоночной трассы. Широкая дорожка была проложена с наклоном к эллиптической арене; на длинных сторонах эллипса наклон был пологим, а на виражах — крутым. В спринте велосипедисты соревновались парами. Два гонщика — синий и красный — неслись по трассе друг за другом. Велосипеды у них были тонкие-тонкие, будто из стальной паутины, а колёса на скорости казались прозрачными. На белых шлемах блестели отражения прожекторов.

На большом развороте синий гонщик взмыл вверх, на вздыбленный край дорожки, а красный гонщик, летевший за ним колесо в колесо, вдруг быстро скользнул вниз и ловко опередил соперника. Красный втопил и помчался изо всех сил, а синий кинулся вдогонку, надеясь вернуть лидерство; он привстал на педалях, задрав зад, и завис всем телом над круторогим рулём.

— При выходе на последний, третий круг Сергей Копылов стремительно ускорился и обошёл Антона Ткача, — диктор рассказывал спокойно, хорошо поставленным голосом, и создавалось ощущение, что коллизия на велотреке давно отрепетирована и сыграна много раз: не о чем волноваться.

А Игорь подумал, что в борьбе за девушку сам он вот так же внезапно обогнал Плоткина. Но будет ли финиш победой? В отличие от велогонщиков, Игорь не знал заранее, что участвует в состязании. Знал — не состязался бы.

На веранде Иеронова перед телевизором сидели человек пятнадцать — вожатые и старшие пионеры. Вечерние телесеансы Олимпиады стали делом привычным, и Серп Иваныч даже повесил на окна толстые шторы, чтобы затемнять помещение от закатного солнца. Зрители тихо переговаривались, обмениваясь впечатлениями, а Серп Иваныч неслышно появлялся то справа, то слева и заботливо поправлял светомаскировку, а потом усаживался на своё место в последнем ряду. Ему нравилось, что в его дом приходит молодёжь.

Вероника была рядом с Игорем, плечом к плечу, но сегодня Игорь не протянул руку и не обнял её за талию, хотя очень хотелось. Игоря мучили сомнения, посеянные Свистухой. Он не знал, как ему быть.

— Ты чего такой мрачный? — не поворачивая головы, спросила Вероника.

Лучше всего, конечно, не начинать этот разговор, не поднимать тему. Ну, позабавились на летней практике — и разбежались в разные стороны, когда практика закончилась. Что-то вроде курортного романа. Однако Игорь не желал разбегаться, не желал терять Веронику. А для продолжения отношений требовалось выяснить положение вещей. И это было трудно.

— Почему ты не сказала мне про Плоткина? — еле выговорил Игорь.

Вероника помолчала.

— А, ну поня-а-атно... — с издёвкой протянула она.

Оправдываться было не в её характере.

— Почему? — настойчиво повторил Игорь.

По велотреку опять летели два гонщика: снова синий и красный. Камера следила за ними. На экране мелькали счетверённые батареи прожекторов, лица болельщиков, жёлтые фигуры судей. Синий велосипедист держался первым, но позиции лидера и аутсайдера сейчас ничего ещё не значили. Всё решит бешеный спурт на финальном круге.

Душу Игоря выкручивала ревность. Конечно, Игорь не забыл, как Саша с благородством отчеканил, что с невестой у него ничего нет: связь до брака — аморальна. Молодец, Сашок! Но это заявление не остужало ревности. Потому что не важно, с кем Вероника переспит, важно — кто для неё лучший. Впрочем, если бы у Вероники с Сашей была близость, Игорь тотчас оборвал бы все отношения — он не будет отбивать невесту у жениха, он же не подлец.

— Я не сказала тебе, потому что мне на Сашу Плоткина плевать, — почти беззвучно произнесла Вероника.

Она не поворачивалась к Игорю. Игорь глядел на её твёрдый профиль. По лицу Вероники бегали синие и красные отсветы телевизора. И от тихих, беспощадных слов своей девушки Игорь не испытал никакого облегчения.

— Как это — плевать? Он ведь живой человек!

— Ну и что? — усмехнулась Вероника. — А я — не живой человек? Разве Плоткин меня спрашивал, хочу ли я быть его женой?

— Как не спрашивал? — изумился Игорь.

— Сашенька Плоткин — чудо-ребёнок. Его с детства в жопу целовали. У него просто в башке не укладывается, что девушка может отказаться выйти за него замуж. Короче, это не я, а он постановил, что мы поженимся. А все вокруг и поверили, ведь это же Сашенька Плоткин, такая прекрасная партия! Но я ничего ему не обещала. Если он не допетривает — значит, сам дурак.

Перед Вероникой сидели тёзки Максим и Кирилл, вожатые. Максим оглянулся и возмущённо прошептал:

— Кончайте там бормотать, смотреть мешаете!

Игорь уже открыл рот, чтобы упрекнуть Веронику — мол, надо было всё объяснить Саше, но промолчал. Ситуация понятна. Да, Веронике следовало отшить Плоткина, — а что потом? А потом ничего хорошего. Золотой мальчик мог обидеться и нажаловаться родителям, и строптивая студентка птицей бы вылетела из института, дабы не действовать травмированному юноше на нервы. Так что Веронике проще было всё спускать на тормозах: потихоньку расшатывать планы Сашеньки, ожидая, когда тот сам от них откажется.

В груди у Игоря запекло от сочувствия к Веронике.

— Выдающихся результатов на Двадцать вторых летних Олимпийских играх добился ленинградский гимнаст Александр Дитятин, воспитанник спортивного общества «Динамо»! — сообщил диктор в телевизоре.

Игорь смотрел в экран. Мускулистый атлет с героическим лицом творил какие-то чудеса: он словно бы без всяких усилий одним пружинистым прыжком взмывал с голубого помоста в воздух и переворачивался через голову; он фантастически вертелся над конём, растопырив ноги как ножницы; он крутил обороты на турниках и перелетал с перекладины на перекладину — так у жонглёра вращающиеся кольца бегают с руки на руку. Казалось, что для этого спортсмена отключили земное притяжение, и он, точно космонавт, парит в невесомости, отталкиваясь от невидимых опор, красиво изгибается и раскидывает руки в кульбитах высшего пилотажа.

Игорь ощутил себя полным ничтожеством, и ему стало стыдно за свой эгоизм. Он заподозрил Веронику в корысти, а сам и мысли не допустил, что ей и так приходится весьма несладко, и уже давно. Игорь испытал жгучую потребность оправдаться перед Вероникой чем-то хорошим, настоящим.

— Меня сегодня Свистунова к себе вызвала, — зашептал он. — Рассказала про тебя и Плоткина. И поставила ультиматум: или я с тобой завязываю, или она пишет на меня докладную в универ, чтобы отчислили.

— Вот и тебе отскочило, — хмыкнула Вероника. — А Свистухе мы зачем?

— Она боится, что родители Плоткина вздуют её за то, что распустила вожатых в лагере, то есть нас с тобой. А у неё планы всякие на карьеру.

— Сволочь.

— Сволочь, — согласился Игорь.

Впереди снова зашевелился Максим.

— Ну, просил же заткнуться! — страдальчески прошипел он.

— Сам заткнись, — ответил Игорь.

— Мне плевать на Плоткина, — Вероника будто не заметила мучений Максима. — Мне плевать на Свистуху. На всех плевать. Ненавижу жить так, как они мне приказывают. Я не собачка, чтобы сидеть и лежать по команде!

Игорь понял: их любовь в безопасности. Никто не заставит Веронику бросить его. Они будут вместе столько, сколько сами захотят.

— Давай свалим отсюда, — предложила Вероника. — Не будем ждать ночи. Пускай они все сдохнут от злости и зависти.

Игорь смотрел в телевизор и улыбался. Там, на Олимпиаде в Москве, люди боролись за то, чтобы стать лучшими в мире, боролись, напрягая все силы в яростной борьбе с земным притяжением или в бешеном спурте на вираже, и всё-таки побеждали. А ему даже бороться не надо, вот ведь удача, и для победы достаточно просто убежать с Вероникой в лес.

Глава 5

ПРОВЕРКА МОЗГА

Пищеблоковский пёс Бамбук знал: маленькие люди иногда собираются в укромных местах пионерлагеря и жрут разные вкусности; надо ненавязчиво быть рядом, и тогда угощение гарантировано. Бамбук, улыбаясь, лежал в траве, дружелюбно хлопал хвостом по жёлтым цветам золотарника и наблюдал. Валерка, Гельбич, Гурька, Титяпкин и Горохов сидели на коленях возле дальнего угла своего корпуса и тёрли о кирпичи куски сосновой коры.

— По закону, кто победит, тот берёт конфеты, — сказал Горохов.

В Родительский день все получат подарки, и делёж начался заранее.

— А сколько можно брать? — спросил Гурька.

— Сколько хочешь, но не больше двух.

К перераспределению благ Валерку допустили только из милости. Он сразу предупредил, что родители к нему не приедут, значит, конфет у него не будет; однако Лагунов — слепошарый, и вероятность его победы равна нулю, поэтому пацы разрешили Валерке участвовать в затее просто для компании, чтобы корабликов получилось больше и морской бой был интереснее.

Кораблики делали из сосновой коры. Ещё при заселении Рин Хална обшарила вещи мальчишек и отняла ножи, и теперь приходилось изготовлять кораблики трудоёмким методом трения. Удобнее было тереть куски коры об асфальт Пионерской аллеи, но там остались бы коричневые следы, а вожатки запретили пачкать асфальт, так как в Родительский день на аллее проведут конкурс рисунков мелом. Пацы вынуждены были использовать кирпичную кладку фундамента. Однако препятствия никого не останавливали.

— Хорошо тебе в очках, — сказал Валерке Гельбич. — На футбол не гонят.

— Мне бы тоже, блин, очки, — согласился Гурька. — Меня тоже футбол задрал. Ты как зрение потерял, Валерыч?

— Осложнение после ангины, — с гордостью сообщил Валерка.

— Блин, везёт же дуракам, — расстроился Гурька. — Пацы, какую таблетку надо выпить, чтобы ангиной заболеть? Я у доктора скоммуниздю.

— Надо простыть очень сильно, почти до смерти, тогда и заболеешь, — объяснил Валерка. — А таблеток для ангины врачи пока ещё не изобрели.

— Ничё эти доктора не умеют! — буркнул Титяпкин.

Он тоже был не прочь носить очки и косить от футбола.

Гельбич, задумавшись, с такой силой надавил на кусок коры, что тот сломался пополам. Гельбич тупо посмотрел на корявый обломок в руке и с неожиданной злостью запулил его в дальние кусты. Бамбук, который сам себя ввёл в заблуждение, тотчас с места метнулся за обломком.

— Короче, пацы, революцию надо делать, и всё! — с отчаяньем произнёс Гельбич. — Надо Хлопова свергать. Иначе нам капец.

— А как свергать? — удивился Горохов. — Такого закона нету!

— Я всё прикинул, — сказал Гельбич. — Слушайте, — он понизил голос, и пацаны подползли поближе. — У Цыбастыша есть джопсы. Лежат в чемодане. Мы возьмём их и переложим в чемодан Хлопова. Все подумают, будто это Лёвчик штаны свороловал. А за воровство его из лагеря выгонят. Так что в Родительский день Хлопова отдадут родакам, чтобы домой увезли.

Пацаны молчали, размышляя. Гельбич тревожно вглядывался в хмурые лица заговорщиков. А Валерке план революции не понравился.

— Это плохо, Венька, — неохотно сказал он.

Хотя почему плохо? А пить кровь у товарищей — хорошо?

— Ты вообще молчи, Лагунов! — набросился на Валерку Гельбич. — Ты не при делах! Ты не страдал, как мы страдали!

— Наколка — друг чекиста, — поддакнул Титяпкин.

— А кто джинсы перекладывать будет? — спросил Гурька.

— Ты.

— А чё я-то сразу?

— Ты самый ловкий пацан. Хлопов же сказал, что ты голкипер.

Похвала удовлетворила и успокоила Гурьку.

На Пионерской аллее по трансляции заиграла музыка, означающая, что пора готовиться к обеду и сон-часу. Как раз в это время вожатые отпирали кладовку, где хранились чемоданы, и любой желающий мог зайти туда и порыться в своих вещах. Идеальные условия для начала революции.

— Делаем так, пацаны, — засуетился Гельбич. — Губерака идёт в кладовку. Титяпа и Горох стоят на шубе. А я задержу Цыбастыша в палате.

— Я с тобой, — сказал Гельбичу Валерка.

Он не хотел отделяться от коллектива, пусть и хреновенького.

Все в отряде знали, что Лёшка Цыбастов сегодня до обеда сидит в своей палате и никуда не отлучается: он подвергнут наказанию, потому что на завтраке бросил Женьке Цветковой жука в стакан с компотом. Гельбич и Валерка столкнулись с Цыбастышем в дверях палаты.

— Ты куда? Тебе нельзя! — гневно закричал Гельбич, грудью загораживая Цыбастышу путь к свободе.

— Музыка играет! — заорал Цыбастыш. — Я отмотал срок! Пусти!

Цыбастыш обеими руками оттолкнул Гельбича.

— Нельзя ещё! — упорствовал Гельбич. Он не отступал, но не знал, чем ещё, кроме драки, удержать Цыбастыша в палате.

— Отвали! Мне носки нужны!

Носки наверняка хранились у Цыбастыша в чемодане.

— Погодите вы! — вклинился Валерка. — Лёха, у нас дело к тебе!

— Какое, нафиг, дело?

— Проверка мозга у пацанов! — на ходу придумал Валерка.

Цыбастыш поколебался, шагнул назад и сел на койку.

— Ну? — недоверчиво спросил он.

Валерка принял важный вид.

— Отвечай на контрольные вопросы. Первый: что такое сверхскорость?

— Не знаю! — раздражённо ответил Цыбастыш.

— А чё за скорость? — заинтересовался в проёме двери Гельбич.

— Сверхскорость — это обежать вокруг дома и пнуть себя под зад, — сказал Валерка. — А что такое сверхнаглость?

— Чё? — одинаково спросили Цыбастыш и Гельбич.

— Навалить кучу в подъезде чемпиона мира по боксу, позвонить ему в квартиру и попросить бумажку подтереться.

Цыбастыш и Гельбич заржали.

— А что такое сверхтрудность?

— Да говори уже!

— Сверхтрудность — это лежать на потолке и укрываться одеялом!

Кладовка с чемоданами находилась на втором этаже. Вниз по лестнице скатились запыхавшиеся революционеры — Гурька, Титяпа и Горох. Валерка увидел их за спиной Гельбича, который по-прежнему заслонял выход.

— Конец медосмотра, — с облегчением сказал Валерка. — Лёха, у тебя мозг не работает. Всё, иди.

Цыбастыш не стал ссориться, вскочил, отпихнул Гельбича и убежал к лестнице. Гельбич, ухмыляясь, посмотрел ему вслед.

— Секи, пацы, чё щас будет, — самодовольно предупредил он.

Через минуту со второго этажа донёсся отчаянный вопль Цыбастыша.

— За мной! — воодушевлённо скомандовал Гельбич.

Кладовка была небольшой комнатёнкой без окна. Под потолком горела тусклая лампочка. Вдоль стен тянулись стеллажи. Дощатые перегородки разделяли их на секции. Каждая секция принадлежала одному хозяину. При заселении в корпус Ирина Михайловна распределила хозяев по алфавиту.

Цыбастыш распахнул свой чемодан прямо в ячейке и перетряхивал содержимое. Сбоку из чемодана, как слюни, свисали штанины трико.

— Джинсы пропали!.. — потрясённо повторял Цыбастыш. — Тут лежали!..

Вокруг Цыбастыша толклись взволнованные девочки.

— Поищи получше! — гомонили они. — Может, они в тумбочке остались? А ты точно помнишь, что никому их не давал? А какие они были?

— Украли, гады!.. — почти плакал Цыбастыш.

Рядом, как назло, оказался Лёва Хлопов.

— Нехорошо обвинять товарищей! — назидательно изрёк он.

— Пятьдесят же пять рублей!..

Подоспевшие революционеры Гельбича добавили драматизма.

— Надо во всех других сундуках пошмонать и проверить! — с фальшивым сочувствием подсевал Гельбич, возникая то справа, то слева от Цыбастыша. — Если кто спёр, то себе же в барахло и сунул!..

Секции Цыбастыша и Лёвы соседствовали, как буквы «Х» и «Ц». Лёва, стоя почти бок о бок с Цыбастышем, спокойно отщёлкнул замки на своём чемодане, поднял крышку и застыл: в чемодане поверх всех вещей бесстыже красовались джинсы Цыбастыша, свёрнутые в аккуратный квадрат.

— Вот они!.. — изумлённо охнул Цыбастыш.

Девочки вокруг застонали.

— Хлопов у Цыбастова штаны спёр! — без промедления заорал Гельбич, фиксируя в общественном сознании факт злодеяния Лёвы.

И тут в кладовку, привлечённый шумом, вступил Игорь Саныч.

— Что случилось? — строго спросил он.

— Хлопов у Цыбастова джинсы украл! — загалдели девочки. — Цыбастов полез к себе, а джинсов нет! А Хлопов открыл чемодан, и мы увидели! Он взял и себе спрятал! А Цыбастов заплакал! Пятьдесят пять рублей!

Ошеломлённый Лёва по-прежнему безмолвно стоял у ячейки, опустив руки. Он не прикасался к джинсам Цыбастыша в чемодане, словно брезговал дотронуться до такой пакости — или боялся оставить отпечатки пальцев. Игорь Саныч внимательно посмотрел по очереди на Лёву и на Лёху.

Грубый, но простодушный Гельбич не выдержал.

— Хлопов ворует! — выкрикнул он, пылая надеждой. — Его надо из лагеря выгнать! Пусть родители заберут его завтра!

Лёва медленно повернулся, как маяк, и вперился в Гельбича, пронзая насквозь лучами из глаз. И Горь-Саныч тоже перевёл взыскующий взгляд на Веньку.

Несчастный Гельбич, незримо корчась, едва не задымился. Казалось, что он начал тихо потрескивать, как раскалённая сковородка.

Валерка наблюдал за событиями со стороны. И почему-то ему вдруг стало стыдно, хотя вампир Лёва заслуживал самой суровой кары. Валерка сразу понял, что и Лёва, и Горь-Саныч догадались о коварной подставе, устроенной Гельбичем. Революция Гельбича превратилась в позорище.

— Что за столпотворение? — раздалось из коридора.

Это вслед за Горь-Санычем на конфликт спешила Ирина Михайловна. Она отодвинула с дороги Титяпкина и вошла в кладовку, готовая к бою.

— В чём дело? — спросила она.

Игорь Саныч продвинулся сквозь толпу к стеллажу, обеими руками, как противопехотную мину, вынул свёрнутые джинсы из открытого чемодана Лёвы и бережно перенёс их в открытый чемодан Цыбастыша.

— Никаких проблем, Ирина Михайловна, — с показной беспечностью сообщил Игорь Александрович. — Просто глупая детская шутка. Ха, ха, ха.

Глава 6

КОЛХОЗ И ЦАРЬ

Эти дурацкие стенгазеты никому нафиг не были интересны: никто их сроду не читал, и уж тем более никто не хотел оформлять. Но в Родительский день родители потащатся по корпусам, и требовалось продемонстрировать, что пионерская жизнь в отрядах цветёт пышным цветом. Конечно, можно было предъявить старую стенгазету, с прошлой смены, выдав её за новую, но старая стенгазета, собака, уже пожелтела от солнца, и подмена оказалась бы очевидной. Тогда Ирина вызвала на веранду трёх девочек — Анастасийку Сергушину, командира отряда, и звеньевых Маринку Лебедеву и Леночку Романову, — и повелела им сделать свежую отрядную прессу.

Поскольку стола на веранде не имелось, Игорь составил друг на друга четыре лавочки. Ирина открепила прежнюю стенгазету и постелила её вверх тыльной, чистой стороной. Девочки получили краски, пучок карандашей и пару затрёпанных журналов «Костёр», чтобы вырезáть картинки.

— Наглядная агитация должна быть произведением искусства, — важно сказала Анастасийка. — Предлагаю тему газеты: «О чём мечтают дети».

— Делай как положено, — с досадой ответила Ирина. — Сверху — название отряда, под ним — девиз. Внизу — рубрики. Вот тут — «Природа родного края», тут — «Экран чистоты», тут — «Наши достижения», тут — «Колючка».

— А какие у нас достижения? — удивилась Леночка Романова.

— Ну, спросите у мальчишек, кто выше прыгает, кто быстрее бегает, кто в шахматы кого-нибудь обыграл. Чего-нибудь наскребёте на одну рубрику.

— Катька Шилова в конкурсе букетов победила, — вспомнила Леночка.

— Вот и пойдёт, напиши её.

— Она дура.

— Ну и что?

Другие девочки заглядывали на веранду и сразу исчезали, чтобы их не засадили за скучную работу. По отряду пронеслось тихое предостережение: сейчас не суйтесь к вожатым, а то припашут стенгазету рисовать! Поэтому Игорь удивился, когда вдруг увидел на веранде Лёву Хлопова: в отличие от прочих пацанов-балбесов, Лёва был вполне пригоден для серьёзного поручения. Например, он мог выставлять оценки в «Экран чистоты» — в отчёт о проверке постелей и тумбочек. А Лёва заявился как на смотр строя и песни: надел брюки и белую рубашку, выгладил галстук и даже причесался.

— Ирина Михайловна, мне нужно с вами поговорить, — строго сказал он, как бы не замечая Игоря Александровича.

— Господи, да чего ещё? — раздосадовалась Ирина.

— Я считаю, что меня дискри... кредитировали, — еле выговорил Лёва.

— Это как?

— Веня Гельбич подложил мне вещи Лёши Цыбастова, и все подумали, что я украл их. А я их не брал.

Ирина метнула в Игоря уничтожающий взгляд.

— Значит, в кладовке была не шутка? — яростно спросила она.

— Шутка, — твёрдо повторил Игорь.

— Я понял, — снова заговорил Лёва, игнорируя Игоря. — Гельбич хочет уйти из футбольной команды, а я его не отпускаю. Тогда он решил сделать так, чтобы меня завтра отправили домой. Он совершил подлость.

Игорь рассматривал Лёву, словно в первый раз. А ведь Лёва — красивый мальчик. Эдакий маленький истинный ариец. Да, он честный, ответственный и справедливый, как и положено пионеру. Но от его слов веет странным замогильным холодом. Мёртвой жутью. Игорь сразу вспомнил, что Валерка Лагунов говорил, будто Лёва — вампир. А вампиры — мертвецы. Лагунов, конечно, выдумывал, однако и Лёва поначалу не был таким правильным и беспощадным... Вроде бы, не был. А может, и был.

— И что ты предлагаешь? — спросила Ирина.

— Чтобы сегодня на «свечке» отряд обсудил поступок Гельбича.

— Хочешь, чтобы выгнали его, а не тебя? — спросил Игорь.

Лёва опустил глаза.

— Я никого не хочу выгонять. Но пускай его накажут.

— Мы подумаем с Ириной Михайловной, — быстро сказал Игорь, чтобы опередить Ирину. — Иди, Лёва. Мы подумаем.

Лёва повернулся и пошёл прочь.

— Рин Хална, а кого вырезать, медведя или тигра? — тотчас дёрнула Ирину Леночка Романова, пластавшая ножницами журнал «Костёр».

— А кто у нас в лесу водится?! — рявкнула Ирина.

— Я не знаю! — испугалась Леночка. — Нас за ограду не пускают!

— Вырезай тигра, — авторитетно посоветовала Анастасийка. — Он красивый и благородный, а медведь — блохастый.

Леночку такие соображения вполне удовлетворили.

— Правильно Борисовна говорила, что ты всех пацанов распустил! — так, чтобы девочки не слышали, прошипела Игорю Ирина. — Да ещё мне врёшь!

— Я не вру! — почти обиделся Игорь. — Я сказал, что это шутка, чтобы упростить ситуацию! Потому что мы все виноваты, а не один Гельбич!

— В чём это все виноваты? — окончательно обозлилась Ирина.

— Хлопов задушил всех своим футболом! А мы одобряли Хлопова и не желали понимать, что пацанам уже осточертело бегать за мячиком! У них не осталось другого способа изменить положение дел!

— Это ты потакал Хлопову, потому что ленился сам заниматься с детьми!

Конечно, Ирина была права. Но Игорь этого и не отрицал.

— Не надо устраивать судилища над Гельбичем, — попросил он, стараясь сохранить спокойствие.

— И почему же, открой секрет?

Игорь подумал. Он вспомнил, как судили Валерку Лагунова за отрыв от коллектива. Валерку силком вынудили присоединиться к отряду, но это лишь увеличило его неприятие общих дел: Лёва Хлопов, капитан футбольной команды, для Валерки превратился в вампира.

— Потому что наши судилища рушат у подсудимых веру в других ребят, — тщательно сформулировал Игорь. — Ира, мы же с тобой вожатые. Давай сами накажем Гельбича. Я его отругаю, а ты посадишь под арест.

— Ты дурак, Корзухин! — ответила Ирина. — Ты ничего не понимаешь в педагогике! У нас пионерский лагерь и пионерское воспитание, а это значит коллективное! Коллектив всегда прав! Пусть он и решает про Гельбича!

Ирина была ниже Игоря, но сейчас казалось, что выше.

— Что же ты про меня с Вероникой стукнула Свистухе, а не вынесла на общее обсуждение? — не выдержав, жёстко ударил Игорь. — Про наши порядочки мы бы многое объяснили и Плоткину, и коллективу!

Ирина залилась красной краской, сорвала очки и близоруко уставилась на Игоря. В оголённой простоте её пухлого, деревенского лица горела вера в свои убеждения, которые защитят её и без оптических усилий.

— Потому что Борисовна и есть коллектив! — хлестнула Ирина.

Ну что с ней надо было делать? Убить её, что ли? На каждый аргумент у Ирины тотчас находился контраргумент, потому что она почитала сразу и колхоз, и царя-батюшку. Такое бессознательное двоедушие преследовало одну-единственную цель: заставить каждого человека жить так, как живут все; подчинить всех общим правилам — таким, какие уж устаканились. Все играют в футбол — и ты играй. Все облизывают Плоткина — и ты облизывай.

— Ирина Михайловна! — от стенгазеты окликнула вожатую Анастасийка Сергушина. — А про кого в «Колючке» писать?

«Колючка» — это раздел пионерской критики.

Ирина с трудом переключилась на повседневность и надела очки.

— А кто у нас провинился недавно?

— Макеров зарядку проспал. Домрачев водой брызгался.

— Вот про них и напиши.

Игорь и сам не знал, чего он так зацепился за Гельбича. За свою глупую подлянку Гельбич заслужил хорошую трёпку. Однако Игоря заколебали невидимые и бессмысленные границы, бдительно охраняемые Ириной и Свистухой. Хотелось просто отомстить. Долг платежом красен.

— Если Гельбича выпрут из лагеря, я напишу докладную, что ты, Ирина, давала ключ от кладовки пионерам, а сама не контролировала, чего они там творят, поэтому Гельбич и сумел взять чужие вещи, — предупредил Игорь.

Ирина блеснула глазами сквозь очки.

— Какой же ты негодяй! — с чувством выдала она.

— Просто не будем рвать и метать, хорошо? Давай для наказания лишим Гельбича сегодня киносеанса и на этом закончим историю.

Глава 7

РОДИТЕЛЬСКИЙ ДЕНЬ

Родителей привезли сразу на двух речных трамвайчиках. Игрушечные судёнышки красиво пришвартовались к обеим сторонам лагерного пирса. Белизна корабельных надстроек под ярким солнцем казалась слепящей. Алые звёзды пылали так победно, словно трамвайчики прорвали какую-то блокаду и доставили подкрепление изнемогающему в боях гарнизону. С берега, от ворот лагеря, гостям приветственно трубила гипсовая горнистка. Капитан Капустин в ответ врубил на всю Волгу бравурно-пронзительную мелодию «Прощание славянки», хотя логичнее было включить что-нибудь на тему встречи. Гомонящая толпа родителей, в основном мамаш с хозяйственными сумками, потянулась по дощатому пирсу к воротам.

Общественное было важнее личного, и сначала в лагере проводилась торжественная линейка с подъёмом флага, а уж потом детей отпускали к родителям. Вожатые от входа перегнали гостей на Дружинную площадку. Гости ждали. Наконец на площадке выстроилось звено барабанщиков. Под звонкую дробь друг за другом вышли все шесть отрядов, слаженно промаршировали один круг и заняли свои места. Взрослые молчали, глядя на пионеров с галстуками, только несколько бабушек прослезились.

Валерка с удовольствием работал локтями и топал. Многие пацаны и девчонки печатали шаг лишь для того, чтобы понравиться родителям, а Валерка маршировал для себя одного. К нему никто не должен был приехать. Мама и папа заранее предупредили, что им дали путёвку на Байкал, а тётка сидела с Люськой, сестрёнкой, и тоже приехать не могла. Да и ладно. Он, Валерка, уже не маленький, переживёт. А ходить строем — это здорово. В строю Валерка чувствовал себя частью коллектива — ну, будто бы он вместе со всеми делает какое-то важное дело, или все они — единый народ.

— Флагу дружины-ы... са-алют! — скомандовала Свистунова.

Флаг поднимал, конечно, Серп Иваныч. Гости с улыбками смотрели на этого моложавого и сухопарого старика, который по-мальчишески ловко перебирал тросик флагштока. Пионеры вскинули руки, салютуя знамени, а гости не знали, что делать; кто-то вдруг находчиво захлопал в ладоши, как в театре, и остальные взрослые тоже с облегчением захлопали.

— Вольно! — скомандовала Свистунова. — Разойдись!

Ровные прямоугольники отрядов мгновенно рассыпались: дети кинулись искать родителей, а родители устремились к детям. Но мужчины постарше и посолиднее сперва направлялись к товарищу Иеронову и уважительно пожимали ему руку: Серпа Иваныча, персонального пенсионера и ветерана Гражданской войны, в городе Куйбышеве знали и любили.

— Как ваше здоровье? — спросила у Иеронова строгая женщина в очках.

— В Гражданскую было лучше, — пошутил Серп Иваныч.

— Не помочь ли чем от горсовета?

— Это Алевтина Петровна Плоткина, — влезла с пояснениями Свистуха.

— Я помню Алевтину Петровну, — сказал Серп Иваныч. — Помощи мне не требуется. А у вас ведь здесь сын вожатым работает, верно?

— Да, — кивнула женщина и чуть-чуть покраснела. — Александр.

— Отличный парень! — снова втиснулась Свистуха. — Равняемся на него!

— Отдыхайте, Серп Иванович, набирайтесь сил, — пожелала Алевтина Петровна, отодвинулась от Иеронова и повернулась к Свистухе: — Наталья Борисовна, я ценю ваше внимание к моему сыну, но хочу напомнить: Саша — обычный студент. Никаких ему поблажек, никакого благоприятствования. Незаслуженные похвалы его только испортят.

— Я по результатам работы сужу, — пожала плечами Свистуха.

А Валерка отправился бесцельно слоняться по лагерю. Таких, как он, — безродительных — вожатые обязали собраться в Дружняке и провести этот день под руководством физрука, но Валерка не хотел к Руслану Максимычу. Он уговорил Юрика Тонких соврать, что мама Юрика возьмёт его, Валерку, под присмотр вместе с сыном, и Рин Хална отцепилась. Валерка получил свободу. Ему любопытно было поглазеть на лагерь в роли разведчика.

Лагерь жил какой-то слишком шумной, многолюдной и вымученно разнообразной жизнью. По трансляции играла музыка. Отовсюду доносились голоса и смех. Везде ходили взрослые, многие изумлённо озирали корпуса-теремки, не ожидая такой красоты; какая-то толстая мамаша, заливаясь смущённым смехом, качалась на качелях. Папы попроще, сняв пиджаки, играли в волейбол с пацанами из старших отрядов. Папы посложнее сидели за шахматными партиями с умными мальчиками. Девочки рисовали на асфальте Пионерской аллеи цветными мелками. Чья-то въедливая бабушка, придерживая очки, читала меню, пришпиленное к стене пищеблока у входа. Валерка хотел посмотреть концерт, подготовленный кружком Вероники Генриховны, хотел увидеть, как поёт Анастасийка, но в Дружинном доме толпилось столько народу, что Валерка не протолкался в зал, лишь услышал проигрыш «Чунги-Чанги» и плеск аплодисментов.

Потом Валерку вынесло к стадиону. Родители сидели на скамейках в ожидании начала футбольного матча, а футболисты бестолково суетились на поле. Лёва Хлопов держал совет с каким-то мускулистым папашей, явно спортсменом. Возле ворот Гельбич ловко нагонял мяч, подбрасывая его то коленками, то носками кедов. Валерка направился к Гельбичу.

— Чё, Венька, всё-таки заставили тебя? — посочувствовал он.

— Да не, я уже сам согласился, — беспечно ответил Гельбич.

— Перевоспитали, что ли? — опешил Валерка.

Гельбич, не отрываясь, следил за мячом.

— Лёвыч всё объяснил по-нормальному. Бьёмся с третьим отрядом, а Лёвыч из лучших игроков составит сборную против «белазов».

Валерка и так всё это знал. Что же такого нового Лёва поведал Гельбичу, как сумел переубедить его? Валерка смотрел на Гельбича с недоверием.

— Ты же орал, что лучше утопиться, чем на футбол...

— Лёва сказал — первенство. Это, блин, важняк ваще.

Валерку вдруг обдало холодом. Пламенного революционера Веньки Гельбича больше не существовало. Лёва что-то с ним сделал. А что он мог сделать? Укусить? Гельбич испугался укуса? Но Гельбич не похож на испуганного... Валерка потихоньку попятился. А Гельбич не обратил на это внимания. Он готовился к решающему матчу.

Лёва что-то горячо растолковывал своим игрокам, размахивая руками. Он смотрелся ну совсем как обычно: трикохи, майка, галстук, растрёпанные светлые волосы. Валерка уже не боялся его — страх обрёл своё место. Днём вампир не представлял опасности, а ночью Валерка просто прятался в «домике» и закрывал голову подушкой. Да, хлипкий «домик» был сделан из верёвки, простыни и кнопок, но защищал от Лёвы надёжно. Пускай Лёва творит, что хочет, лишь бы не трогал. Лёва и не трогал Валерку.

Для Валерки Лёва стал кем-то вроде зубного врача: врач утаскивает людей к себе, мучает там, однако потом отпускает. Ужасно представить, как стоматолог в своём логове орудует бормашиной и щипцами, ещё ужаснее вообразить самого себя у него в плену — и всё равно можно жить, если умело гаситься и не думать. Гаситься у Валерки получалось, а не думать — увы, нет.

Он убрался со стадиона, испытывая горькое разочарование.

Он пошёл в столовку, потому что в Родительский день всем желающим наливали компот. На Пионерской аллее взгляд Валерки зацепился за стенды с рисунками в защиту мира. Валерка вспомнил, как в кружке художники пыхтели над ватманами, изображая разную фигню: кошек и собак, цветочки, всякие бабушкины деревни и прогулки по зелёным лесам. Но сейчас на стенде висели совсем другие картины: иностранные генералы и солдаты, богачи, полицейские и чёрные бомбы. Валерка удивился, и к его удивлению примешалось неприятное беспокойство: в чём тут дело?.. Конечно, жираф в зоопарке и новогодняя ёлка — это девчачьи нюни, однако кружковцы хотели рисовать свои нюни, а не карикатуры из журнала «Крокодил». По какой причине художники переменили замыслы?..

— Нравится? — услышал Валерка за спиной.

Он оглянулся. На скамейке перед стендами сидел Альберт. Он наблюдал за впечатлением, которое выставка производит на зрителей.

— Почему рисунки другие? — хмуро спросил Валерка.

— Они больше соответствуют теме. Мы критикуем поджигателей войны.

Мимо стендов проходили родители, но особо не задерживались.

— Своёво-то ничего нету, — буркнул Валерка.

Ему почему-то стало жалко прежних кошек и собак, пусть и нелепых, зато ярких, искренних и настоящих.

— Возвращайся в кружок и рисуй, что хочешь, — предложил Альберт, поправляя на груди красный галстук. — Тебе у нас вправду будет лучше.

Валерку будто ударило ледяным током. «Тебе будет лучше!» — точно так же говорил и Лёва, упрашивая пустить в «домик»! А скамейка, на которой сейчас сидел

Альберт, — та самая, на которой Валерка однажды ночью увидел вампира, пьющего кровь у какой-то девчонки!.. Валерка узнал очертания головы и плеч Альберта, узнал причёску... Альберт и был тем вампиром!

На подрагивающих ногах Валерка быстро шагал прочь от Пионерской аллеи. Альберт Стаховский, Маринка Лебедева, Лёва Хлопов... Кто ещё в пионерлагере «Буревестник» по ночам высасывает кровь из людей? И кому рассказать об этом ужасе? Гельбичу? Гельбич покорился Лёве! Юрику Тонких? Тонкий тут же обоссытся и сдохнет! Наталье Борисовне или Ирине Михайловне? Они его в психбольницу сдадут!.. Поверить в вампиров мог только Горь-Саныч — а он один раз уже не поверил... Впрочем, тогда Валерка указал на Лёву, который не покидал корпуса, вот Горь-Саныч и усомнился...

Валерка сидел в пустой столовке, думал и пил компот. Столовку заливал солнечный свет, но повсюду — на полу, на длинных столах, на стенах — лежали тени от оконных решёток. Конечно, решётки здесь поставили не для того, для чего их ставят в тюрьмах, а просто уберегали стёкла от случайного попадания мяча: дети в лагере — озорники. Тем не менее, это были решётки.

На кухне звенела стаканами судомойка баба Нюра. Время от времени она выглядывала в зал, но посетителей не прибавлялось. Мелкий чёрненький мальчик в очках тихо грустил над компотом, как брошенный щенок.

— Эй, ты, — окликнула его баба Нюра. — Ма-а... ма-амка не приехала?

Мальчик не ответил.

Баба Нюра тяжело вздохнула, вытерла мокрые руки о фартук на животе, открыла на продуктовой полке картонную коробку с конфетами и зачерпнула горсть дешёвых «батончиков». Потом неуклюже выбралась в зал, подошла к печальному мальчику и высыпала конфеты перед ним на стол.

— По-о... сластись, — заикаясь, сказала она и погладила мальчика по голове. — Не га-арюй. Мамка те-эбя серавно лю-убит.

Глава 8

«СДЕЗЬ БЫЛИ»

От лагеря до Концертной поляны было рукой подать — полкилометра через сосновый бор. Поляна лежала на пологом берегу Волги. Концертной её называли по той причине, что здесь проводили различные общелагерные мероприятия вроде «Весёлых стартов», выступлений художественной самодеятельности или Последнего костра в конце смены. На соревнованиях и смотрах пионеры могли валяться в траве — это лучше, чем на песке стадиона, а на Последнем костре, понятное дело, на поляне жгли огромный костёр высотой в два человеческих роста: не на Дружинной же площадке его устраивать, где газон и беговая дорожка, да и вообще чистота и порядок.

А в Родительский день к берегу Концертной поляны причаливали моторные лодки, на которых из города приплывали родители, не желающие пользоваться общественным транспортом, то есть речными трамвайчиками. Лодками управляли отцы из числа упёртых рыбаков; для них такой способ посещения чад был компромиссом между заветным увлечением и семейным долгом. Отцы вытаскивали на песок свои «Казанки» и тотчас забрасывали в воду удочки-донки, а потом время от времени бегали проверять улов.

Валерка с опушки бора оглядел Концертную поляну, усеянную мелкими разрозненными компаниями, и сразу увидел Серёжу Домрачева.

— Погодите тут, — приказал Валерка Бекле и его прихвостням.

К Серёже приехали мама, папа и старший брат. Мама расстелила на траве клеёнку и выставила угощение — варёную курицу, помидоры, хлеб, пряники и лимонад «Буратино». Брат уже пожирал арбуз, надеясь слопать не меньше половины. Отец сидел с виноватой улыбкой и неестественным креном к реке, потому что одним ухом он ловил звон колокольчика на донке.

— Серый, на пять сек, — попросил Валерка.

Серёжа поднялся.

— Серый, скажи, где заброшенная церковь?

Валерка вёл Беклю на место товарообмена с Беглыми Зэками. Места этого в природе не существовало, ведь Валерка наврал про него, чтобы спасти Анастасийку, и сейчас требовалось срочно его придумать. Валерка и придумал: заброшенная церковь. Но сам он там никогда не бывал, и дорогу туда знал один лишь Серёжа, хранитель древних преданий пионерлагеря.

— Это надо идти вдоль Рейки туда, — Серёжа махнул рукой.

— Далеко?

— Ну, кому как... Далеко, наверное. Мы минут десять шли, а то и больше. Только ты не ходи туда, Валерыч. Там погибнуть можно.

— А чё там?

— Да чё-то не то, — Серёжа замялся. — В прошлую смену старшаки рассказывали, что в том году какой-то пацан пришёл туда и исчез. Все начали его искать, а там на стене висит его фотка, и глаза выколоты.

Валерка поёжился.

— Там раньше, давно уже, был поп, а его связали и в Рейке утопили. После этого церковь вся рухнула, и кто зайдёт — тому конец. И фотка ночью на стене появляется и говорит: «Не ищи меня, я под доской!»

— Под какой доской? — всерьёз струхнул Валерка.

Серёжа оглянулся по сторонам и прошептал:

— Не знаю!

— Серёжка, приглашай друга к столу, — позвала мама Серёжи.

— Не, спасибо, — ответил Валерка. — У меня тут это... Спасибо, я пойду.

Пускай церковь зловещая, пускай в лесу Беглые Зэки, пускай Бекля, Рулет и Сифилёк — тупая шпана, всё равно это лучше, чем быть в лагере, по которому слоняются вампиры и делают вид, что они люди.

К Бекле, кстати, и к его шантрапе никакие родственники сегодня тоже не приехали. Зачем? Эти уроды и так дома всем надоели, потому их с глаз долой и спровадили в пионерлагерь. Нафига навещать? Скучающий Бекля поймал Валерку возле столовки и напомнил, что Валерка должен показать то место, где Беглые Зэки меняют продукты на финские ножи. А Валерка предложил смотаться туда прямо сейчас. Сейчас никто не спохватится, что его нет.

Они шагали по чистому бору между сосновых стволов и столбов света. Вверху, высоко над головой, всё медленно перемещалось: рваная белизна облаков извилисто пробиралась сквозь сообщающиеся пустоты рассеянных крон, играло солнце, и птичий щебет казался треском каких-то счётчиков, измеряющих параметры астрономических сочетаний. А внизу царила густая хвойная неподвижность, жаркая и вязкая. Можно было принять её за тишину, но тому, кто прислушивался, становилось ясно, что это звучит просторный и неуловимый шёпот — то ли дальнее дыхание огромной реки, то ли эхо музыки из пионерлагеря. А может, так шуршали тени шевелящегося папоротника.

— А чего ты несёшь Беглым Зэкам? — спросил Валерка Беклю.

— Хозяйственное мыло, нитки с иголкой и пачку «Примы».

Валерка удивился рациональности Бекли. Впрочем, этот товарный набор для Валерки был выгоден: стоил он недорого, и финский нож Зэки за него не дадут. Валерка уже распланировал, как провернуть своё дельце, чтобы Бекля не уличил его в обмане. Через несколько дней он сам заберёт приношение Бекли, а вместо него оставит пистолетный патрон. Патроном хвастался Вовка Макеров; надо будет как-то выкупить его на рубль, который Валерка взял с собой в лагерь. Получив патрон, Бекля подумает, что Беглые Зэки вступили с ним в торговые отношения, и притащит новую партию товара, дабы обрести вожделенный нож. Пока Бекля ждёт сделки, лагерная смена и закончится.

— Откуда ты знаешь, чего Зэкам надо? — снова спросил Валерка.

— Я про зону вообще весь полимер знаю, — похвастался Бекля. — Вот прикинь, Валерьян, когда тебя в тюрьму посадят, ты пришёл такой в камеру, а там тебе дают веник и говорят: «Это гитара, сбацай». Чё делать будешь?

Валерку очень напрягла фраза «когда тебя посадят».

— Меня не посадят! — возразил он.

Бекля покровительственно усмехнулся. Видимо, по его мнению, всем рано или поздно придётся посидеть в тюрьме, только дурачки будут спорить.

— Надо отдать веник и сказать: «Сначала настрой!», — сам себе ответил Бекля. — А если тебе нарисуют на стене футбольные ворота, дадут мяч и скажут: «Забей гол!». И чё, какая у тебя популяция?

Сифилёк и Рулет шли справа и слева от Бекли с Валеркой, внимательно слушали и молчали, как охотничьи собаки рядом с охотниками.

— Надо сказать: «Спасуй мне!», — не унимался Бекля. — А если в камере на тебя залезут верхом и скажут: «Ты автобус, вези до остановки»? Ты такой довёз до стены, а тебе говорят: «Это не моя, поехали дальше!». А ты чё?

— Не стану я никого таскать! — разозлился Валерка.

— Надо сказать им, что остановка конечная, — терпеливо довёл поучение Бекля. — Фиг ли ты гипотенузу корчишь? Я тебе добра желаю!

Валерку странно торкнули эти слова. Конечно, Бекля не врёт. Просто он понимает добро по-своему. Впрочем, многие другие люди тоже понимают добро не так, как он, Валерка. В этом и заключается сложность жизни. Наверное, нельзя рассчитывать, что люди поверят тебе, но можно надеяться, что помогут. Да, люди бывают глупыми, жадными и трусливыми. Но это люди. Они не пьют друг у друга кровь. И потому мир остаётся прекрасным. Однако где-то в тайных его глубинах по каким-то тайным трещинкам ползёт холодная смерть. Она искусно прячется и проникает повсюду; она пожирает всё, что попадается ей на пути. Никто её не замечает. А он, Валерка, заметил.

Сосновый бор сменился зарослями ольхи и орешника, заполнявшими лощину Рейки. В густых кустах на берегу сверкающей речонки стояла маленькая церковка. Точнее, даже не церковка, а краснокирпичная коробка без крыши, с бесформенными дырами окон и выщербленными углами. Стены её словно измолотили кувалдами. Валерка сразу вспомнил рассказ Серпа Иваныча о жестоком бое на Шихобаловских дачах: может, эти выбоины и вмятины оставлены обстрелами времён Гражданской войны? Церквушка выглядела угрюмо и нелюдимо, как взятый приступом вражеский дот.

— Плохое место, — понизив голос, предупредил Валерка. — Туда люди зайдут и пропадут. Там вообще какое-то колдовство.

Бекля подумал. Разъятый вход в церковь пугал, как разверстая пасть.

— Рулет, слазий внутрь, проверь, — приказал он.

— Васька, слазий, проверь, — тотчас переадресовал приказ Рулет.

— Не, я не пойду, — испуганно отпёрся Сифилёк.

— Ты чё, Сифозина, заканил? — возмутился Рулет. — А в пачу не хо-хо?

— Там кресты! — с суеверным ужасом пояснил Сифилёк.

— Какие, нафиг, ещё кресты?

— Там кресты! Где кресты, я не пойду!

— Щас обоим втащу! — пригрозил Бекля.

Он хотел ухватить Рулета за шкирку, чтобы зашвырнуть в развалины, но Рулет увернулся и отскочил. Сифилёк тоже проворно отскочил.

— Ладно, я сам! — решился Валерка.

Он осторожно ступил на полуразрушенный порог и заглянул в храм.

Ничего там ужасного не было. Те же изрытые стены, местами покрытые копотью костров; зелёные ветки орешника, торчащие из пустых окон; груды кирпича, поросшие травой; трухлявые доски, бутылки и ржавые консервные банки; синий прямоугольник неба вместо потолка. Злая сила, похищающая людей, таилась не в заброшенной церкви; сюда она врывалась извне.

— Есть следы от Беглых Зэков? — спросил сзади Бекля. Он всё-таки осмелился войти.

— Есть, — сказал Валерка. — Вон они, следы.

На стене чернела надпись сажей: «Лысый и Гарилла сдезь были».

Глава 9

РЕШЕНИЕ ВО ТЬМЕ

Жанка Шалаева, мерзавка, отлично понимала, какое впечатление они с Лёликом производят на зрителей, когда танцуют «Чунга-Чангу»: стройные тела, гимнастические купальники в обтяжку, короткие юбочки-разлетай-ки, задранные проволочные хвосты и облегающие ша-почки с ушами Чебурашки. Жанка и Лёлик изображали обезьянок на тропическом острове. Они сияли дерзкими улыбками, изгибались и приседали, по-лягушачьи рас-топыривая руки и колени, — в общем, кривлялись, как маленькие девочки. Игорь на себе ощутил обольститель-ность этого якобы детски невинного, но совершенно непристойного танца. Вероника стояла в стороне, скре-стив руки на груди, и словно бы всем своим видом гово-рила: «Вы ханжи! Вы ничего не смыслите в чувственно-сти! Так получайте же пощёчину вашей морали!»

Конечно, на концерте музыкального кружка и про-чей художественной самодеятельности ещё пели хо-ром, читали стихи, показывали пантомимы и драмати-ческие сценки, но «Чунга-Чанга» поразила зрителей прямо в сердце. Немногочисленные папы краснели, а многочисленные мамы тихо роптали. Но возмущать-ся никто не решился, и танцовщиц проводили апло-дисментами, хотя и нервными. А что такого дурного они совершили? Ничего. Бесстыжей была юность, пер-вое цветение, а игра в карапузиков лишь убеждала, что детство уже позади, и девочки вполне созрели для оши-бок молодости.

После концерта Вероника подошла к Алевтине Пе-тровне Плоткиной.

— Как вам наше выступление? — лицемерно спроси-ла она.

Алевтина Петровна взвешивала все «за» и «против».

— Оригинально, — туманно отозвалась она.

Вероника мстительно торжествовала.

Игорь еле протолкался к ней сквозь толпу детей и ро-дителей.

— Пойдём, погуляем, искупаемся, а? День-то свобод-ный.

— Это у тебя свободный, а на меня повесили безродительных девочек. Сейчас я с ними буду печь пирог с малиной, и потом у нас чаепитие в гостях у Серпа. Демонстрируем тимуровскую заботу о поколении героев.

Вероника заметила, что Игорь огорчился, и легко коснулась его локтя — это была редкая для неё ласка.

— Я не виновата, — мягко сказала она. — Успеем ещё, правда?

Игорь отправился бродить по лагерю в одиночестве.

От скуки он затесался в ряды болельщиков на стадионе, где проходил матч между футбольными командами третьего и четвёртого отрядов. Здесь собрались в основном отцы: они ободряюще шумели, изредка свистели и вообще делали вид, что на поле бьются титаны вроде «Спартака» или ЦСКА. Пацаны, раззадорившись, играли в полную силу; они носились туда-сюда, сшибались в кучи и самозабвенно падали в прах. Команда Лёвы уверенно лидировала. Игорь удивился: Лёва действительно выдрессировал своих игроков, и они уже не терялись, а умело обводили соперников, пасовали друг другу и действовали сообща. Сам Лёва не лез к мячу и не рвался в нападение, а взволнованно бегал вокруг разных критических коллизий и выкрикивал приказы. Он напоминал комиссара, который гонит бойцов в атаку, успевая поточнее направить самых рьяных и пригрозить расстрелом тем, кто отстаёт.

Физрук Руслан Максимыч дал длинный свисток, завершая матч, вышел на поле и объявил победителей. Команда Лёвы так ухайдакалась, что на ликование уже не осталось сил. Лёва только похлопал по плечу Титяпкина, который порвал штаны на колене. А проигравшая команда остервенилась.

— Да они сволочи! — возмущались аутсайдеры. — Они втроём на одного!

— У меня брат в первом отряде! — грозился какой-то рыжий пацан. — Он с друганами вас всех вечером подкараулит!

Саша Плоткин повёл своих игроков умываться. Проигравшие уходили угрюмо и оскорблённо, и кто-то из них злобно пнул под зад своему капитану.

Лёва принимал заслуженные поздравления от папаш и солидно пожимал руки, а Игорь разглядывал Лёвиных подопечных, раскрасневшихся, потных и грязных: Гельбича, Гурьянова, Титяпкина, Горохова... Да, мальчишки подтянулись и организовались, потому и победили. Но ведь совсем недавно эти же самые пацаны готовили заговор и мечтали изгнать Лёву из лагеря. Как они так быстро перековали мечи на орала? Или всему причиной детское непостоянство? Впрочем, Игорь не стал морочить голову этой загадкой.

Обедать в этот день Игорь отправился с Димоном Малосоловым.

Димон был возбуждён; он шумно хлебал суп и откусывал хлеб, рассыпая крошки, словно куда-то очень торопился.

— Ваще, Игорёха, полный порядок! — понизив голос, рассказывал он. — И мацал её, и целовались взасос! Надо хату найти, и шпили-вили веряк будут!

Димон хвастался своими достижениями в шашнях с Ириной.

— Сделайте шпили-вили на природе, — посоветовал Игорь.

— На природе она ломается. Говорит, не хочет, как собачки.

— А как же насчёт того, что до свадьбы — ни-ни?

Димон рассмеялся мелким хохотком — это означало, что перед таким принцем, как он, не устоит никакая добродетель.

Игорю стало грустно и даже завидно. Его успех с Вероникой был куда очевиднее сомнительных перспектив Димона, однако Димон сейчас снова помчится к Ирине, а ему болтаться в одиночестве ещё чёрт знает сколько.

Игорь слонялся до вечера, не зная, чем себя занять. Он искупался, позагорал, подремал в своей комнате, лениво почитал и даже сходил в гости к доктору Носатову, но доктор маялся с похмелья, а опохмелиться не смел — всё-таки Родительский день, толпа народу, опасно. Игорь убрался восвояси.

Наконец солнце зависло над Жигулями, и по лагерной трансляции зазвучали бодрые песни о том, что завтра пионерам в поход и в бой. В корпус явилась Ирина — не доверяя Игорю, она сама принимала детей от родителей. Постепенно четвёртый отряд собрался в полном комплекте. Пионеров строем повели на линейку. Расставаться с родителями полагалось коллективно и торжественно, чтобы избежать соплей, но в отрядах, особенно младших, всё равно кто-то плакал. В толпе родителей некоторые мамы тоже вытирали глаза. Игорь украдкой высовывался из строя, разыскивая Веронику, и никак не мог её обнаружить. Своим отрядом Саша руководил один.

— Ты не знаешь, где Несветова? — тихо спросил он у Ирины.

Ирина покосилась на Игоря как на источник нарушений порядка. Игорь недоумённо пожал плечами.

— Не знаю, — ответила Ирина. — А дети все на месте?
— Дети-то все, я сверился со списком.

Потом были гудки теплоходиков с реки, ужин, умывание и отбой; потом началось усмирение палат, где пионеры принялись делить и пожирать гостинцы, ссориться, угощать друг друга и затевать обмены; из-за дверей доносилось: «Сорок восемь, половинку просим!» — «Сорок один, ем один!». Вся эта суета продолжалась почти до темноты.

Установив непрочный мир, Ирина умотала к себе. Игорь ещё побродил по коридору, придирчиво прислушиваясь, и поднялся в свою комнату. Саша пил мамин лимонад и ел мамино печенье, словно тоже был пионером.

— Попробуй, — предложил он.

— Не хочу. А Вероника нашлась?

— Не-а, — сказал Саша с набитым ртом. — Думаю, отдыхает с девчонками.

— Пойду, наверное, покурю, прогуляюсь, — пробормотал Игорь.

Он почему-то растревожился за Веронику. Вряд ли она с кем-то пьёт вино, да и не было у неё подруг среди вожаток. Освободившись, Вероника предпочла бы общество Игоря, а не посиделки в какой-то компании.

На крыльце третьего корпуса Игорь увидел Ирину.

— Где Несветова-то? — раздражённо спросила она.

— Я сейчас поищу, — решительно ответил Игорь.

Что с ней могло стрястись в пионерлагере? Если бы приключилось ЧП — сразу бы стало известно: вокруг полным-полно людей. Деревенские алкаши безвредны. Медведей и волков в лесу нет, да и что Веронике делать в лесу? Купаться она бы не полезла — накупались уже за лето. На корабле уплыла? Чушь!.. Она где-то здесь. Игорь вспомнил, как в начале смены вот так же пропал Лёва Хлопов — и ничего, отыскался, все потом только пожалели...

Над Пионерской аллеей горели фонари; возле пищеблока, разодравшись, гавкали собаки; остриё флагштока на Дружинной площадке уткнулось в донышко круглой луны, чуть отъеденной тьмою с левого бока; в кустах утихали шорохи. Повсюду ещё пахло пирожными и конфетами, и пыль тоже ещё не улеглась — она висела над дорожками и призрачно светилась.

Вероника сидела в маленькой шатровой беседке на территории шестого отряда. Игорь остановился возле ступенек, почувствовав что-то не то.

— Тебя все потеряли, — осторожно сказал он.

Вероника помедлила, словно прислушивалась к себе.

— Между нами всё кончено, — наконец спокойно произнесла она.

Игорь сразу понял её, но ни на миг не поверил в эти мёртвые слова, даже не смутился. Сердце не дрогнуло. Этого просто не может быть.

— Что не так? — мягко спросил он, поднимаясь в беседку.

— Лучше не приближайся, — как-то странно предостерегла Вероника.

Игорь послушно опустился на скамеечку напротив.

— Я в чём-то виноват?

— Ты тут ни при чём.

Она говорила без всяких эмоций, а глаза её серебряно блестели в тени.

— Значит, проблема в Саше? Или в его матери?

Свистуха вполне могла настучать Алевтине Петровне, и та вполне могла предъявить Веронике ультиматум: или завязываешь с любовником, пока не поздно, или прощай, учёба. Игорь тотчас устыдился этого предположения. Оно означало, что Вероника сделала подленький выбор, — а Вероника не заслужила, чтобы Игорь снова заподозрил её в корысти. Однако нехорошие, но обыденные соображения помогали сохранить рациональность, ибо внезапный разрыв вывихивал мозги своей вопиющей бессмысленностью.

— Не приближайся ко мне, — повторила Вероника. — Я долго думала и приняла решение. Теперь всё.

— Но почему?! — разозлился Игорь.

Он ещё не ощутил потери, и непонимание ошеломляло больше утраты.

— Потому что связь с тобой — это неправильно. Тебе самому это ясно. Я поступила непорядочно, когда обманула Сашу. И я исправляю свою ошибку.

— Да наплевать на Плоткина!.. — взвился Игорь.

— В обществе я буду жить по законам общества, — отчеканила Вероника. — Расценивай это как угодно. Мне безразлично. Возвращайся в корпус.

Игорь поднялся на ноги. В нём закипала ярость. Он что, приблудный кот, которого можно покормить в прихожей и выгнать обратно за дверь? И он не желал расставаться с Вероникой из-за каких-то её бредней!

— Я тебя люблю и не отпущу, поняла? — он глядел на Веронику сверху вниз, а она вцепилась руками в скамеечку, словно удерживала себя на месте.

— Не приближайся! — глухо сказала она в третий раз, но уже с какой-то недоброй одержимостью, будто Игоря подстерегала опасность.

Он и не стал приближаться, не стал пытаться обнять её или хотя бы погладить по плечу, чтобы напомнить о былой лёгкости прикосновений. Он сбежал по ступенькам беседки на землю и пошёл прочь.

Вероника молчала, вперив почерневшие глаза в пустоту.

Игорь шагал к своему корпусу, взвинчивая себя, чтобы гневом обогреть душу, однако в темноте его настиг ледяной ужас разразившейся катастрофы.

Глава 10

НА БЕРЕГУ

— Ярко галстуки горят! — в лад выкрикивали девочки.

— На груди! На груди! — кричали мальчики.

Четвёртый отряд топал строем на обед в столовку.

— Горны звонкие трубят!

— Впереди! Впереди!

— Пацы, если сёдня не сыграем в «Морской бой», я начну конфеты жрать, — зашептал соседям Гельбич. — Или поменяюсь с кем-нибудь на чё-нибудь.

«Или Жанке Шалаевой скормлю», — за Гельбича добавил Валерка.

— Нельзя! — возмутился Горохов. — Все терпят, и ты терпи!

— У меня силы воли ваще нету!

— Давайте на тихом часе сдёрнем, — предложил Титяпкин.

На том и порешили.

Жизнь в лагере шла своим чередом. Когда по трансляции прозвучали сигналы отбоя, Ирина Михайловна загнала пионеров в палаты, дождалась тишины и отправилась к себе в третий корпус, поручив дежурство Игорю Александровичу. Игорь Александрович побродил по коридору и поднялся наверх. Тогда в дверь Валеркиной палаты просунулся Гельбич.

— Толстая свалила, Усатый дрыхнет, — сообщил он. — Двигаем, пацы!

— Вы куда? — приподнялся на койке Лёва.

— Да мы по-пырому, — успокоил его Гурька.

Их было пятеро: Гельбич, Гурька, Валерка, Титяпа и Горох. Пригибаясь, они опрометью пробежали от корпуса к умывалке, от умывалки — к забору, перелезли сетку и очутились возле куста, в котором спрятали кораблики.

— Погодь, пацы! — остановил всех Гурька и достал из кармана два длинных пластика жвачки. — Мне мамка привезла! Даю по-братски!

— Крутяк! — восхитились пацаны. — А как две на пятерых поделить?

— Я разорву на кусочки, у меня глаз-алмаз! — заявил Титяпкин.

— Не-е, поровну не порвутся, а не поровну — нечестно!

— Давайте так! — загорелся Гурька. — Разорвите жувачки пополам, будут четыре одинаковые части, вы их жуёте, а потом все отдаёте мне жувать!

— Нечестно! — опять возмутился Горохов. — Мы все будем жувать половинки, а ты потом — две целых? Обнаглел ваще, бизон мохнорылый!

— Давайте считаться! — придумал Гельбич. — На кого бог пошлёт! Кто первый вылетит, тот ничего не получает, да и всё!

Гельбич принялся считать, тыча в пацанов длинным пальцем:

— Арбуз, дыня, жопа синя! Арбуз, масло, жопа красна! Горохов, ты!

— Да чё за фигня-то? — едва не заплакал Горохов. — Надо считаться не на первый вылет, а на кто останется!

Задача казалась неразрешимой.

— Короче, пацы, — нашёлся Валерка, — я знаю! Давайте так. Я ничё не жую, но от каждого получаю две конфеты.

— Верняк! — обрадовались пацы и полезли по карманам.

Теперь у Валерки образовался капитал для полноценной игры в «Морской бой», потому что без ставки в виде конфет игра лишалась азарта. А пацы поделили жвачки и сосредоточенно жевали, глядя друг другу в глаза.

— Вы только не глотайте, — снисходительно посоветовал Валерка. — Если проглотить, жувачка может к сердцу прилипнуть, и тогда умрёте.

Титяпкин испуганно икнул.

— Пацы, блин, я проглотил... — ошарашенно прошептал он.

Из недр зелёной черёмухи они вытащили хранящиеся там кораблики — обточенные о кирпичи куски сосновой коры с мачтами-палочками. На мачты насадили бумажные паруса. Кораблики сделались готовыми к плаванию.

Берег Волги в тихий час был пуст. В небе носились и орали чайки. Вода нежно шипела, оглаживая замусоренный пионерами лагерный пляж с полосой гальки вдоль прибоя. Впрочем, хороший прибой здесь случался редко: в реке перед лагерем лежала длинная отмель, гасившая набегающие волны. За отмелью виднелся белый бакен с надписью «114». Вдали вверх по Волге шёл толкач с низкой баржей, загруженной чем-то сыпучим. Синие Жигулёвские кряжи истаивали в солнечном сиянии, словно глыбы льда.

Гурька самоотверженно снял триканы, взял кораблики в охапку, зашёл в воду и разместил флотилию на акватории. Пацы тем временем собирали кидательные камни. Ими полагалось обстреливать фрегаты до тех пор, пока те не перевернутся вверх брюхом. Последний уцелевший кораблик и будет считаться победителем. Меж собой суда различались надписями на парусах, изготовленных из газетных лоскутков: у Валерки была «Вда», у Титяпкина — «Зда», у Гурьки — «Сия», у Горохова — «Няя ква», а у Гельбича — «Бочий».

— Покежьте камни, — потребовал у всех Титяпкин.

Камни должны были быть размером со сливу, не больше.

Титяпкин отнял у Гурьки плитку-блинчик и выбросил.

— А ты свои покежь! — обиженно потребовал в ответ Гурька.

Он тоже забрал у Титяпкина один камень и выбросил.

Гельбич встал в позу метателя копья и скомандовал:

— На старт... внимание... марш!

Град камней посыпался на флотилию, забултыхали всплески, маленькие кораблики закачались, словно стая уток. «Сия» едва не кувыркнулась, но выправилась, а «Зде» намочило парус. Но запас зарядов иссяк через минуту.

Пацы бросились искать новые камни — а нужные, как назло, тотчас исчезли среди гальки величиной с копейку. Обстрел утратил интенсивность.

— А дробью можно? — задыхаясь, спросил Гурька.

Согнувшись, он яростно рыл песок руками, как собака.

— Нельзя! — удушенно выдохнул Горохов, тоже согнутый пополам.

Титяпкин первым нашёл булыжник и сразу запулил его по корабликам.

— Горохов потоплен! — радостно завопил он.

«Няя ква» печально плавала вверх дном.

— Да бли-ин!.. — расстроился Горохов и высыпал снаряды.

— Лучше бы мне отдал! — пожалел Гурька. — Я бы Титяпе отомстил!

Титяпкин сразу перенёс огонь на Гурькину «Сию», а Гурька обрушился на «Зду». Гельбич присоединился к Титяпе и Гурьке, цинично обстреливая их суда: он надеялся, что при помощи вероломства поразить кого-нибудь из противников будет вероятнее. Валерка же спокойно расстреливал «Бочего» Гельбича. Однако артиллерист из Валерки был аховый, и его камень ударил прямо в «Сию». «Сия» подпрыгнула и перевернулась.

— Ты кого подбил, косоглазый?! — взвыл Гурька.

Валерка только хмыкнул. Главное — его «Вда» не повержена.

Коварный Гельбич сощурился — и его снаряд метко опрокинул «Зду».

— Ну, всё! — поник Титяпкин. — Как всегда, победили козлы!..

Валерка и Гельбич теперь могли не спешить. Они встали поодаль друг от друга, чтобы не мешать, и швыряли камни по всем правилам, с прицелом и замахом. Всплески качали «Вду» и «Бочего», но кораблики держались.

Пацаны уселись на песок в предвкушении развязки.

— Если Вентиль выиграет, я до бакена доплыву, — пообещал Гурька.

Но сзади от лагерного забора вдруг раздался требовательный окрик:

— Эй! Эй!.. Вот вы где!

Пацаны оглянулись. За сеткой-рабицей виднелся Лёва.

— Вы чего сбежали из палаты? — гневно спросил он издалека. — Нельзя в тихий час отлучаться! Возвращайтесь в корпус!

Валерка почувствовал, что пацаны внутренне сжались, даже Гельбич опустил руку с камнем. Но чего им бояться Лёву? Лёва — не вожатый!..

— Догадался, где мы, — тихо сказал Горохов.

Валерка посмотрел на пацанов и с ненавистью уставился на Лёву. Лёва был весь из себя такой правильный-правильный: в брюках, в белой рубашке с галстуком... Причём он был правильный не казённо и не напоказ, а по-настоящему. Вот только по ночам он пил кровь, а так — всё хорошо.

— Доиграть не дал... — вздохнул Титяпа.

Гельбич неуверенно потоптался, а потом с досадой швырнул камень, повернулся и покорно поплёлся к забору. Пацаны тоже поднялись на ноги, отряхнулись от песка и уныло потянулись за Гельбичем. Лёва ждал, осуждая товарищей взглядом сквозь ограду. Валерку он словно бы не замечал.

— А как же корабли?! — отчаянно крикнул Валерка вслед мальчишкам.

И для него этот день словно бы начал стремительно пустеть. Конечно, пацы не были ему лучшими друзьями, но всё же они жили общей компанией, вместе играли, вместе маршировали и орали речёвки, и думали они почти одинаково. А сейчас пацы уходили, а Валерка оставался, не понимая, почему пацы не могут тоже остаться здесь, на пляже. Мало ли чего там Лёва хочет!..

Над искристым мелководьем заполошно галдели чайки, носились над бумажными парусами «Вды» и «Бочего». Валерка глядел на удаляющихся мальчишек, и в душу его медленно закрадывался вещий мертвящий страх, что он остаётся один не только на берегу реки, но и во всём мире.

Глава 11
ВЕРНУТЬ ВОЗЛЮБЛЕННУЮ

Игорь выцепил Веронику после полдника возле двери в столовку.

— Покурим?

— Я бросила.

— Тогда поговорим без сигарет.

— Больше не о чем.

— Пока ещё есть. Я хочу вечером провести Плоткину политинформацию. Поведаю ему о положении дел на личном фронте. Уверен, беседа получится увлекательной. Приходи к нам домой, поддержишь меня авторитетом.

Иронией Игорь маскировал свою боль от разлада с Вероникой и свой страх перед изменением ситуации. Прежняя Вероника только сморщила бы нос в насмешке, демонстрируя превосходство над жалким трепыханием жалких людишек, а нынешняя просто посмотрела без выражения и отошла.

Весь день Игорь размышлял о ночной встрече. Он сам виноват в том, что Вероника решила отказаться от него.

Что он сделал для любви? Ничего! Конечно, он бездействовал не от трусости и не от лени, но тем не менее... Надо было с самого начала всё объявить Плоткину. Нахлобучить ему новость на мозги и послать его подальше. Но Игорь не допетрил вовремя. Он попал в ловушку безмятежности, когда всем хорошо: и ему, и Веронике, и Саше.

То, что вечером должен услышать Плоткин, наверняка разрушит его отношения с Вероникой. Вряд ли избалованный Сашенька способен на великодушие и прощение. И вряд ли гордая Вероника способна остаться с человеком, перед которым она так виновата. Но имеет ли Игорь право ломать им жизнь? Особенно если Вероника сказала, что не желает этого. Да, имеет! Он верит, что у них с Вероникой настоящая любовь, — значит, за неё надо бороться. И пусть проиграет тот, кто не вкладывал в любовь душевных сил.

Конечно, Вероника может и не вернуться к нему, даже когда порвёт с Сашей. Она самолюбивая и не терпит над собой чужой воли. Но если не разрушить её отношения с Плоткиным, то она уж точно не вернётся.

Эти мысли терзали Игоря до вечера. Однако завести разговор сразу после отбоя Игорь не сумел. Сперва он утихомиривал пацанов в палатах; потом Саша ушёл в Дружинный дом гладить рубашку и брюки — в Дружняке имелся общественный утюг; потом у Жени Цветковой заболел живот, Игорь дал ей таблетку и ждал, пока Женя уснёт. А потом уже стемнело, и запал как-то иссяк. Игорь вышел на улицу покурить и набраться храбрости.

Он прогуливался под соснами, понимая, что обманывает себя и только тянет время. Предстоящее объяснение с Плоткиным было ему невыносимо. Деревянные терема, неровно и зыбко освещённые круглой луной, выступали из тьмы причудливыми частями: фигурным крылечком, ведущим в никуда; углом крыши, висящим в пустоте; взлетающим острым фронтоном.

Внезапно вдалеке за стволами Игорь заметил Веронику. Она шла от третьего корпуса к четвёртому. Игорь остановился, надеясь не попасть ей на глаза. Конечно, Вероника направлялась к ним с Плоткиным. Так пусть она встретится с Сашей наедине и сама всё ему скажет!.. Это было малодушное и некрасивое желание, но Игорь, смущаясь, всё-таки подчинился ему.

Он выкурил ещё одну сигарету, и ещё одну. Наверное, там, в каморке на втором этаже, самые страшные слова уже прозвучали. Можно дальше не прятаться. Игорь выбросил окурок и зашагал к крыльцу.

А Саша Плоткин спал. Просто спал. Он даже забыл выключить лампу на столе. Блестело приоткрытое окно. И никакой Вероники в комнате не было, хотя Игорь, вроде бы, уловил тонкий запах её духов. «Улетела она, что ли?» — удивился Игорь. Скорее всего, он просто проморгал, как Вероника сбежала.

Он толкнул Плоткина в бок.

— Что тебе сказала Вероника? — спросил он.

— Какая Вероника?.. — глупо переспросил сонный Саша.

— Она была здесь?

— Здесь?.. Никого здесь не было! Зачем Несветовой сюда приходить?

Значит, она вошла — увидела Сашу — и ушла. Пожалела. Или тоже не решилась. Круглая луна ухмылялась в окно. Игорь обессиленно сел на свою койку. Нет, сегодня он не станет ничего говорить Плоткину. Завтра. Завтра.

Весь следующий день Игорь наблюдал за Вероникой и Сашей. Вероника вела себя так, будто всё как прежде. Она смеялась, когда Плоткин шутил, и сама говорила что-то весёлое. Саша явно ничего не подозревал. А Игоря уже не терзал страх перед разоблачением; сейчас его съедала тоска. Вероника была рядом — и словно за тысячу вёрст. Игорь смотрел, как она отдаёт салют, как повязывает девочкам галстуки, как разбирает чью-то ссору и строго хмурит брови, как прикрывает глаза от солнца, как ходит, как поправляет волосы... Он не может её потерять. Не может уступить. Никогда. Ни за что.

— Ты о чём весь день думаешь, Корзухин? — сердито одёрнула его Ирина. — У тебя мальчишки мусор раскидали! Иди, работай!

Игорь еле дотянул день до конца и после отбоя всё же сорвался: наорал на мальчишек, чтобы засыпали. А Саша, как назло, всё возился со шмотками: рылся в чемодане, перестилал постель, чистил парадные ботинки. Игорь ждал. Саша завершил свои дела, когда за окном уже стемнело.

— Укладываемся? — спросил он, протянув руку к выключателю лампы.

— Нам надо поговорить, — остановил его Игорь.

Саша замер, вопрошающе глядя на Игоря. Игорь долго готовился к этому моменту, а сейчас совершенно не знал, с чего начать. И он сказал:

— В общем, Саш, Вероника тебя не любит. Просто она тебе не возражает, потому что боится твоей семьи. А любит она меня. И у нас уже всё было.

Игорь выдохнул. Камень сброшен, сейчас покатится лавина.

А Саша смотрел на него с какой-то усталой грустью и разочарованием; так учитель смотрит на ученика, который не приготовил урок и врёт, будто просидел у бабушки в больнице, хотя никакой бабушки у него нет.

Похоже, камень пролетел по склону сам по себе, и лавина не стронулась.

— Вероника предупреждала, что ты огорошишь меня чем-то подобным, — сообщил Саша. — Не понимаю, зачем ты оскорбляешь и опошляешь наши с ней чувства. Завидуешь, что ли? Это недостойно.

Игорь остался в невесомости и без воздуха, подобно аквалангисту, у которого внезапно выдернули изо рта дыхательную трубку.

«Вероника предупреждала»?.. Она обезопасила себя от удара?!.

И тут в окно снаружи поскреблись.

Окно находилось на втором этаже. Никто не мог поскрестись в него — разве что приставить лестницу и взобраться... Но зачем? И звук был какой-то отвратительный — так стекло визжит, когда его царапают железом.

Игорь всё ещё пребывал в состоянии изумления, будто бесконечно падал и никак не мог достичь дна, предела. Он перевёл взгляд на окно и за стеклом, бликующим от лампы, увидел лицо Вероники — очень бледное, невыразимо прекрасное, с огромными провалами чёрных глаз. Тёмные губы Вероники неслышно шевельнулись. Игорь прочёл повеление: «Открой!»

Он не двинулся, окостенев в столбняке, а Плоткин проворно подался к окну, брякнул шпингалетом и распахнул створку.

Вероника не залезала в окно — её нечеловеческую пластику нельзя было назвать словом «залезала», — она как-то вместилась в проём, немыслимо изгибая руки, ноги и тело. Так гуттаперчевые девушки-ассистентки вкладываются в ящик, который фокусник потом распиливает пополам.

— Уберись! — глухо приказала Вероника Плоткину.

Саша отскочил и юркнул на свою койку.

Игорь как сидел, так и сидел.

— Ты приглашал — я пришла! — улыбаясь Игорю, прошептала Вероника.

Её тихий и нежный голос заполнял сразу всю каморку, словно говорило само пространство. Игорь встряхнул головой, избавляясь от наваждения, но не мог отвести взгляда от колдовских глаз Вероники, в глубине которых мерцало что-то багровое. А в улыбке Вероники сверкали два острых клыка.

«Вероника — вампир!» — понял Игорь.

Эта мысль была абсолютно иррациональной, однако вампиры и прежде уже мелькали где-то на периферии, и потому рассудок не воспротивился тому, что невозможно допустить. Игорь вдруг вспомнил Валерку Лагунова — смешного и серьёзного маленького мальчика в очках. Этот мальчик пытался убедить его, что вампиры существуют. Игорь тогда не поверил.

— Я и вчера приходила, — продолжала Вероника, приближаясь к Игорю. — Но тебя не нашла... И я взяла другого — его...

Вероника игриво посмотрела на Сашу, который сжался и закивал.

Невозможная реальность вампира была очевидна Игорю до мельчайших подробностей, но ошеломляла настолько, что казалась чужой — навязанной сознанию по воле какого-то глумливого гипнотизёра. В голове у Игоря всё замелькало и закувыркалось, будто в старинной библиотеке с полок градом посыпались книги, распахиваясь на цветных картинках: «Молот ведьм» и священная инквизиция, беснующиеся женщины Салема, обезглавленные петухи в обрядах вуду и ожившие мертвецы на Тринидаде, бледный граф Дракула в кружевном жабо, какие-то гробы, пустые могилы, руины старых замков, мутные зеркала, истлевшие одеяния, медные распятия, серебряные пули, осиновые колья... У Игоря не было личного опыта, были только образы и слова, словно первый раз с женщиной или первый раз за границей, и он ни за что не поверил бы в инфернального вампира, решил бы, что сошёл с ума, если бы не знал Веронику раньше — она не могла быть такой!..

От ужаса Игоря начало подташнивать, но какая-то часть его души ещё видела в Веронике человека, и потому к ужасу примешалась смертная тоска. Вероника превратилась в чудовище?! Её больше нет?! Игорь мог принять, что появились вампиры, — но не мог смириться, что Вероника исчезла.

Однако сейчас в её клыках исчезнет и он сам! Он сам!

Что делать?! В памяти всплывали какие-то сказочные заклинания...

— Я отменяю своё приглашение! — еле выдавил Игорь. — Уходи!

— Здесь и Сашенькин дом, — лукаво ответила Вероника. — А Сашенька тоже приглашал меня в гости.

Игорь покосился на Сашу. Саша втиснулся в угол. Он не боялся — ему уже нечего было бояться. Он выполнял приказ убраться с пути.

— Он твой раб! — задыхаясь, бросил Игорь в сияющее лицо Вероники. — У него нет ничего своего, и дома тоже нет! Этот дом только мой! Уходи!

Веронику словно бы дёрнул электрический импульс. Лицо её исказилось от напряжения — она боролась с собой, но тело само отступило, будто им кто-то управлял, как по радио управляют моделями самолётов. С ловкостью кошки, не коснувшись ни стола, ни кровати, Вероника попятилась и вдруг, отпрыгнув назад, снова вместилась в квадрат открытого окна.

— Мы будем вместе, как ты хотел, мой любимый, — пообещала она и мгновенно растворилась в темноте.

Глава 12

ПОЛНОЛУНИЕ

— Валера... Валера... — тормошили Валерку.

Он с трудом расклеил глаза. Откинув полог «домика», над его кроватью склонился Горь-Саныч. Лицо его укрывала тень, а за плечом в окне мерцала сосновая роща, залитая бледным лунным светом. Пацаны в палате спали.

— Валера, вставай! — взволнованно попросил вожатый. — Ты мне нужен!

— Прямо сейчас? — удивился Валерка.

— Прямо сейчас!

Зевая, Валерка сел, спустил ноги и потянулся за рубашкой.

Горь-Саныч ждал его у крыльца. Он схватил Валерку за руку и, ничего не говоря, потащил за собой куда-то прочь от корпуса. Они пробежали мимо умывалки — Горь-Саныч затравленно оглядывался на ходу — и залезли в черёмуху возле сетчатого забора. Горь-Саныч прижал Валерку книзу, будто новобранца в окопе при обстреле, и высунулся проверить окрестности.

— Кто за нами гонится? — недовольно спросил Валерка.

Горь-Саныч опустился под защиту листвы и посмотрел Валерке в глаза.

— Я видел вампира.

Сонная муть у Валерки в голове тотчас развеялась без следа.

— Кого?!

— Веронику Генриховну.

Валерка уселся в траве поосновательней. Значит, и Греховна тоже...

— Их много тут, вампиров-то, — серьёзно сказал Валерка. — Лёва Хлопов. Маринка Лебедева. Алик из рисовального кружка. Наверняка ещё есть.

— Ты уверен в этих трёх?

— Уверен.

— Почему?

— Они при мне людей кусали.

Игорь Александрович сокрушённо покачал головой.

— Как же ты спасаешься? От того же Лёвы, например?

— Они днём не кусают, только ночью. А ночью я в «домике». Они не могут зайти без приглашения. А я не дурак их приглашать.

Конечно, дело в доме! — понял Игорь. Он ведь каждый вечер наблюдал, как Валерка Лагунов мастерит себе над койкой наивную палатку из простыни — «домик»... Валерка прятался не от комаров; он прятался от вампиров!

— И тебе не страшно? — спросил Игорь.

Валерка отвёл взгляд и пожал плечами.

— Страшно. А что делать-то? Я привык.

Игорь рассматривал Валерку, словно видел впервые. Этот мальчишка, вроде — хлюпик в очках, уже много дней жил в кошмаре, и жил один. Он обо всём догадался, но ему не с кем было поделиться своим открытием, некого было позвать на помощь, и даже вожатый — он, Игорь Саныч! — не услышал его! Лишь вампиры знали, что мальчишка прав. Однако мальчишка не запаниковал, не сдался, а придумал способ защититься. Он боец, боец без лишних слов, и в себе Игорь — увы! — не ощущал такого же мужества.

— Прости, что не поверил тебе, — искренне сказал Игорь.

— Да ладно, — неловко ответил Валерка.

Кусты перешёптывались под лёгким ветерком с Волги, в буйной траве стрекотали цикады. За частоколом стволов светилась Пионерская аллея. Высоко в небе сияла круглая луна — сегодня было полнолуние. Сосновый бор, черёмуха и травы дышали горячим дурманом, словно через запахи земля освобождалась от душного зноя этого перестойного лета.

— Я люблю Веронику Генриховну, — просто признался Валерке Игорь. — И мне невыносимо, что она теперь... такая.

Пацы были в курсе, что Горь-Саныч любит Греховну. Кто-то одобрял, кто-то не одобрял, но Валерка почувствовал, как больно Горь-Санычу.

— Я хочу вернуть её обратно в человеческий образ, — продолжил Игорь. — Поэтому мне надо всё понять про вампиров.

— А чего про них понимать?

Игорь сорвал с черёмухи мелкую чёрную ягоду.

— Нету загробной жизни, — убеждённо сказал он, будто опровергал кого-то, — и мёртвые не оживают! Значит, вампирство — болезнь!

Валерка не спорил — но и не соглашался.

— В старину невежественные люди принимали некоторые болезненные состояния за превращение умершего человека в демона. Ну, как при летаргии больной не умирал, а просыпался, но его считали мёртвым и воскресшим!

Горь-Саныч подыскивал разумное объяснение вампирам в пионерлагере.

— Они существуют по каким-то законам! Нам надо в них разобраться!

О природе вампиров Валерка прежде как-то не размышлял.

— Вот скажи, Валер: Лёва и Вероника — они мёртвые?

— На мёртвых не похожи, — осторожно выдал Валерка.

Игорь обрадовался, будто его диагноз подтвердил профессор медицины.

— Я сужу по Веронике, но ты возрази мне, если я не прав. Наши вампиры едят обычную еду. Спят. Нисколько не боятся солнца. Это не персонажи Гоголя, которые встают из могил...

Гоголя Валерка ещё не читал.

— Если вампирство — болезнь, то от неё должно быть лекарство! На дворе двадцатый век! Человечество уже в космос летает!

— Вы хотите их в больницу сдать? — предположил Валерка.

Он представил, как на верёвке за шею волочит Лёву в поликлинику, будто бешеную собаку, а Лёва упирается, шипит и брызжет слюной.

— Нет, не в больницу!.. — замотал головой Игорь.

Современная наука отрицала то, что ему было интересно, — снежного человека, лох-несское чудовище, брокенских призраков, летающие тарелки. Современная наука законопатит вампира в психушку, вот и всё лечение.

— В старину были обряды для исцеления таких больных, — Игорь на ходу изобретал стратегию. Мысли его роились. — Я чего-нибудь вспомню, надо только определить их модус операнди... ну, образ действий.

— Пить кровь — вот и весь образ действий, — буркнул Валерка.

— Нет, этого мало. Чем они днём отличаются от обычных людей?

Перед мысленным взором Валерки предстал Лёва Хлопов в брюках, белой рубашке и галстуке... Потом Альберт — и тоже в брюках, белой рубашке и галстуке... Образцовые пионеры, как со смотра строя и песни.

— Они... они правильные! — Валерка сам обомлел от своего вывода.

— И что? — замер Игорь, тоже начиная что-то соображать.

— Они правильные, — уверенно повторил Валерка. — А правильным быть ненормально!

Ясное дело, ненормально! Все люди неправильные! Даже правильная Анастасийка, отличница и командир отряда, верит в гномиков и чёртиков!

А Игоря поразила точность Валеркиного наблюдения. Вероника тоже стала правильной!.. Той ночью она отчеканила: «В обществе я буду жить по законам общества!» Зачем это ей? Да затем, что вампирам надо прятаться от людей, и лучший способ спрятаться — не привлекать ничьего внимания: стать как все, стать никем, не выделяться, подчиняться общепринятому порядку.

— Днём они становятся идеальными гражданами, а ночью пьют кровь! — ошеломил сам себя Игорь. — Днём они как разведчики в окружении врагов! Значит, они прекрасно соображают, что они вампиры, и маскируются!

— А почему те, кого они укусили, не все делаются вампирами? — спросил Валерка. — Хлопов Мухина кусал, а Мухин не вампир. И другие тоже.

— Может, есть иммунитет на инфекцию? — тотчас предположил Игорь. — Последствия укуса зависят от организма. Одни заражаются и превращаются в вампиров, а другие не заражаются и ни в кого не превращаются.

Но Валерке это предположение не понравилось. Менялись не только сами вампиры, но и те, которые были укушены, однако вампирами не стали. Как Славик Мухин. Или Маша Стяжкина, укушенная Маринкой Лебедевой. Валерка вспомнил незаметное происшествие в столовке: Славик хотел вслед за пацанами потравить бабу Нюру и бросить ложку в бачок с объедками, а Лёва запретил, и Славик не бросил ложку в бачок. И ещё Валерка вспомнил, как Маринка Лебедева приказала Стяжкиной подобрать мусор, и Маша подобрала с асфальта сухую ветку. И ведь таких мелочей было много!.. Да что там мелочи!.. В сознании Валерки мелочи начали складываться друг с другом в большие картины... Пацы не хотели играть в футбол — и вдруг заиграли, как на Олимпиаде! Художники из рисовального кружка хотели рисовать всяких кошек и бабочек — и вдруг нарисовали буржуинов с бомбами!.. Они все делали то, чего не хотели! И делали по приказу вампира!

— Кто не стал вампиром, тот служит вампиру! — прошептал Валерка.

Игорь снова замер, осмысляя.

В первый раз Вероника не застала его, Игоря, дома, и укусила Сашу. А потом явилась снова. «Открой!» — велела она Саше, и Саша открыл окно. «Уберись!» — велела она Саше, и Саша забился в угол. А ещё она сказала, что Игорь соврёт про их любовь, и Саша не усомнился в её словах... Укушенный не просто служит вампиру. Он ему подчинён. Порабощён. Ведь не зря же по отношению к Саше у Игоря тогда вырвалось это определение — «раб»!

Определённо, Валерка Лагунов — гений.

— Ты поможешь мне бороться с ними? — спросил у Валерки Игорь. — Борьба с вампирами — хорошее дело. И мы с тобой — настоящий коллектив.

Валерку продрал горячий озноб. И летняя ночь вдруг сделалась темнее, и полная луна засияла, будто умытая, и медвяный запах травы опьянил.

— Я с вами, — твёрдо ответил Валерка.

Часть четвёртая
СТРАХ ВАМПИРА

Кровью народной залитые троны
Кровью мы наших врагов обагрим.

Г.Кржижановский, «Варшавянка».
1897 г.

Глава 1

ЗАМИНИРОВАНО

Игра заключалась в следующем: Юрик Тонких закапывал в песок свою правую руку, скрючив пальцы по-хитрому, — это была «мина», и её, стараясь не коснуться, осторожно откапывал «сапёр» Валерка. Если случится касание, «мина» рванёт — Юрик быстро выдернет руку, швырнув «сапёру» в морду целую кучу песка. Но Валерка не боялся «подзорваться». Тонкий — хлызда, он не кидается песком, как Титяпкин или Гурька, к тому же у Валерки есть защита — очки. Правда, из-за них Валерка считался «сапёром» не очень интересным, и потому играть с ним соглашался только Юрик.

— Дурацкое баловство, — проходя мимо, обронила Анастасийка.

Валерка деловито выгреб канаву вокруг «мины» и начал кончиками пальцев счищать песок сверху. Обозначилась засыпанная ладошка Юрика. Валерка принялся дуть на неё. Юрик хихикнул от лёгкой щекотки песка, рука вздрогнула, и под песком проявились пальцы. Валерка уверенно надавил Тонкому на ноготь среднего пальца — и «мина» была обезврежена.

— Теперь ты «сапёр», — сказал Валерка и сразу засунул свою руку в горячий песок с мелкими камушками.

Юрик, сопя, склонился над «миной», а Валерка поверх Юрика смотрел вслед Анастасийке. Она была такой красивой — в синем купальнике, в шляпе с широкими полями и с полотенцем, обмотанным вокруг талии... На фоне ослепительного неба она казалась сотканной из той темноты, которая плывёт в глазах, когда долго смотришь прямо на яркое солнце.

Из шести отрядов на пляж были выведены только четыре; первый отряд дежурил, а в пятом отряде медсестра тётя Паша насчитала слишком много сопливых. Малышня с визгом и плеском резвилась в «лягушатнике» у берега — на мелководье, огороженном деревянными мостками. По мосткам ходили дозорные — тёзки Максим и Кирилл: оба в толстых надувных спасжилетах и остроконечных пилотках с красными звёздами. Заодно они контролировали и акваторию, где купались пионеры постарше. Пацаны там то и дело атаковали девочек, все брызгались и орали. Но энергии хватало только у детей. Лето уже перекормило жарой, как сладостями; купание надоело, и солнечные ванны тоже, и потому вожатки, прикрыв головы панамами, просто сидели на песке в шортах и футболках и пережидали обязаловку водных процедур.

Горь-Саныч читал книжку, изредка отрываясь и поглядывая на пляж. Всякий раз он встречался глазами с Валеркой, и Валерка тотчас делал вид, что никакого ночного разговора у них не было, и вообще их двоих ничто не связывает. Вампиры повсюду, и надо соблюдать секретность. Они с Горь-Санычем как снайперы в засаде: пошевелишься — и выдашь себя. Правда, снайпер из Горь-Саныча был фиговый: лицо опухло, глаза красные, и общий вид как у больного. Открытия вчерашней ночи сегодня утром обернулись для него душевной и телесной разрухой.

«Белазы», парни-спортсмены из второго отряда, и старшие девочки, которые были раскованнее и симпатичнее прочих, встав в круг, небрежно перебрасывались мячом; время от времени кто-нибудь из «белазов», сцепив руки замком, вышибал высокую «свечу». Жанка Шалаева, вся такая резкая и уличная, в этой игре оказалась на редкость неуклюжей: промахивалась, отбивала косо или теряла мяч. Другую такую разиню давно бы изгнали, но Жанку терпели из-за бандитских связей.

Жанке самой наскучила игра. Она покинула круг, нацепила на нос чёрные очки и подошла к Гельбичу, разбито лежащему на расстеленной одежде. Он напоминал самолёт, рухнувший от недостатка горючего.

— Ты чё залип тут? — спросила Жанка. — Меня там рукожопой обзывают!

— Дак если ты рукожопая, — лениво пояснил Гельбич.

Жанка ногой подцепила песка и швырнула Гельбичу на грудь.

— Пойдём в воду! — потребовала она.

Рядом с Гельбичем загорал Лёха Цыбастов.

— Девочка Жанна купаться пошла, — заржавленно проскрипел он. — В среду нырнула, в субботу всплыла.

— Чё, Цыбухин, зубы лишние?

Цыбастыш промолчал. Эта дура всегда задирается, заколебэ отвечать.

— Если не пойдёшь, я Лёлику скажу, что ты защеканец.

Сцепляться с вооружёнными силами Жанки никому не хотелось.

— Ладно, — обречённо согласился Гельбич.

— Я тогда тоже, — прокряхтел Цыбастыш.

— Кто тоже, тот говно гложет, — отбрила его Жанка.

Гельбича она присвоила себе и делиться им с Цыбастышем не желала.

Вдали, в рассыпанном сверкании Волги, летела «Ракета» на подводных крыльях. Валерка, щурясь, смотрел на неё. Здоровско было бы покачаться на волнах, которые прибегут к берегу от мощной «Ракеты», но отмель перед пляжем сгладит эти волны, и покачаться, увы, не получится.

Игорь жестоко не выспался. Это Валерка Лагунов научился спать рядом с вампиром, а Игорь задремал только перед рассветом и сейчас ронял голову над книжкой. У него затекли и зад, и спина, глаза съезжали куда-то набок. Он отложил книжку и поднялся. Мозги расползались на жаре, как подтаявший шоколад. Игорь был в сандалиях на босу ногу. Он зашёл в воду и побрызгал в лицо, а потом, разминаясь, прогулялся по пляжу, чтобы проверить своих пионеров: вдруг сгорели, или тайком играют в карты, или кидаются песком. Измотанные зноем, пионеры вели себя мирно.

Поодаль, наблюдая за своим отрядом, стоял Саша. Руки он сцепил за спиной, на нос приклеил подорожник, на голову пристроил треуголку из газеты. Игорь встал рядом с Сашей и точно так же сцепил руки за спиной.

— А где Вероника?

— Ей нездоровится, — сухо проинформировал Саша.

После вчерашнего Игорь не испытывал перед Сашей никакого стеснения: подчинённый вампиру, Саша лишился своей воли, а потому Игорю стало безразлично его мнение. Но всё же хотелось знать, что творится в уме у такого человека: о чём он думает, как оценивает ситуацию? Игорь понимал, что его желание было иезуитским, — ну и что из этого? Плоткина не жалко. Да сейчас и не было сил на сантименты и прочие китайские церемонии.

— Наверное, умоталась в поисках жертвы, — предположил о Веронике Игорь. — Со мной-то ужин не прокатил.

Игорю очень не понравились собственные слова, не хотелось говорить о Веронике в таком тоне, но требовалось разозлить Сашу.

— Я бы советовал тебе не кривляться, как подросток, а серьёзно подумать над нашим разговором, — назидательно ответил Саша.

— А разве вчера у нас был разговор? — удивился Игорь. — По-моему, Вероника явилась просто выпить моей крови.

— Можешь говорить что угодно. Но тебе внятно объяснили, что нужно изменить своё поведение. Прекрати строить из себя донжуана и ловкача. Ты не такой. В глубине души ты хороший человек. И мы с Вероникой тебе не враги. Умерь своё тщеславие и соблюдай нормы общежития.

Игорь внимательно посмотрел на Сашу. Он врёт или вправду не помнит, что Вероника была вампиром? Вампиром — и это без сомнения!

— Значит, ночью вы всего лишь прочитали мне мораль, да? — уточнил Игорь. — И Вероника не пыталась меня укусить?

— Она что, собака, что ли?! — закипел Саша. — Надоели твои словесные ужимки, Корзухин! Прекрати распускать грязные слухи о своей связи с Вероникой! Я понимаю, что ты не беспокоишься о своей репутации, да у тебя её и нет, но уважай репутацию девушки!

Игорь наконец поверил, что вчерашнего визита вампира для Плоткина как бы не существовало. Не было ни клыков, ни открытого окна, ничего! Был только строгий выговор обнаглевшему ловеласу! Так жертва защищала своего насильника, эксплуатируемый защищал эксплуататора!

— Ешь гематоген, Плоткин, — сказал Игорь. — Помогает при донорстве.

Саша намеревался ответить, но тут пляжное изнурение внезапно разодрал истошный вопль. Вопила Вика

Милованова из второго отряда. Игорь встречал её на телесеансах Олимпиады в домике Серпа Иваныча.

Вика всё утро сидела в тени вербы хоть и в купальнике, но с галстуком и в кепке с козырьком — не хотела ни плавать, ни загорать. Галстук словно бы оповещал о непреклонности её намерений. Но Жанка Шалаева на такое плевала. Если есть возможность кого-то приплющить — как не приплющить?

Жанка, Лёлик и Гельбич с хохотом тащили брыкающуюся Вику к воде; Жанка и Лёлик держали её за ноги, а Гельбич — за руки. Бросить кого-нибудь в реку было обычной забавой тех, кто посильней, и за такое даже вожатые не наказывали — ругнут для порядка, и всё. Конечно, топить Вику никто не собирался; её раскачали бы да бултыхнули, где глубина по колено, чтобы не оправдывалась — мол, не купаюсь, потому что купальник мочить не хочу. Но Вика, едва почуяв свежесть воды, вдруг утробно и страшно взвыла и взбесилась, обретя какую-то неимоверную силу. Могучим рывком обеих рук она мгновенно по-борцовски перекинула Гельбича через себя, толчком ноги отшвырнула Лёлика, а Жанка еле успела отскочить, чтобы не досталось пяткой под дых. Вика шлёпнулась спиной на песок — и тотчас оказалась на ногах; гигантскими прыжками она понеслась прочь с берега, перелетая загорающих на песке пионеров, словно чемпионка стипль-чеза. Пионеры, открыв рты, провожали её изумлёнными взглядами.

— Ваще шизанулась, коз-за! — нервно хохотнула Жанка.

Но Игорю было совсем не смешно. В свирепом и стремительном бегстве девочки Игорь увидел что-то ненормальное, пугающее и нечеловеческое. Так убегают лишь от жуткой и смертельной опасности. А для Вики Миловановой никакой опасности в купании не было. Что же её ужаснуло?

Игорь посмотрел на Валерку. Валерка сидел посреди пляжа, погрузив руку в песок, и Юрик Тонких старательно откапывал её. Валерка не мог не заметить Вику. Он ответил Игорю недоумевающим взглядом и молча пожал плечами: «Я не знаю, что с этой дурой стряслось!» Рука Валерки при этом шевельнулась, и Юрик радостно ткнул пальцем:

— Вот взрыватель мины! — воскликнул он.

— Промазал! — возразил Валерка. — Бацдах, Тонкий! Взрыв песка ударил Юрику в лицо.

Глава 2

ОБЕЗЬЯНЫ И ОРЛЯТА

После матча, сыгранного в Родительский день, Лёва сформировал сборную двух средних отрядов, и многие мальчишки наконец-то получили свободу от ненавистного футбола. Игорь полагал, что в вопросе дисциплины он вполне может довериться вампиру, потому оставил команду на Лёву, а сам забрал бесхозных пацанов и повёл в Дружняк. Мальчишек следовало рассовать по кружкам, дабы не болтались без присмотра. В число бесхозных прорвался Гельбич, который надеялся попасть на музыку, где царила Жанка Шалаева. В общей компании в Дружинный дом шагал и Валерка. Ему было всё равно, чем заниматься, — рисованием у вампира Альберта или пением у вампирши Греховны, однако на музыке он мог видеть Анастасийку.

— В прошлую смену старшаки говорили, что у них был один пацан, он с собой гитару привёз, — по пути рассказывал Серёжа Домрачев. — Он на гитаре играл, как ваще не знаю кто. Все спрашивали, как научился, а он не говорил. Старшаки взяли его гитару, смотрят в дырку — внутри лежит отрубленная рука. Это была рука музыканта. Она-то через дырку и играла, а не тот пацан.

— Откуда узнали, что рука от музыканта? — не поверил Славик Мухин.

— Старшаки сунули в гитару листочек и ручку, и рука написала им.

— А где тот пацан надыбал такую руку?

— На кладбище, где же ещё, — сурово ответил Серёжа.

— Блин! — расстроился Гурька. — Жалко, на могилах не пишут, чего там чендобрек делал, пока живой был. Мне нужна рука, чтобы велик чинила.

После Родительского дня Дружинный дом притих, будто разрядился. Игорь запустил Валерку и Гельбича в зал, где проходили занятия, — правда, Вероники в зале не было. Кружковцы не удивились новеньким — не такие уж те были и новенькие. Скучавшая Жанка сразу подрулила к Гельбичу.

— Чего припёрся? — грубо спросила она.

— Да уж не к тебе! — широко улыбаясь, ответил Гельбич.

Жанка, будто примериваясь, оглядела Гельбича с головы до ног.

— Хочешь, расколдую, какая у твоей жены будет фамилия? Я умею.

— Ну, давай, — охотно согласился Гельбич.

Кружковцы затихли, заинтересованные каверзой Жанки.

— Вырви себе двадцать волос для гаданья, — велела Жанка.

Морщась и шипя от боли, Гельбич принялся выдирать волосы.

— Семь... Двенадцать... Девятнадцать... — считала Лёлик.

Ухмыляясь, Жанка протянула ладошку. Гельбич бережно уложил на неё свои волосы и почесал зудящую голову. Жанка прищурила один глаз, вытянула губы и нагло сдула волосы на пол.

— У твоей жены будет фамилия Гельбич, — сказала она.

Все вокруг захохотали, и Гельбич тоже.

Валерка пересел поближе к Анастасийке.

— Надо конфету? — негромко спросил он.

Он специально принёс для Анастасийки самый немятый «батончик».

Анастасийка скептически осмотрела подарок.

— Я люблю настоящие конфеты, а не такие. Шоколад повышает тонус.

Валерка обиженно зажал «батончик» в кулаке. Эх, напрасно он пришёл сюда, здесь его не ценят... Но Анастасийка заметила его разочарование.

— Ладно, давай, — смилостивилась она. — Съедим пополам.

В это время в коридоре Игорь разговаривал с Вероникой.

— Я к тебе пацанов привёл, — сообщил он.

— Хорошо. Всем найдётся дело.

Игорь пытался понять: перед ним прежняя Вероника — или уже иная?

— Ты помнишь, что произошло ночью?

Вероника поправила галстук на груди и невозмутимо пожала плечами.

— Ничего не произошло. Мы поговорили, и всё.

Она была рядом — но словно бы за прозрачным стеклом. И к этой новой Веронике у Игоря было неприязненно-отстранённое отношение, будто она выполняла чей-то преступный приказ и лично её нельзя было осуждать. Но Игорю хотелось выяснить: Вероника — робот, автоматически действующий по программе, или солдат, который подчиняется командам, но в глубине души сохраняет что-то искреннее — былую любовь или хотя бы сожаление об утрате этой любви? У самого-то Игоря под скорлупой бесстрастия, обжигая, неугасимо тлели угли отчаянья. Игорь хотел разбить стекло, отделяющее его от Вероники, и тогда угли снова разгорелись бы ярким пламенем.

— Мы только поговорили — и больше ничего не было? — Игорь ловил её взгляд. — Я ведь знаю, что ты стала вампиром.

Вероника вздохнула и отвела глаза, словно ей сделалось неловко.

— Сказки про Бермудский треугольник и чудовище Лох-Несса прибереги для пионеров, — посоветовала она. — Мы взрослые люди. Я приняла решение, которое продиктовано совестью, и это решение окончательное. Давай не будем возвращаться к тому, что мы уже обсудили. Мне тоже нелегко.

«Неужели она как Плоткин — в упор не видит и не осознаёт вампирства? — подумал Игорь. — Ночью она пьёт кровь и обращает жертву в раба, а днём ей кажется, что она просто переубедила человека?.. Наверное, так и есть, — ведь можно спятить, если понимаешь, что ночью у тебя вырастают клыки и тёмная сила гонит тебя за человеческой кровью!»

Вероника обогнула Игоря и направилась к залу, где ждали кружковцы.

В зале к ней сразу кинулась Жанка Шалаева.

— Вник Греховна, мы с Лёликом щас ваще зашибец, чё придумали! — воодушевлённо затараторила она. — В «Чунге-Чанге» мы обезьяны, так нам надо не на проволоке хвосты, а из верёвки! Мы будем тянуть друг друга за них, типа как дерёмся, и вертеть хвостами, и жопами тоже!

— Жанна, что за слово! — одёрнула Вероника.

Самоуверенная Жанка и ухом не повела. Избалованная вниманием, она не сомневалась, что ей позволено больше, чем всем прочим.

— Лёлик, иди сюда! — крикнула она.

264

Лёлик, глупо улыбаясь, выступила вперёд со скакалками в руках.

— Это типа хвосты у нас! — пояснила Жанка про скакалки.

Жанка и Лёлик встали в ряд — Жанка слева, Лёлик справа; Жанка взяла сложенную скакалку в левую руку, Лёлик — в правую.

— Три, четыре! — скомандовала Жанка. — Чунга-Чанга-а, си-иний небосво-од! Чунга-Чанга-а, ле-ето круглый год!..

Жанка и Лёлик, обе гибкие и стройные, запели и начали танцевать; они в лад вращали скакалками и одинаково виляли дерзко оттопыренными задами. Получалось задорно и соблазнительно.

— Фу, как неприлично! — брезгливо поёжилась Анастасийка.

Гельбич счастливо лыбился во всю пасть, а Валерка почувствовал, что ему стыдно, будто его поймали на подглядывании за девчачьим туалетом.

— Жанна, Лёля, прекратите кривляться! — раздражённо оборвала танец Вероника и поморщилась: — Нет, девочки, это не для сцены!

Не посмотрев на Жанку и Лёлика, она прошла к своему месту возле проигрывателя. Рядом на стуле лежала кипа конвертов с пластинками.

— Ребята! — обратилась она ко всем в зале. — Для концерта на Последнем костре мы изменяем репертуар. «Чунги-Чанги» в нём не будет.

— Почему?! — тотчас взвилась Жанка.

«Чунга-Чанга» была её звёздным номером.

— Потому что эта песня не соответствует духу пионерского лагеря, — сухо сказала Вероника, перебирая пластинки. — Она, конечно, летняя и весёлая, но слишком детская для нас и легкомысленная.

— Фигасе наглость! — возмущённо выдала Жанка.

— Шалаева, попридержи язык! — зло ответила Вероника.

Жанка грубо ломанулась в глубину зала, отшвыривая с дороги стулья и скамейки, и, оскорблённая, села отдельно от коллектива. Лёлик в угрюмом молчании протопала вслед за подругой. Гельбич поколебался и тоже перебрался к Жанке. Прочие кружковцы боязливо помалкивали.

— Финальной песней у нас будут «Орлята»! — объявила Вероника.

Ещё в начале смены Анастасийка предлагала исполнять «Орлят», но Вероника Генриховна отвергла эту песню и предпочла Жанку Шалаеву с её обезьянами. И сейчас Валерка увидел, как Анастасийка гордо выпрямилась, а глаза её сверкнули торжеством восстановленного первенства.

— Вы чё, эту карамельку выбрали, да?! — в ярости издалека закричала Жанка. — Я этой козе «мести» устрою!

— Шалаева! — рявкнула в зал Вероника.

Жанка согнулась, спрятала лицо в ладонях и зарыдала в полный голос. Отчаивалась она упоённо и никого не стеснялась: у неё всё было напоказ, для общего обозрения, — и радость, и горе, и подлянки окружающим.

— А вот я не плакала, когда мне отказали! — с превосходством напомнила всем Анастасийка. — Потому что у меня есть сила воли.

— Давайте-ка приведём себя в порядок, — устало предложила Вероника.

В это время дверь приоткрылась, и в зал бочком проник Лёва Хлопов. Стараясь быть незаметным, чтобы не помешать творчеству, он крался по стеночке и вертел головой, кого-то разыскивая. Гельбич неумело гладил рыдающую Жанку по плечу; увидев Лёву, он напрягся.

— Венька! — зашептал Лёва. — Без тебя команда никак!.. Пошли со мной!

Лицо Гельбича задёргалось, словно не могло найти выражения.

— Венька!.. — требовательно повторил Лёва.

Гельбич, горбясь, встал и понуро побрёл от Жанки к Лёве Хлопову.

Глава 3

«ТЕМНОТА — ДРУГ МОЛОДЁЖИ»

На ужине Валерка морально дожал Вовку Макерова стаканом компота с сухофруктами, косточки которых можно колоть ради орешков, и выкупил за рубль пистолетный патрон. Патрон — вещь полезная и ценная: если бросить в костёр — стрельнёт. Но, увы, приобретение предназначалось Бекле.

После ужина четвёртый отряд отправился в Дружняк на киносеанс, а Валерка улизнул из строя. Он надеялся, что Ирина Михайловна не заметит его отсутствия, а Игорь Саныч не выдаст. Валерка выбрался с территории лагеря и пошагал по лесу к заброшенной церкви, где Бекля оставил свой товар — мыло, сигареты и катушку ниток — Беглым Зэкам на обмен.

Оранжевое солнце лежало за Волгой на Жигулёвских горах. Сосновые стволы, в полдень раскалённые, как золото, на закате побагровели, словно остывали. Лес был полосатый от чередования света и теней. В глубине чащи кричала какая-то одинокая птица, будто где-то опрокинулась какая-то телега, и её колесо ещё поскрипывало в угасающем вращении. Валерка всей грудью вдыхал терпкий хвойный дурман, разбавленный свежестью папоротника.

Кирпичная церковь краснела в зарослях орешника, напоминая ржавый и полуразрушенный пароход, выброшенный на берег речки Рейки. Валерка не ожидал от судьбы никакого подвоха, но из кустов на окраине бора вдруг вынырнули Бекля, Рулет и Сифилёк. Видимо, эти гады тоже попёрлись в церковь за приношениями Беглых Зэков.

— Стоять, трюмсель! — крикнул Валерке Бекля.

Валерка не испугался. Они же с Беклей теперь вроде как приятели. Валерка изобразил радостную улыбку.

— Держи краба! — Бекля тянул руку для рукопожатия.

Валерка тоже протянул руку, но Бекля с бандитской ловкостью вдруг цапнул его повыше локтя и сунул кулаком под ребро. Валерка охнул, а Бекля заломил ему руку так, что Валерку развернуло к Бекле спиной и выгнуло.

— Ты чё?! — изумлённо завопил Валерка.

Рулет и Сифилёк ухмылялись.

Валерка почувствовал, как ладонь Бекли скользнула ему в карман.

— Ого, патрон! — удовлетворённо сообщил Бекля своим шестёркам.

— Отпусти! — потребовал Валерка. — Патрон мой!..

Бекля посильнее выкрутил ему руку, усмиряя, и добродушно спросил:

— Хотел стырить, чё мне Зэки принесли?

— Иди ты!.. — возмутился Валерка. — Я чужого не беру!..

— Чешет! — уверенно заявил Рулет.

— Мозгу долбит очкастый! — поддакнул Сифилёк.

— С тебя, короче, трёшник, рабиндранат, — усмехнувшись, постановил Бекля. — До конца смены отдашь, понял?

Валерка чуть не онемел.

— Мы же с тобой закорефанились!.. — еле выговорил он.

— Соси балду, — ответил Бекля.

И Валерка вдруг осознал, какой же он непроходимый болван. Разве может Бекля быть ему приятелем? Бекля —

шпана, шпаной был, шпаной и будет. Он хулиган и вор. Он обманет, откажется от своих слов, предаст — и только посмеётся. Это же подлые правила шпаны — обдурить простака, а потом обчистить или подставить. Цена Беклиной дружбы — харчок!

— Держи его, — Бекля толкнул Валерку Рулету. — Я в развалине позырю.

— Нафиг он тебе нужен? — спросил Рулет, перехватывая заломленную руку Валерки. — Вмочим ему, и гуляй, Вася.

Бекля, прищурясь, посмотрел в сторону заката.

— Пригодится, когда стемнеет. Темнота — друг молодёжи. Не выпускайте этого стрептококка, уроды.

Бекля уверенно двинулся к церкви. Тень леса уже накрыла поляну перед церковью, но кроны сосен ещё болезненно ярко зеленели в блёкнущем небе. Наползала первая прохлада. Широкий шаг Бекли почему-то внезапно замедлился, а перед проломом в стене Бекля и вовсе остановился.

— Ну-ка идите сюда! — поколебавшись, подозвал он своих шестёрок.

Рулет пихнул Валерку вперёд.

— Лучше я очкарика сам посторожу, а вы слазьте, — распорядился Бекля.

Он ничем не объяснил перемены своего решения, а Рулет и Сифилёк ничего не спросили. На Валерку повеяло смутным страхом.

Всё это было очень странно. В прошлый раз Рулет и Сифилёк зассали забираться в заброшенный храм: заорали, что там какие-то кресты... А Бекля не струсил. Но теперь он явно боялся. Что скрывают руины? Или кого?.. Беглых Зэков?.. Изувеченная церковь возвышалась в сквозистых прозрачных сумерках с какой-то затаённой угрозой, словно за её стенами пряталась вооружённая засада, словно церковь лишь притворялась мёртвой, а на самом деле была только тяжко изранена, и потому ещё могла нанести убивающий удар. Но как? Чем, блин, угрожали эти развалины?!. Крестами?!.

Валерку затрясло. Бекля хочет держать его до темноты, а Сифилёк и Рулет подчиняются Бекле, как футболисты — Лёве... И ещё Бекля не может войти в церковь!.. Валерку молнией осенило: Бекля — вампир! Бекля тоже стал вампиром!.. Валерка понял бы это сразу, но его сбило с толку, что Бекля не был правильным, как пионер... Он не носил красный галстук, не соблюдал режим дня, не принимал участия в выставках и спортивных состязаниях... Однако он всё равно был правильным — правильным, как шпана!

Бежать! Бежать прочь!

Валерка обмахнул окрестности отчаянным взглядом: бежать надо в сосновый бор. Все другие направления отсекала линия непролазных зарослей по берегу Рейки. В просторном сосняке можно оторваться от погони, а там и спасительный лагерь недалеко... Но сначала требуется скинуть с себя Рулета, который держал Валеркину руку заломленной назад.

Валерка поднял ногу и со всей силы пнул пяткой Рулету в голень. Рулет охнул, перекосившись, будто его подрубили. Валерка крутанул плечом, выдернул руку из захвата и метнулся вперёд. На его пути торчал ещё и тупой Сифилёк, и Валерка толчком сшиб его в траву. Бекля успел сообразить, что пленник освободился, и прыгнул вбок — перегородил дорогу, растопырив лапы, как вратарь. Глаза его жутко чернели в сумерках, будто у хищника. Валерка юркнул в сторону и понёсся, куда получилось, — к развалинам церкви. Бекля не сможет туда войти, а Сифилёк и Рулет — дрищи, с ними Валерка надеялся справиться. Там, в церкви, станет ясно, что делать дальше. Валерка взлетел на кучу кирпичного мусора и нырнул в пролом входа.

Квадратная коробка выщербленных стен. Пробоины окон, из которых высовываются ветви орешника. Груды обломков, трухлявые доски, бутылки и прочий хлам. Густые тени в углах. Бледное небо над головой, словно его синеву тоже высосали вампиры. В высоте за кромкой стены Валерка видел тёмные кроны сосен; цвет их угас — это солнце опустилось за горизонт.

— Тащите очколупа наружу! — услышал Валерка приказ Бекли.

Валерка заметался по храму. Вампир жаждал крови — он обрёл силу! «Темнота — друг молодёжи», — вспомнил Валерка слова Бекли. Так говорили пацы, когда собирались ночью смыться из палаты... Валерку затопил ужас. Ему негде спрятаться, его никто не защитит! У него нет ни дома, ни друзей. Горь-Саныч не поможет. Он, Валерка, один против нечисти. А церковь — западня!.. Что ему делать со шпанятами Бекли? Оглушить их кирпичом?.. Валерка понял, что надо выскочить в окно, проползти через заросли и потом рвануть в лес. Бекля не может караулить под каждым окном! Авось повезёт!

В проломе входа появился Рулет, а за ним и Сифилёк. Валерка поднял валявшуюся грязную чекушку и запустил в Рулета. Чекушка со звоном разбилась о стену. Валерка швырнул увесистый осколок кирпича, потом другой осколок, а потом кусок мыла, оставленный Беклей на обмен Беглым Зэкам. Рулет и Сифилёк трусливо присели, укрываясь за грудами обломков. Валерка кинулся к стене, схватился за ветки, топырившиеся из окна, подтянулся, зажмурился и провалился в гущу зарослей снаружи.

Проламывая телом жёсткий орешник, он с хрустом обрушился в какую-то непонятную дрянь, будто на голые пружины матраса, бешено забарахтался и одной рукой погрёб к свету — там заросли заканчивались. Ветки царапали его, листва хлестала, и он пятернёй прижимал к лицу очки. Ощущения были как зимой в школьном гардеробе, завешанном пальто и куртками, где пацаны играли в догонялки, пока гардеробщица не выгонит. Сзади раздавались невнятные вопли — это Рулет и Сифилёк тоже полезли в джунгли.

Внезапно зыбкая и спутанная толща кустов справа от Валерки словно взорвалась, и на Валерку повалился Бекля. Он не пожелал ждать, пока жертва сама выскочит перед ним, и ринулся в атаку — но чуть-чуть промахнулся. Валерка шарахнулся влево, протискиваясь мимо какого-то ствола, а Бекля зацепился рубашкой за сучок и не успел ухватить Валерку. Рубашка затрещала, разрываясь, и краем глаза в листве и сумраке Валерка увидел, что грудь вампира, как рубка речного трамвайчика, украшена пятиконечной звездой, но не красной, а синей — нарисованной шариковой ручкой.

Размышлять об этом Валерке было некогда. На четвереньках он выполз из зарослей в траву, вскочил и метнулся в сосновый лес.

— Где вы, падлы?! — в кустах истошно заорал Бекля своим шестёркам. — Ур-рою, чуханы!.. Живо дёрнули за очкастым!

Глава 4

ПИЯВЦЫ

Сквозь чистый сосновый бор Валерка мчался по идеальной прямой, словно снаряд. Он бежал к лагерю с такой скоростью, будто разгонялся для прыжка на луну, висящую над «Буревестником». Сосны мелькали, как доски в заборе; папоротник расплёскивался, точно зелёная вода; шишки, попавшие под ногу, с хрустом плющились и вминались в землю. А сзади в сумерках за Валеркой стремительно скользили три тени — вампир и его подручные.

Валерку вынесло к кустам черёмухи, которые закрывали дыру в заборе на задворках пищеблока. Именно здесь Валерка дрался с шестёрками Бекли, когда защищал Анастасийку; здесь у него отняли тюбик с «космической едой» и мирокалькулятор из спичечного коробка. Валерка нырнул в кусты. Продираясь через прореху в сетке-рабице, он услышал шум — это Бекля тоже ломанулся в черёмуху, не теряя надежды поймать беглеца.

В свете фонаря Валерка увидел бачки с мусором, груду пустых ящиков и заднюю стену пищеблока. От пищеблока до четвёртого корпуса было ещё далеко, а другого укрытия, кроме своего корпуса, Валерка не знал. Блин, Бекля всё равно догонит его — не в лесу, так в лагере!.. Но железная дверь в кухню была приоткрыта: значит, в пищеблоке есть взрослые. Не будет же Бекля кусать Валерку и пить его кровь при поварихах и судомойках!..

Валерка решительно заскочил в пищеблок.

Стеллажи с высокими стопами тарелок и стаканов. Шкаф, где стояли огромные алюминиевые кастрюли с красными цифрами на боках. Жестяные раковины. Разделочный стол с оцинкованной столешницей. Вёдра. Трубы. Эмалированные плиты, подключённые к здоровенным газовым баллонам. Два окна, забранных решёткой. Вентилятор. Двери в кладовку, в столовку и в туалет. Тёмный проём раздачи. Под потолком — банные лампы в толстых плафонах и железных намордниках. Где-то стрекотало электричество. Пахло горелым маслом, капустой и хлоркой. А из всех работников на кухне была только баба Нюра — злая карга и кособокая заика. Она шваброй мыла пол.

— Баба Нюра, спрячьте меня! — взмолился Валерка.

— Не-э... — распрямляясь, изумлённо замямлила судомойка.

Валерка схватил со стола большой разделочный нож, юркнул в туалет и щёлкнул задвижкой. Он не сдастся!

Он просидит в толчке хоть до утра, пока солнце не лишит вампира кровожадности!

Через дверь Валерка услышал какой-то шум, хриплое дыхание преследователей и торопливое шлёпанье шагов по мокрому полу.

— Ку-уда ле-эзешь, я по-омыла!.. — гневно промычала баба Нюра.

— Пусти к нему! — сдавленно прошипел Бекля. — Это моя тушка!

— Па-ашёл вон!

— Не трожь меня! — истерично взвизгнул Бекля. — Отвали, гнилая кровь!

— Па-ашёл отсюдова, у-у-упырь!

Валерка понял, что судомойка напирает на Беклю животом и грудью, и Бекля вынужден отступать. Почему-то он не может укусить эту бабищу!

Грохнула железная дверь и шоркнул засов. Повисла тишина.

— Вы-ыходи, — наконец приказала баба Нюра Валерке через дверь.

Валерка, подумав, отодвинул шпингалет.

Баба Нюра, склонив голову набок, рассматривала его — маленького, взъерошенного, в очках и с большим ножом в побелевшем кулаке.

— Не-эшто у тебя кровю не пи-ияли? — недоверчиво спросила она и тяжело вздохнула. — Тут у всех кро-овю пияют.

Валерка, потрясённый, не выдавил ни слова. Он никак не ожидал, что про вампиров в пионерлагере знает кто-то ещё, кроме него с Горь-Санычем.

— Или ты, ма-алой, сам пиявец? — спросила баба Нюра и, подумав, ответила себе: — Не-э, пиявцем ты ко мне-тко бы не су-унулся...

— А-а-аткуда... вам известно? — Валерка словно заразился заиканием от бабы Нюры.

— Я тут о-осьмое лето ра-аботаю. Как не за-аметить?

Баба Нюра взяла швабру, прислонённую к стене, и принялась затирать грязные следы на полу. Она делала это с таким привычным спокойствием, будто прогнала не вампира, а какую-нибудь обнаглевшую собаку.

Валерка поглядел в окно. Тьма ждала его на улице, как зверь.

— Баба Нюра, можно я тут побуду?

— Ну, по-обудь, не жалко... То-око сядь, не то-опчи по чистому.

Валерка на цыпочках перешёл мокрую дорожку, положил нож на стол и опустился на табурет возле плиты. Баба Нюра, склонившись, отжимала тряпку в ведро. Валерка наблюдал за ней, но она больше ничего не говорила.

Валерка вспомнил, как пацы обсуждали, что корявая баба Нюра связана с Беглыми Зэками: она выдавала им толстых пионеров и ела человечину.

— Кто они, эти вампиры? — осторожно спросил Валерка.

— Ну, кто-кто... — помолчав, заговорила баба Нюра. — У-упыри, кто ж ишшо? Кро-овью пияют у деток по но-очам. У ко-ово пияют, тово по-оилкой зовут, ту-ушкой. У кажного из йих цельное ста-адо тушек. О-они понемногу со-осут, штоб тушка не по-омерла. А де-этки-то, по-оилочки ихние, и не ве-эдают, что напоивают этих по-оганцев своею сла-адкою кровию...

Валерку передёрнуло от ужаса и омерзения.

— Я тоже тушка?

Баба Нюра повесила отжатую тряпку на трубу и расправила.

— Тебя по-окуда бог упас, — сказала она. — Ина-аче тот у-упырь за тобой не по-обежал бы. О-они чужих ту-ушек не ку-усают, а свои-то у них ру-учные, што ко-озы. Сами до-оиться идут, токо их по-озовут... И ни-ичо потом не по-омнют, и па-астуху своёму кро-овавому ве-эрны.

275

Баба Нюра подхватила ведро с грязной водой и направилась к двери. Она бесстрашно отодвинула засов и вышла на улицу; Валерка услышал, как она выплеснула ведро в кусты. Потом баба Нюра вернулась.

— Зачем вампирам тушки? — требовательно спросил Валерка.

Он должен был узнать как можно больше.

Баба Нюра выдвинула из-под стола другой табурет и присела отдохнуть.

— Ну ка-ак на што? Не ша-астать же всяку ночь за кро-овию... Свой скот. По-окликал ково, тот и я-авился на-апоить.

— И так всю жизнь? — похолодев, спросил Валерка.

— Не, — баба Нюра успокаивающе махнула рукой. — Пи-иявцы долго-то не жи-ывут. Годок, не боле. Тушенька-то по-окормит его покуда, а он по-отом сдохнет, дитё и ослобонится. И не вспо-омнит ничо, как сон ду-урной.

— Вампиры умрут за год? — Валерка смотрел на бабу Нюру во все глаза.

— Во а-ад сойдут, — подтвердила баба Нюра.

Значит, они все обречены?! И Лёва, и Альберт, и Маринка Лебедева, и Бекля, и даже Вероника Генриховна!.. Не может быть!.. Вампиры вызывали у Валерки невыразимое отторжение, но всё же ведь совсем недавно эти... эти существа были людьми, и в них ещё оставалось столько человеческого, что их гибель показалась Валерке чудовищней их вампиризма. Злодейство вампиров — это одно, а смерть — совсем другое!

Валерка ощутил, что рядом с ним вдруг открылась зияющая пропасть.

— Не может быть! — не поверил он.

Баба Нюра печально улыбнулась, скривив и без того кривое лицо.

— По-ошто мне врать?

276

— Откуда вы это знаете?! — возмущённо упорствовал Валерка.

Баба Нюра закряхтела, сползая с табуретки.

— Да я са-ама была пи-иявицей... Мне ли не зна-ать?

Валерке показалось, что он уже не совсем нормальный.

— Но вы-то живая! Почему они умрут?

— Ме-эня бох из пе-экла вынул... И то вишь, как ску... скурутило! — баба Нюра ладонью помяла своё лицо. — Левы но-ога и ру-ука отнялись, я-азык за-акоснел... Е-эле я ра-асшевелила те-эло-то... Но за ме-эня был бо-ох!..

Баба Нюра полезла в ворот своего засаленного халата, вытащила серебряный крестик на шнурке и благоговейно поцеловала его.

Валерка уже не мог сообразить, что сказать.

— В ко-орпус-то не ходи, — посоветовала баба Нюра. — Тоё пиявец к тебе но-онеча ишшо подлезет, я пиявицей така же на-астырная была... Зде-эся спи. Я тебя за-апру, дверя-то железна, а поутру при-иду, вы-ыпущу.

Валерка с трудом осмыслил предложение бабы Нюры. Бекля сунется к нему в палату? Нет!.. Но ведь надо ещё добраться до корпуса!..

— Меня вожатый потеряет, — вспомнил Валерка. — Игорь Александрович. Я из четвёртого отряда. Вы зайдите в корпус, скажите про меня.

— Зайду, — пообещала баба Нюра. — А ты не бо-ойся.

Она взяла какую-то кошёлку и поковыляла на выход. Дверь закрылась, и в петлях снаружи лязгнул висячий замок. Валерка остался один.

Он сидел ошеломлённый, и в сознании у него перемещались какие-то громады. Пионерлагерь — скотобаза для вампиров? Вампирская ферма?.. Вот почему те, кто укушен, подчиняются вампирам, но ничего не осознают и не умирают!.. Но отчего сами вампиры дохнут в течение одного года?.. Валерка спрыгнул с табуретки и подошёл к окну. Фонарь над дверью в пищеблок освещал мусорные баки, черёмуху и сетчатый забор. За сеткой в темноте проступали сосновые стволы. Пионерлагерь спал. Вернее, безмятежно спали тушки, а пиявцы тихо и неуловимо перемещались во тьме, как трудолюбивые селяне, которые щедрым летом заботливо откармливают скотину для зимы.

В железную дверь забарабанили, и Валерка подскочил на месте.

— Валера!.. Валера!.. — донёсся взволнованный голос Горь-Саныча.

Валерку окатила горячая радость. Он кинулся к двери.

— Игорь Саныч, я здесь! — взволнованно зашептал он в щель.

— С тобой всё хорошо?

— Всё нормально! Меня баба Нюра спрятала!

— Что случилось, Валерка?

— Да всё нормально! — повторил Валерка. — Горь-Саныч, скорее идите в корпус, на улице опасно, кругом вампиры!

— Я с ног сбился — тебя искал!..

— Завтра расскажу! — пообещал Валерка. — Такое расскажу — офигеть! Вы утром приходите, когда баба Нюра дверь отопрёт!

Глава 5

УШИ В ТРУБОЧКИ

— Вста-авай! Вста-авай!.. — распихивала Валерку баба Нюра.

В столовой Валерка сдвинул несколько лавок, и получилась почти кровать, хотя и без матраса с подушкой. Валерка лёг и мгновенно провалился в сон. Ему ничего не снилось. И он не слышал, как вернулась баба Нюра.

— У-убирайся, ма-алой! На-ачальство идёт!

Баба Нюра бесцеремонно выставила очумевшего Валерку на улицу.

По лагерю расплывалась лёгкая утренняя дымка; подсвеченная низким солнцем, она была наполнена косыми тенями от строений, деревьев и кустов. Мир как бы призрачно удвоился, а может, Валерка просто спал на ходу. Откуда-то вынырнул чёрный кобель Фидель, деловито обнюхал Валерку, будто навёл справки, и почему-то заинтересованно устремился к мусорке, а не к двери в пищеблок. Потом появился Горь-Саныч. Валерка подумал, что вожатый тоже обнюхает его, но Горь-Саныч принялся тереть Валерке уши.

— Я проснулся, проснулся! — замотал головой Валерка.

— Что случилось вчера? — Горь-Саныч обшаривал Валерку взглядом.

По дороге к корпусу Валерка пересказал всё, что узнал от бабы Нюры. При свете солнца эти откровения уже не казались такими жуткими, как в темноте. Мир прекрасен, а его поломки можно починить. Но Горь-Саныч содрогнулся. Валерка понимал, что тот испугался за свою Греховну.

— Твоя баба Нюра точно сказала, что все вампиры умрут за один год?

Горь-Саныч надеялся, что Валерка услышал неверно или напутал.

— Точно, — не помиловал его Валерка.

Горь-Саныч вытащил сигареты и нервно закурил.

— А как они умирают? И откуда потом новые берутся?

— Я не спросил, — виновато ответил Валерка. — Всё было такой кучей...

— Но ведь баба Нюра сумела выжить! — Горь-Саныч, конечно, яростно искал способы спасти Греховну. — Как бабе Нюре это удалось?

— Давайте ещё поговорим с ней, — здраво предложил Валерка.

Будь его воля, Игорь прямо сейчас помчался бы на пищеблок, вцепился бы в эту криворотую судомойку и заставил бы её сказать всю правду. Мир вокруг такой прочный и устойчивый, правильный в своей основе, даже если в нём много разных глупостей и недостатков, поэтому сильная и упрямая жизнь не может вот так просто взять и подчиниться какой-то выморочной нечисти! Жизнь всегда борется за себя, жизнь побеждает, значит, выход есть! Пускай вампиры тайком свили в пионерлагере своё паучье гнездо — но это они боятся жизни, а не наоборот: значит, они уязвимы, и надо их одолеть!

По лагерной трансляции серебряные горны играли побудку.

В палате пацы уже одевались. Лёва только зыркнул на Валерку, но промолчал. Валерка потянул со спинки кровати полотенце.

— Ты где был ночью? — спросил Славик Мухин.

— Костёр жёг на берегу.

— Чё не позвал? — обиженно вскинулся Гурька. — Я ваще костры палю!

— Я тоже хочу, — попросился Юрик Тонких.

— Костры по-нормальному разводят с одной спички, понял, Тонкий? — свысока сказал ему Горохов. — Ты не умеешь, чухан.

— Но у меня есть много спичек! — возразил Юрик.

— Костёр на берегу — фигня! — Титяпкин в досаде пнул по тумбочке. — Вот я в деревне у бабки сжёг у еённых соседей сарай с мотоциклом!

— Может, нам тут больницу подпалить, пацы? — воодушевился Гурька.

— Старшаки в прошлую смену рассказывали, что у них один взял покрышку с причала и в огонь бросил, —

поведал Серёжа Домрачев. — Такой дым был, что пожарный вертолёт прилетал.

Валерка молча слушал пацанов и думал, что они — тушки. Они этого не знают, но для вампира Лёвы они не друзья, не футбольная команда, а тушки, из которых можно потихоньку пить кровь. Лёва заметил тёмный и быстрый взгляд Валерки и усмехнулся. Лёва имел всё, что хотел, а Валерка был изгой. Он врал про ночной костёр, потому что страшился спать на своей койке.

День в лагере начинался как обычно: отряды строились на Дружинной площадке, красный флаг взлетал вверх по флагштоку, в зарослях чирикали птицы, динамики извергали бодрые пионерские песни, с Волги донёсся звук ревуна швартующегося речного трамвайчика. Стоя рядом с Ириной во главе отряда, Игорь делал вид, что смотрит на Свистуху, но смотрел на Веронику.

Ветерок шевелил её волосы. Лицо у неё было таким нежным и свежим, что казалось, будто она всю ночь безмятежно спала, как дитя. Но она не спала. Игорь помнил, что в самый волчий час, подчиняясь неведомому зову, Плоткин вставал и уходил на улицу — это Вероника жаждала крови и ожидала его где-то в темноте. Однако при свете солнца Вероника была такой, какой Игорь её полюбил, какую обнимал и целовал, лёжа в траве на берегу Рейки. Той Веронике он рассказывал про конкистадоров, безвозвратно ушедших в сельву, и про взрыв вулкана Санторин, уничтоживший Атлантиду. С той Вероникой Игоря разлучили не Плоткин и Свистунова, а чья-то злая воля, которая захватила Веронику в плен и приговорила к уничтожению.

Линейка закончилась, и вожатые повели отряды обратно в корпуса.

— Наталья Борисовна велела тебе с Лагуновым подойти к ней, — негромко сообщила Игорю Ирина.

— А в чём дело? — удивился Игорь.

— А дело в том, что Лагунов не ночевал в палате.

— Откуда ты знаешь?

— Хлопов сказал.

— А Свистуха откуда знает?

— А ей сказала я! — с вызовом ответила Ирина.

— Тебе не надоело стучать? — раздражённо спросил Игорь.

Он оглядел Ирину Копылову с головы до ног. Интересно, кто она? Пиявица? Тушка? Или она правильная сама по себе, без вампирства?

Игорь и Валерка встретили Свистуху на Пионерской аллее.

— Не компостируйте мозги мне, я всё равно уже не поверю, — с усталым презрением заявила Свистуха. — Вам правила пионерлагеря не закон, так? Один шляется где-то всю ночь, а другой его покрывает! Спелись! Сколько можно это терпеть? Да гори оно синим пламенем!.. Короче, Корзухин: сейчас собирай шмотки Лагунова, и днём я отправляю его на теплоходе в город. Капустин сдаст его в детскую комнату милиции, а милиция уже сама найдёт отца с матерью. За этого типчика пускай у них голова болит, а не у меня!

— Они на Байкале! — ещё не осознав угрозы, строптиво ляпнул Валерка.

— В детприёмнике поживёшь, пока не приедут за тобой. Ты же бродяга.

Старшая пионервожатая ничуть не шутила. До Валерки наконец дошло, что его взашей выгоняют из лагеря, и у него едва не оборвалось сердце. Конечно, он боялся здешних вампиров, но ещё больше боялся подвести папу и маму. Сын в детприёмнике — это невыносимый позор! Папа расстроится, мама заплачет — что может быть ужаснее?! Да лучше сдохнуть!

— Давайте как-то по-другому! — возмутился Игорь.

— Всем давать — сломается кровать! — грубо ответила Свистуха.

Игорь страдальчески сморщился. Он ещё мог сопротивляться решению начальницы, но почему-то не сопротивлялся. Валерка посмотрел на него с недоумением и надеждой, однако у Горь-Саныча был такой виноватый вид, что Валерка сразу догадался: Горь-Саныч согласен со Свистухой! Валерку окатило ледяным отчаяньем. Горь-Саныч считает, что в городе Валерка окажется в безопасности! Там его вампиры не достанут! У Валерки от злости запылали щёки. Эх, Горь-Саныч! А говорил, что мы с ним — коллектив!..

Валерка отступил на шаг, словно хотел сбежать, но он не хотел убегать.

— А знаете, почему я не ночевал в палате? — спросил он у Свистухи.

— И почему? — саркастически ухмыльнулась старшая пионервожатая.

— Потому что у вас в лагере — вампиры!

Свистуха чуть не плюнула под ноги Валерке.

— У меня уже уши в трубочки заворачиваются! Ты больной, Лагунов, и не лечишься! Придумай что-нибудь поумнее! Твои выкрутасы мне надоели до посинения! Всё, допрыгался! Домой едь!

Но маленький Валерка Лагунов смотрел на старшую пионервожатую сквозь очки, словно сквозь прицел снайперской винтовки.

— Прошлым летом здесь главной вы были, да? — дерзко спросил он.

— Какая разница тебе? — рассвирепела Свистуха.

— А сколько у вас вожатых и пионеров с прошлого лета умерло?

Вопрос был такой дикий, что Игорь вытаращился на Валерку как на сумасшедшего. Игорю показалось, что Валерка Лагунов стал стеклянным — хрупким, твёрдым и прозрачным. А Свистунова обомлела.

— Ты чё несёшь! — ответила она голосом школьницы-хулиганки.

Проходившие поодаль пионеры испуганно обернулись на Свистуху.

— Сколько? — упрямо повторил Валерка.

Конечно, если пиявцы умирали, то умирали не в лагере, а в городе, — лихорадочно размышлял Игорь. — Они умирали уже потом, после летних смен: осенью, зимой, весной... Но слух об этих смертях не мог не докатиться до Свистуновой. И Свистунова не могла не заподозрить что-то неладное. Наверное, она убеждала себя, что не существует никакой чёрной тайны пионерлагеря. Но её терзали сомнения. Неизбежно терзали! Она гнала их от себя, потому что не могла обнаружить в лагере ничего необычного, однако страх засел в душе глубоко и прочно. Вроде она его обуздала — а Валерка вдруг ударил так, что все запоры лопнули, и страх вырвался на свободу. Подобное бывает, когда человек смутно ощущает некое нездоровье, но отмахивается от него, отрицает, а является врач и говорит: да у вас рак!

Игорь почувствовал, как внутри себя Свистуха ошалело заметалась и опрометью кинулась куда-то наутёк, будто кошка от собаки.

— Галю Кузнецову машина сбила, а Новосёлов утонул! — заорала Свистуха. — Воробьёв вообще пьяный в сугробе замёрз! При чём тут это?!

— А сколько от болезней умерли? — наступал Валерка.

— У Петровой порок сердца был! Врождённый! А у Рыбиной менингит! А Верка Шестопалова просто отравилась! Консервами отравилась!

Игорь перестал слышать пение птиц и музыку по трансляции. Вот, значит, как дохнут пиявцы!.. Болезни, несчастные случаи!.. И кто увяжет их друг с другом? Студенты и школьники из разных районов огромного города — их ничто не объединяет! Ничто — кроме смены в пионерлагере! Вампирство оставалось неуловимым, как неопознанный летающий объект!

— Но все умершие были тут, — тихо подвёл итог Валерка. — У вас.

Свистунова затравленно смотрела то на Валерку, то на Игоря.

Игорь уже был убеждён, что про вампиров Свистуха не знает. Она не в сговоре с нечистью. И ещё она не тушка и не пиявица. Она — просто сторож на ферме. Зачем вампирам уничтожать старшую пионервожатую, если под её руководством так удобно выращивать себе скот? Может, пиявцы не ведают, что век их недолог. А может, некоторые из них и не умирают!

Игорь приобнял Валерку за плечи, отодвигая чуть в сторону. Хватит, Свистуха сокрушена. Этого достаточно, чтобы она больше не цеплялась.

Валерка вздрогнул от прикосновения, будто очнулся.

— Всё, Наталья Борисовна, — успокаивающе сказал Игорь. — Забудем этот разговор, хорошо? До конца смены уже немного, дотянем как-нибудь.

Свистунова молча развернулась и почти побежала по Пионерской аллее.

Глава 6

«НЕ КОЛЫШЕТ»

Игорь сидел на скамейке перед стадионом и наблюдал за тренировкой футболистов. Под руководством Лёвы сборная четвёртого отряда боролась со сборной третьего отряда, чтобы в конце смены обе сборные лучшими силами слились в общую команду. Как футбол, всё было техничнее, чем раньше, но как игра — скучнее. Угас тот священный огонь, который гнал пацанов на борьбу с соперниками, соратниками и правилами. Когда Цыбастыш и Макерыч бросались бить Титяпкина, когда Гельбич выволакивал Гурьку из ворот, чтобы тот не мешал забить гол, когда Горохов орал, что всё не по закону, — смотрелось интереснее.

Валерки рядом с Игорем не было, он ушёл на кружок пения. На месте Валерки как-то незаметно материализовался Димон Малосолов.

— Короче, Игорёха, дело на сто рублей! — жарко зашептал он. — Там корпус пустой и комната свободна, а Иришке надо с пионерками гулять!..

— И что?

— Ну, погуляй заместо неё! А мы с ней в комнате того, ш-ш! — Димон потёр указательные пальцы друг о друга и заискивающе заулыбался.

Он по-прежнему жаждал соблазнить Ирину. Прекрасно зная Димона, нетерпеливого и легкомысленного, Игорь понимал, что тот влюбился по-настоящему, иначе давно снял бы осаду и переключился на другую девицу.

— Ирина меня терпеть не может. Согласится ли, чтоб я её выручал?

Димон сморщил свою подвижную физиономию, что означало: «Я тебя умоляю! Ради меня, конечно, согласится!»

Игорь оставил футболистов без всякого опасения за их благополучие. Вампир Лёва позаботится о порядке.

Ирина занималась с теми девочками из средних отрядов, которые не пожелали записаться в кружки. Девочки бродили в некошеной траве вдоль забора, срывали цветы и плели венки. Примеряя венок, Ирина не смотрела Игорю в глаза, но чуть покраснела от смущения и досады.

— Я покараулю твоих, — пообещал Игорь.

— Спасибо, — еле выдавила Ирина.

Сейчас, когда человеческое начало побеждало в ней правильность, она стала даже симпатична Игорю. Девка-то она хорошая, хоть и гадина упёртая. Её правильность — от себя, а не от каких-то вампирских умыслов. Её можно простить. А безалаберному Димону нужна именно такая подруга.

Воодушевлённый Димон потащил Ирину прочь, и даже по толстой попе Ирины было видно, что у Малосолова сегодня всё должно получиться. Игоря снова хлестнула острая тоска по Веронике.

Девочки, которых пасла Ирина, пришли в восторг, что с ними будет возиться добрый Горь-Саныч, а не строгая Рин Хална.

— Мы сейчас двинемся в Дружняк! — объявил Игорь.

Ему хотелось быть поближе к Веронике, поглядеть на неё.

— Зачем? — спросили девочки.

— Скоро конец смены. Предлагаю вам нарисовать открытки, которые подарите мальчикам на Последнем костре. Можете написать свои пожелания и адреса, да вообще всё, что хотите. Это будет память о лагере.

Игорь по опыту знал, что девочкам в таком возрасте почему-то важно оставлять о себе какую-нибудь романтическую и многозначительную память. Игорь не ошибся: девочкам идея понравилась.

Всей толпой они направились в Дружинный дом. Девочки облепили Игоря, повисли у него на обеих руках и безостановочно галдели:

— А у вас есть жена? А на следующее лето вы будете вожатым? А какие цветы вы любите? А вы бывали на море? А правда, что Беклемишева в тюрьму посадят? А кого вы себе взяли бы: кошку, собаку или лошадь?

На лавочке у входа в Дружняк директор лагеря Колыбалов беседовал с заведующей пищеблоком. Колыбалов утомлённо обмахивал потное лицо капроновой шляпой с дырочками, а у тётки-заведующей вид был очень недовольный, ведь её отвлекали от возлюбленного капитана Капустина.

Игорь оставил табунок девочек в коридоре и заглянул в комнату, где с юными художниками занималась маленькая вожатка Ниночка. Комнату загромождали мольберты, между ними прохаживался Алик Стаховский.

— Слушай, Нина, мне нужны альбомные листы, ножницы, карандаши, краски и отдельный закуток, — сказал Игорь.

Через десять минут он разместил девочек в шахматном кабинете, который сейчас пустовал, — шахматисты соревновались где-то на улице.

— Что рисовать надо? Что писать? — спрашивали девочки.

— Рисуйте цветы, бабочек, костёр какой-нибудь, корабли. Пишите чё-нибудь типа «Белый лебедь, лёгкий пух, не влюбляйся сразу в двух!». Потом открытку надо будет фигурно вырезать и сложить пополам.

Инструкция девочек вполне удовлетворила.

Игорь вышел в коридор. Сейчас, когда его не глушил девчачий галдёж, он услышал музыку — это кружок Вероники репетировал песню в кинозале. Игорь подкрался к залу и тихонько приоткрыл дверь.

Вероника сидела возле столика с проигрывателем. Вертелась пластинка. Анастасийка Сергушина стояла перед кружковцами и звонко пела:

— Но жизнь не зря-а зовут борьбо-ой, и рано нам трубить отбой-бой-бой!

Игорь смотрел на Веронику. Лицо у неё было странно отрешённое, словно это она была птицей, которая падает с неба на скалы.

Перед Игорем внезапно появился Валерка. Игорь от неожиданности отступил, и Валерка выскользнул за ним в коридор.

— Что-то случилось? — тревожно спросил он.

— Да нет, я так, проведать...

Игорю не хотелось признаваться, что он тоскует. Валерка возненавидел вампиров из чистого принципа, а Игорь — из-за Вероники. Этот мотив может показаться Валерке недостаточным, и его доверие поколеблется.

— Увидел тут директора, думаю, может, попробовать ему всё сказать?

Валерка шагнул к окну и посмотрел на Колыбалова. Тётка-заведующая уже удалилась, и директор сидел один, по-прежнему обмахиваясь шляпой.

— Не поверит, — убеждённо возразил Валерка. — Правду нельзя говорить.

— Вот как? — удивился Игорь.

— Лёва или Альберт — правильные, а меня чуть не выгнали. Вампиры — они же получше нас с вами, Горь-Саныч. Послушают их, а не нас.

Валерка деликатно не упомянул Веронику в числе вампиров.

Из шахматного кабинета выглянула белобрысая девочка.

— Игорь Саныч, а как пишется: «сы-дох» или «зы-дох»? — крикнула она.

— «Сы-дох», — автоматически ответил Игорь и тотчас спохватился: — Это что у вас за пожелание такое?!

Но девочка уже исчезла.

— Я всё же рискну, — решил Игорь. — Кто не рискует, тот не пьёт валидол.

После прохлады Дружняка солнечное тепло ощущалось как давление света. Чирикали птицы. Издалека доносились детские голоса.

Игорь пристроился на краешек лавочки рядом с Колыбаловым.

— Николай Петрович, мне кажется, у нас в лагере не всё нормально, — помолчав, осторожно заметил он.

Колыбалов сопел, не реагируя, словно никого рядом с ним не было.

— Николай Петрович, — настойчиво напомнил о себе Игорь.

— Что ненормально? — не глядя на него, раздражённо спросил директор.

Игорь подумал: а кого ему бояться? Колыбалов вожатым не начальник. Максимум, что он может, — настучит Свистухе. Ерунда.

— У нас в лагере некоторые дети и вожатые становятся вампирами, — спокойно сообщил Игорь. — Я сам видел.

Колыбалов обмахивался шляпой и смотрел куда-то вдаль.

— Вас это не колышет? — любезно осведомился Игорь.

— Лагерь проверяла санэпидстанция, — неохотно сказал Колыбалов. — Пожарные тоже. И общепит. Нарушений техники безопасности и трудовой дисциплины в лагере нет. Несчастных случаев нет. У нас всё в порядке. Лучше займись своими делами, парень. У тебя пионеры безнадзорные.

Про вампиров Колыбалов будто и не услышал. Будто вампиры были такой же обыденной вещью, как педикулёз, и потому не стоило уделять им какое-то особое внимание. И тут Игоря осенило: а ведь директор наверняка знает о пиявцах! Он же давно тут работает. Он должен быть в курсе ночных тайн пионерлагеря. Но что он может сделать? Искоренить вампиризм он не в силах. А куда жаловаться на упырей? В милицию? В профсоюз? В обком? Так вампиров никто не поймал. И в лагере всё в порядке. Порядку вампиры не угрожают. Ну и пусть всё катится своим чередом. Пенсия не за горами.

— Не жалко вам детей? — спросил Игорь.

— У меня свои дети есть, — резонно возразил Колыбалов.

На дорожке, ведущей к Дружняку, вдруг появилась Ирина. Она шла так быстро и целеустремлённо, что колыхалась грудь. Лицо Ирины было красное от ярости и стыда. Ирина промчалась мимо Игоря, не замедлив шага.

За Ириной спешил виноватый Димон. Игорь встал. Димон схватил его за руку и оттащил в сторону.

— Бли-ин!.. — простонал он. — Такой облом, Игорёха!..

— Что, соскочила?

— Да всё было на мази!.. — едва не плакал Димон. — Сёси-боси, в постель уже залезли, — и тут эта ваша вожатка припёрлась, Свистунова! Я под койку скатился, как разведчик в тылу врага!.. Ну, полный капец!.. Теперь Иришка ваще никогда снова не согласится! Что за непруха, в рот пароход?!.

Сегодня, видно, у всех был день разочарований.

Глава 7

АНГЕЛ-ХРАНИТЕЛЬ

Валерке нравилось, как они все хором увлечённо поют:

— Ничем орля-а-ат не испугать! Ор-лята учатся летать! Но потом гораздо красивее звенел голос Анастасийки, ясный и яркий. Он освобождался от хора и сиял один, как длинный луч маяка:

— Не просто спо-орить с высото-ой, ещё труднее быть непримиримым!..

Анастасийка, не стесняясь, наслаждалась звучанием своего голоса. Она тянулась вверх вслед за песней, словно поднималась куда-то — или делалась выше окружающих. Её чистое соло торжествовало над неслаженным хором.

Валерку искренне волновала эта пионерская песня. Стены Дружняка словно исчезали, и Валерка видел белые отвесные скалы, блещущее море и пушечный прибой, кипящую пену и взлетающие брызги, пронзительное небо и ослепительное солнце в зените. Валерка ощущал себя сильным, отважным и упрямым — в общем, орлёнком, пусть и в очках.

— Ну, неплохо, неплохо, — признала Вероника Генриховна.

— А будет ещё лучше, если убрать из хора бездарностей, — невозмутимо сказала Анастасийка.

— И кого ты предлагаешь?

— Семёнову и Лагунова, — сразу назвала Анастасийка.

Валерка не обиделся. В сравнении с Анастасийкой он не пел, а выл, как голодная собака. А слушать тоже здорово, лишь бы не выгоняли из кружка.

— И ещё Петухова и Шалаеву, — добавила Анастасийка.

Она не могла не припомнить Жанке былые обиды, тем более что Жанка в хоре и правда пищала, точно резиновый пупс.

— Ты чё, крыса? — сразу озлобилась Жанка. — Я петь не умею, да?

— Петь — не обезьяной танцевать!

— Чей там голос из помойки нежно просит кирпича?! — взвилась Жанка.

— Обезьяна Чи-Чи-Чи продавала кирпичи! — ответила Анастасийка.

— Шалаева! — строго одёрнула Жанку Вероника Генриховна.

Жанка уже не числилась в её любимицах. После отмены «Чунги-Чанги» Жанка теряла одну позицию за другой. Валерка видел, как она бесится, но не сочувствовал. Шалаева заслужила. Нефиг было борзеть. Однако Жанка, проигрывая, борзела ещё больше. Наверное, надеялась так заколебать всех окружающих, чтобы Греховне это надоело, и она вернула «Чунгу-Чангу».

Интересно, Шалаева кто? — подумал Валерка. — Пиявица или тушка? Пиявцы правильные, а тушки послушные, но Жанка не правильная и не послушная. Впрочем, может, и послушная, только слушает кого-то своего, например, Беклю, как Рулет и Сифилёк. Тушки могут быть шпаной, если им так прикажет пиявец. Но пиявец-шпана вроде Бекли не может петь в хоре. Шпане не положено. Шпане положено воровать, курить и отбирать деньги у слабых. Если Жанка — шпана, значит, не пиявица. И не укусит Анастасийку.

— Будут тебе «мести», Сергушина! — свирепо пообещала Жанка. — Лучше не ходи одна, встретимся на узкой дорожке!

Анастасийка сделала вид, что угрозы ей безразличны.

После занятий в кружке Валерка подождал Анастасийку у выхода.

— Проводить тебя? — хмуро спросил он.

Анастасийка посмотрела на Валерку задумчиво и оценивающе. Обеими руками она держала цветной пакет и поддавала его коленями.

— Мне кажется, у тебя недостаточное физическое развитие.

Конечно, Валерка был ниже неё ростом, да ещё очки.

— Нельзя судить человека по внешнему виду, — буркнул Валерка.

— Ладно, — снизошла Анастасийка. — Умственное развитие тоже важно. Но мы пойдём вдоль забора. Мне там надо в одно место.

Они свернули от Дружняка в сторону корпуса, где жили работники лагеря. Анастасийка вышагивала по-балетному и косила глазами, опасаясь встречи с Жанкой. Валерка это заметил и смущённо сказал:

— При мне Шалаева не нападёт.

— А я и не боюсь её, — надменно возразила Анастасийка. — Меня всегда защищает мой ангел-хранитель.

Она полезла рукой в горло своей футболки и вытащила золотой крестик, за который в своё время Валерка бился с Беклей и его шакалами.

Жест Анастасийки тотчас напомнил Валерке бабу Нюру — она так же вытаскивала крестик из ворота засаленного халата. Крестик оберегал бабу Нюру от пиявцев. Значит, и Анастасийку тоже оберегает. Анастасийка — не тушка! У неё никто не пьёт кровь! Валерка ощутил огромное облегчение. Пускай положение тушки ничем не угрожало физическому самочувствию, умственное здоровье — как заявила Анастасийка — тоже было важно.

— Ты говорила, что у каждой девушки есть чёртик, — напомнил Валерка. — И как у тебя чёртик живёт рядом с ангелом? Они же подерутся.

— Ничего не подерутся! Дураки они, что ли? Чёртик подсказывает, что надо делать, девушка делает, ангел-хранитель её в это время охраняет.

— А если чёртик какую-нибудь фигню посоветует?

По личному мнению Валерки, чёртик только фигню и советовал.

— Ну, не знаю! — рассердилась Анастасийка. — Тебя это не касается!

Валерка благоразумно решил переменить тему.

— Ты красиво поёшь. И песня красивая.

— Эта мелодия позволяет продемонстрировать все возможности моего альта, — важно сообщила Анастасийка.

— Я не только про музыку. Там же про волны, про борьбу, про птиц...

Его воодушевляли образы этой песни — дерзость, порыв, полёт.

— Стихи не имеют значения, — отмахнулась Анастасийка. — Всё зависит от звука. Песня — прежде всего вокал.

Валерке стало обидно за орлят. Орлята учились летать и бросались со скалы, рискуя погибнуть, а девчонки даже на велосипед боятся залезть, хотя, упав с велосипеда, не разобьёшься насмерть. Анастасийка сама не понимала, в чём красота песни. Ей лишь бы голос звучал. А смысл мимо просвистел.

— Песня — это слова, — упрямо сказал Валерка.

— Ты не разбираешься в искусстве! — небрежно ответила Анастасийка. — Слова — всякие глупости.

— Какие глупости? — удивился Валерка.

Анастасийка посмотрела на него как на дурака.

— Так тут в лагере вообще одни глупости. Совсем слепой, что ли? Все эти флаги, линейки, речёвки, «свечки» — это же всё игрушечное.

Валерка в душе встопорщился. Линейки и «свечки» — конечно, ерунда, потому что придуманы для коллектива, а коллектива нет. Но красный флаг — не игрушечный! И звезда на нём — тоже не игрушечная! Они по-настоящему! Нет, Анастасийка ошибается!.. Впрочем, она не виновата. Не только ей, а всем вокруг наплевать на эти вещи. И на линейки с речёвками, и на флаг со звездой. Хоть красный флаг, хоть синий, хоть серо-буро-малиновый. Хоть пять концов у звезды, хоть двадцать пять. Анастасийке хочется, чтобы ею восхищались, и потому ей всё равно, про что петь: про орлят или про картошку. Но ему, Валерке, не всё равно, про что песня. И отважные орлята воодушевляют его куда больше «Чунги-Чанги».

— Вот здесь! — вдруг объявила Анастасийка.

Они стояли на песчаном пустыре между черёмухой и забором.

Анастасийка оглянулась по сторонам, присела и начала голыми руками разгребать землю. Валерка тоже присел.

— Это мой «секретик», — негромко поделилась Анастасийка. — Никому не рассказывай, или будешь проклят во веки вечные веков.

Она ладонями убрала остатки песка, и в земле показалось стёклышко, накрывающее маленький тайник. Анастасийка склонилась и благоговейно полюбовалась содержимым «секретика». Валерка тоже склонился, приставив ладони к лицу, чтобы не слепило солнце, и посмотрел сквозь стёклышко. В «секретике» лежали три ярких пуговицы, мотылёк, изящно скрученный из фантика, жёлтое пёрышко и большая фиолетовая бусина. Анастасийка вытащила из пакета перламутровый флакончик из-под лака для ногтей.

— Я дополняю композицию, — важно сказала она. — Хочешь тоже что-нибудь положить в мой «секретик»?

Это было высшее доверие девочки мальчику. Валерка лихорадочно зашарил по карманам и нащупал только мелкую монетку.

Внезапно кусты черёмухи зашумели, и на пустырь, как кошка из засады, выкатилась исцарапанная Жанка Шалаева. Наверное, она коварно шпионила за Анастасийкой от самого Дружняка, тихо кралась поодаль и наконец поймала нужный момент. Жанка метнулась к Анастасийке и со злорадным хохотом зверски топнула ногой прямо в «секретик». Под пяткой у Жанки захрустело. Это были Жанкины «мести» за неудачи в кружке.

Бессовестная атака ошеломила и Валерку, и Анастасийку. А наглая Жанка дико затанцевала на «секретике» и завопила:

— Энус-бэнус, фокус-покус! Полижи корове жопус!

Валерка молча вскочил и что было сил толкнул Жанку обеими руками.

Жанка полетела обратно в кусты, растопырив длинные ноги. Валерка увидел её белые трусы в синий и красный горошек.

— Вали отсюда! — яростно заорал он.

Жанка с треском ворочалась в зарослях, как сумасшедший медведь. Валерка сунулся в густую чащу и, отворачиваясь от веток, несколько раз пнул вслепую, пытаясь попасть по пёстро-белому. Жанка завизжала.

Валерка бросился обратно к Анастасийке.

Анастасийка стояла на коленях над разорённым «секретиком» и горько плакала, непослушными пальцами расправляя крылышки смятому мотыльку. В её фигуре было такое отчаянье, что Валерке захотелось снова рвануться к Жанке Шалаевой и теперь уже убить её насовсем, оторвать ей голову.

Валерка погладил Анастасийку по спине, ладонью ощутив позвонки.

— Не плачь, мы новый «секретик» сделаем, — сказал он, содрогаясь от сочувствия. — Я больше никому не дам тебя обидеть!

Глава 8

АПНОЭ

Под вечер, ближе к ужину, Игорь отправился к доктору Носатову. Вообще-то обнаружение вампиров было прямой обязанностью врача. Врач должен был первым заметить столь удивительную аномалию, кто же ещё? Но Валентин Сергеич, видимо, потихоньку квасил у себя в медпункте: от него через день пахло строгим медицинским перегаром. Вряд ли при таком образе жизни доктор мог полноценно изучить функционирование контингента.

Ладный и красивый теремок медпункта блестел на солнце квадратиками наборных окон. Медпункт всегда вызывал у Игоря жгучую зависть. Считай, у доктора —

отдельный дом, и даже с водопроводом. Самое то, чтобы водить девчонок. К тому же медицина естественным образом настраивала на некую интимность. Однако Валентин Сергеич не использовал служебное положение в личных целях. Вернее, использовал, но лишь в отношении спирта.

За углом медпункта уютно расположился зелёный огородик. Там тётя Паша, пожилая медсестра, пропалывала грядки. Носатов не обременял тётю Пашу работой. Игорь поднялся на крылечко и вошёл без стука. В домике было прохладно, пахло лекарствами. Валентин Сергеич сидел в приёмном покое; он еле успел убрать в навесной шкафчик пузатый тёмный флакон.

— Привет, — Игорь протянул руку.

Доктор выглядел не очень хорошо. Бледный и с красными глазами. Его самого вполне можно было принять за вампира, если бы настоящие вампиры не придерживались трудовой дисциплины и общей благопристойности.

— Заболел, что ли? — нелюбезно спросил Носатов.

Игорь опустился на клеёнчатую кушетку.

— У меня к тебе серьёзный разговор.

— На ночь ни с кем не пущу, — сразу отказал доктор.

— Я не об этом, — усмехнулся Игорь. — Скажи, Сергеич, ты у нас в лагере ничего такого странного не встречал? Ну, с врачебной точки зрения.

Носатов посмотрел на Игоря с каким-то страданием во взгляде.

— Не встречал, — не признался он.

Игорь сразу почуял, что доктор темнит.

— Здоровье у всех хорошее?

— Всё нормально! — упрямился доктор. — Бывают ссадины, порезы. Кто-то перегрелся, кто-то простыл, кого-то пронесло. Клещей снимаю. У одного тут зуб болел. Другому от столбняка прививку сделал. Как обычно, Игорь.

Игорь помолчал, раздумывая, не уйти ли.

— Врёшь ты всё, Сергеич, — негромко произнёс он. — Здесь что-то дикое творится. Если ты не видишь, то тебя с работы попрут, когда всё вскроется. А если видишь, но не сообщаешь, то вообще срок дадут.

Носатов нервно встал, едва не уронив стул, и нырнул в коридорчик — Игорь слышал, как доктор защёлкнул замок на входной двери. Вернувшись в приёмный покой, Валентин Сергеич плотнее затворил дверь в смотровую палату, а потом обратно сел на стул и вперился в Игоря.

— Ты про мёртвых? — прошептал он.

У Игоря по рукам побежали мурашки.

— Про каких мёртвых? — тоже шёпотом переспросил он.

— Про мёртвых детей?

— А... у нас дети умирают? — изумился Игорь.

— Они не мёртвые! — жарко прошелестел доктор.

Игорю показалось, что Носатов сошёл с ума.

— Они после заката оживают! И никаких последствий!

— Расскажи! — взволнованно попросил Игорь.

Доктор сунулся в шкафчик, достал тёмный флакон и колбу, свинтил с флакона крышку, налил в колбу, вылил в рот и занюхал рукавом халата.

— В общем, в первый раз это случилось недели две назад, — Валентин Сергеич теперь смотрел куда-то внутрь себя, где спирт выжигал страх. — Как-то вечером тётя Паша дала мне банку клубники, чтобы я отнёс Капустину. Ну, пришёл я на причал, а трамвайчика уже нет, уплыл. На берегу — никого... Я вроде обратно двинул, а в голове мысль: из-под пирса торчат чьи-то ноги!.. Сам знаешь, там всякий мусор валяется, бутылки, ветки, тряпки, башмаки... Наверняка померещилось... А вдруг, думаю, кому-то из детей плохо стало днём? Ребёнок залез туда и сознание потерял... Надо проверить. Короче, протиснулся я под пирс. И там девочка лежит. То ли из первого отряда, то ли из второго... Лет тринадцать. И первое, что я увидел, — маска Гиппократа!..

— Какая маска? — не понял Игорь.

— Ну, лицо такое особое, ввалившееся, — признак смерти. Жуткое дело... Я вытащил ту девчонку на свет и тут же проверил всё, что можно в полевых условиях: апноэ, асистолия, помутнение роговицы, симптом Белоглазова... Биологическая смерть! Я сам чуть не умер! Сижу обалделый... А она вдруг зашевелилась и медленно так, как червяк, назад под пирс поползла... Залегла там и затихла. Я её за ноги опять вытащил, проверяю по второму разу — сердцебиения нет, дыхания нет... А девчонка у меня прямо под руками извиваться начала, высвободилась и опять под пирс поползла...

— Под пирсом темно, солнца нет, — сказал Игорь.

— Короче, я сбежал, — сообщил доктор и снова отвинтил крышечку с тёмного флакона. — Меня там никто не видел. Если девчонка умерла, её всё равно найдут. А если жива — значит, жива. Моей помощи она не хотела.

— Откуда тебе известно?

— Я — врач. Я это чувствую. Когда человеку плохо, он за врача как бы невидимыми руками цепляется. А она меня прочь гнала этим ужасом.

Валентин Сергеевич отчаянно забросил в рот новую колбочку.

— А потом ты её видел в лагере?

Валентин Сергеевич опять занюхал рукавом.

— Видел. Совершенно обычная.

От тёплого ветерка из форточки чуть трепетала кисейная занавеска на окне, пропущенный сквозь неё свет солнца играл на стенах и переливался. Стоячий стеклянный шкаф с лекарствами вспыхивал бегучими огнями.

— Там, под пирсом, был единственный случай? — спросил Игорь.

Валентин Сергеевич горько усмехнулся:

— С одного случая не запьёшь.

Игорь вспомнил, как доктор, хмельной и упавший духом, никак не отозвался на пьяненькие заигрывания вожатой Леночки, когда Димон Малосолов организовал посиделки на трамвайчике.

— Потом ещё четыре раза было, — Валентин Сергеич достал сигареты, но закурить не осмелился и вхолостую почиркал зажигалкой. — Всё девочки. Приплетались сюда с плохим самочувствием: слабость, жар, тошнота... Я их укладывал в изолятор, и они... ну, через час—два умирали. Я давление измерял, обследовал с фонендоскопом... По нулям, и тишина в груди. Только после заката они все вставали и уходили. Вот так, Игорь.

Доктор излил душу, и ему явно полегчало. А Игорь подумал, что Валентин Сергеич стал свидетелем превращения людей в вампиров. Всё сходилось: умирание, закат солнца, воскрешение...

— Но это ведь не смерть, — сказал Игорь.

— Не смерть, — согласился доктор Носатов.

— А что? Какой-то глубокий обморок? Кома? Переключение организма?

— Не знаю.

— И знать не желаешь?

Валентин Сергеевич ответил прямым и неприязненным взглядом.

— А мне и не надо, Игорь. Зачем это мне?

Игорь приготовился возразить — но воздержался. Оно и правда: зачем это Валентину Сергеевичу? Чтобы с работы выгнали? Чтобы разочароваться в своей компетенции, которую с большим трудом приобретал в институте и на интернатуре? Или чтобы уверовать в бога — вопреки материализму?

— Лагерная смена закончится, я свалю в город, и всё будет как положено, — добавил доктор. — Никогда больше сюда не приеду.

— Понятно, — кивнул Игорь. — А эти пятеро — хрен с ними?

— Шестеро, — поправил доктор.

— Шестеро?

Валентин Сергеевич встал и чуть приоткрыл дверь в смотровую. В небольшой палате на кушетке лежал мальчик в синей майке и шортах. Его сандалии аккуратно стояли под кушеткой. Мальчик не шевелился.

— Хочешь сам симптомы проверить? — спросил доктор.

Игорь понял, какой кошмар сковал волю доктора Носатова. Что ж, это объяснимо. Но Игорь и сам видал Веронику-вампира. Тоже пороху понюхал.

— Не хочу, — сказал Игорь. — И на тебя мне рассчитывать не надо, так?

— Не надо. Я ничего не видел, ничего не слышал, ничего не знаю и ни во что не вмешиваюсь.

Глава 9

ТЁМНЫЙ СТРАТИЛАТ

— Они мёртвые? — напрямик спросил Игорь. — У доктора в медпункте я сам видел пацана, которого укусили: у него не билось сердце!

Баба Нюра затряслась, с трудом выдавливая слова.

— Не мё-ортвые... И не жи-ывые... На че-эрте они о-о... обретаются... Надо им — се-эрдце будет сту-учать. А не надо — о-остановют...

— Потому и можно их назад вытянуть, да?

Баба Нюра кивнула.

Игорь подумал, что в технологичном XX веке вампир не должен чем-то отличаться от человека. Мало обмануть обывателя внешними признаками жизни. Нужно обмануть электрокардиограф и рентгеновский аппарат. И для такого обмана вампиру требуется держать себя по эту сторону черты между жизнью и смертью. Вот только чья кровь потечёт из вены, когда врач введёт вампиру в руку иглу, чтобы сделать анализ? Выпитая кровь жертвы?

Баба Нюра, Игорь и Валерка сидели в столовой. Баба Нюра заперла обе железные двери пищеблока и везде выключила свет, чтобы не привлекать внимания. В темноте синели высокие зарешеченные окна столовки. Отблеск фонарей Пионерской аллеи лежал на гладких столешницах. На плакатах, что висели в простенках, белый фон углубился, и нарисованные пионеры, которые чистили картошку и мыли посуду, потемнели, как демоны.

— Баба Нюра, мы с Валеркой многое не понимаем, — мягко говорил Игорь. — У нас не складывается общая картина явления. Помогите нам.

Баба Нюра тяжело вздохнула.

— Давайте начнём с начала, — предложил Игорь. — Тушки — это стадо вампира... ну, пиявца, да? Пиявец кусает их, а потом командует ими и пьёт кровь понемногу, чтобы никто не заметил. Тушки не знают, что они тушки. А пиявец действует только ночью. Но днём-то он помнит, что он — вампир?

— По-омнит... Я по-омнила.

Валерка слушал этот допрос и впервые за много дней ощущал себя в безопасности. Горь-Саныч — взрослый. Горь-Саныч принял командование. Он разбирается, что и как нужно спрашивать, и выяснит все тайны вампиров. Он защитит его, Валерку. Они с Горь-Санычем — настоящий коллектив!

— А как становятся пиявцем?

Баба Нюра замотала головой от усилия.

— Тё-о... тё-о... тёмный стратилат! — выдала она и заплакала.

От грозных и каких-то древних слов бабы Нюры Игоря продрал озноб. Стены столовки словно раздвинулись, и на них мелькнули багровые отсветы. Игорю померещилось что-то исполинское и нечеловеческое. Неизмеримые высоты и бездны, неимоверные силы, бесконечные пространства и неземные иерархии. Молнии, копья, нимбы, рога, пылающие очи и клокочущая лава. В университете Игорь мельком слышал этот термин — «стратилат»: так в Средневековье называли предводителя воинства. Но какого? Тёмного?

Игорь и Валерка ждали, пока баба Нюра успокоится.

— Кто он — тёмный стратилат? — осторожно спросил Игорь.

— Кня-а... кня-азь тьмы! — ответила баба Нюра.

— Дьявол? — быстро подсказал Игорь.

— Не диавол... но слу-уга его.

Валерка встал, сходил на кухню и принёс бабе Нюре застиранное вафельное полотенце. Баба Нюра вытерла глаза.

— Это он пиёт... Ему надо... Пи-иявцы — не себе... Они токо чаши ему! Они кровю от лю-удей ко-о... ко-опют в утробе своейной, а стратилат их самоих и-испивает до дна!.. Как изопьёт — так пи... пиявец и по-одохнет!

Игорь молчал, осмысляя жуткую и поразительную картину.

— Получается, что стратилат — главный вампир? — Игорь хотел уточнить всё до последних подробностей. — А пиявцы — так, вспомогательные?..

Баба Нюра опять кивнула.

Игорь открыл рот спросить, зачем такие сложности, но в его сознании детали системы вдруг сами собой заняли свои места. Да, пиявец кусает людей — однако его жертвы не болеют и не умирают. Они лишь начинают подчиняться приказам пиявца. А мало ли, кто кому подчиняется? Все кому-то подчиняются! Так что пиявец не оставляет следов. А стратилат оставляет. Если он высасывает свою жертву полностью, то жертва умирает. Поэтому осторожный вампир кусает по чуть-чуть. И его жертвы становятся пиявцами — не живыми и не мёртвыми, но жаждущими крови. А стратилат, князь тьмы, прячется за ними. Он не ходит на охоту, на которой его могут поймать: он изготовляет себе пиявцев, которые сами приносят ему кровь. Укрываясь в неизвестности, он контролирует своих добытчиков и время от времени беспощадно уничтожает их, обрубая концы. Логично и бесчеловечно.

— Значит, как всё устроено? — Игорь требовательно глядел на бабу Нюру. — Пиявец, отдавший кровь, уже не нужен стратилату, как пустая бутылка?

Баба Нюра заколыхалась всем телом, но удержала новые рыдания.

— А каким образом стратилат управляет пиявцами?

— Он в го-олове у них го-оворит... Что при-икажет, то о-они исполнють.

— Телепатия! — догадался Игорь.

Стратилат безмолвно приказывает явиться — и пиявец покорно является. Стратилат высасывает из него кровь тушек, и отработанный пиявец потом уже сам по себе как-нибудь погибает — от болезни или несчастного случая. Вот поэтому пиявцы обречены. Они одноразовые, словно ампулы.

— Баба Нюра, а вы как выжили? — спросил Валерка.

Баба Нюра шмыгнула носом и широко перекрестилась.

— Стра-атилат не по-оспел испить меня. У-умер. Ме-эня ли-ихоманка бить при-инялась, а ма-атушка в це-эркву свезла. Кре-эстила и отмо-олила. Ме-эня токо скрю-учило... Я тогда ма-алая была, се-эми годочков...

— А сейчас вам сколько? — снова влез Валерка.

— Пи-исят...

— Как умер ваш стратилат? — вернул себе инициативу Игорь.

— Мы де-эревенски бы-ыли... — баба Нюра слабо махнула рукой в сторону деревни Первомайской. — Он к нам в ко-олхоз приехал, что ли с ко-омиссьей какой, у-упырь-то... В на-ачальниках слу-ужил... Ме-эня малую и скусил сле-эхка... Я у ма-атушки кровю ему пияла, у дя-ади, у бра-атиков... У-ужо зов у-услыхала к свому хо-озяину ийти, а его в тю-урьму по-осадили. То-огда много са-ажали, сех по-одряд гре-эбли... Он и у-умер в тюрьме.

— Просто так? — удивился Игорь.

— Не просто... Они, стра-атилаты, ка-ажный раз в своюю луну кровю до-олжны испить. Не изопьют — по-омрут. А мой в о-одиночке си-идел. Никого к ему стра-ажники не пу-устили из пиявцев-то, и че-эловека ря-адом не было, чтоб скусить. Упырь и о-околел с го-олоду.

Игорь понял, что услышал что-то очень важное.

— Что значит — «в свою луну»?

— Кака луна в тоё ночь, ко-огда че-эловек в стра-атилата обратится, та лу-уна и его. В ту луну ему не-эпременно кровю пиять нужно, не то сдохнет.

Игорь разволновался.

— Значит, вампир обязательно должен выпить кровь при такой фазе луны, какая была, когда его обратили в вампира? Иначе — смерть?

— Ну, да, — согласилась баба Нюра.

— А как ещё стратилата можно убить, если не голодом? — спросил Игорь.

Баба Нюра посмотрела на собеседников — студентик из интеллигентов и мальчоночка в очках. Впервые за вечер баба Нюра усмехнулась.

— Со-ожечь жи-ывого, — сказала она. — О-осиновый кол за-абить ему в се-эрдце. В свя-атой воде у-утопить... У-управитесь?

306

Игорь и Валерка были подавлены.

— Не по зу-убкам вам тё-омный стратилат, — вздохнула баба Нюра.

И тогда Игорь задал самый главный вопрос:

— А кто он?

За окном вдруг завыла собака — так отчаянно, что шевельнулись волосы.

Баба Нюра как-то огрузла, лицо её обвисло, плечи опустились. Она неуклюже заворочалась, выбираясь из-за стола.

— Хва-атит лясы то-очить... — проворчала она.

— Кто? — упорствовал Игорь.

— Не зна-аю я! — глядя в сторону, сварливо отозвалась баба Нюра. — Вста-авай давай, паря. Поздно! Во-освояси пора. За-апирать буду.

Они уже условились с бабой Нюрой, что Валерка останется ночевать в пищеблоке. «Домик» из простыни — ненадёжное укрытие. Вожатская комната в четвёртом корпусе — тоже ненадёжное укрытие, но лучше «домика»: всё-таки второй этаж, стены, дверь. Да и физически Игорь был сильнее.

— У меня ещё вопросы будут, — предупредил бабу Нюру Игорь.

— За-автрева и спро-осишь.

Игорь крепко пожал руку Валерке и направился к выходу. Баба Нюра заковыляла за ним, звеня ключами. Валерка посмотрел ей в спину.

— Баба Нюра, а почему Бекля вас не укусил? Боялся?

Баба Нюра оглянулась.

— Я хозяина свово пе-эрежила, — сказала она. — А для пи-иявцев это как от бога о-отречься. Я для-а них ху-уже гада бо-олотного. Свя-атое дело предала. Мной они ужо да-авно брезгуют.

Глава 10

ВЗЯТЬ ВЕС

Проклятие «трудового десанта» никто с пионеров не снимал.

— Чего варёные, как сосиски? — донёсся бодрый голос Свистуновой с территории третьего отряда. — Шевелись! Шевелись!

Четвёртый отряд шевелился уныло и неохотно. Пацаны и девчонки скребли граблями под соснами, подметали дорожки, таскали мусор в кучу. Никто уже не ссорился и не пытался скрасить надоевшую работу поединком на сельхозинвентаре; никто и не отлынивал от дела. Почти никто. Игорь и Валерка сидели на лавочке у крыльца. А кого им стесняться? Дисциплину в отряде поддерживают вампиры. Ирина махнула рукой на бесполезного вожатого и его подопечного. Свистуха, пробегая мимо, сделала вид, что не заметила бездельников. Впрочем, с Пионерской аллеи и вправду казалось, что «трудовой десант» проходит как надо и все полны энтузиазма. Главное — чтобы соблюдались правила. А правила соблюдались. Если бы какая-нибудь проверочная комиссия внезапно спустилась с небес, то четвёртый отряд получил бы заслуженные пятёрки и за чистоту, и за организованность.

— Лагунов, ты фиг ли сачкуешь? — спросили у Валерки девочки.

— Я ногу поранил, — лениво соврал Валерка.

— Везёт дуракам!

Девочки догадывались, что Валерка врёт, но проще было поверить. На этом и строилась жизнь в пионерлагере. И Свистунова, и доктор Носатов, и директор Колыбалов догадывались о вампирах, но проще было поверить, что их нет, а есть хорошие ребята, которые играют в футбол, рисуют картинки в защиту мира, поют песни про орлят и вообще убирают территорию. А вампиры следили, чтобы этот негласный уговор не нарушался.

— Игорь Саныч, а как вы считаете, кто у них главный? — негромко спросил Валерка. — Ну, этот... страто... стратилат.

Игорь размышлял об этом половину ночи.

— Я думаю, это кто-то из родителей.

— Почему?

— Потому что Веронику Генриховну укусили в Родительский день.

Конечно, были и другие укушенные, не в Родительский день. Где их кусали — неизвестно. Они сами приплетались к доктору Носатову и умирали на койке в его изоляторе. Но первую жертву доктор нашёл на улице. Точнее, на берегу Волги. Ту мёртвую девочку, которая заползала под пирс. Главный вампир мог приплывать в лагерь на моторной лодке и кусать на берегу. А когда выпала возможность попасть в лагерь открыто — в Родительский день, стратилат заявился открыто. И ему подвернулась Вероника.

— Мы должны его убить? — осторожно поинтересовался Валерка.

Игорь долго молчал. Валерка Лагунов — ребёнок. Ему кажется, что это просто: отыскал, убил, и все счастливы.

— Как мы его отыщем? — с болью ответил Игорь. — Мы же не милиция! А сами пиявцы нам ничего не расскажут... И как мы убьём вампира? Сожжём заживо? Заколотим в него осиновый кол? Как ты себе это представляешь? Лично я ещё никого не жёг заживо, да и кол ни в кого не вбивал. А стратилат внешне — обычный человек! Нам за него впаяют срок!.. Мы бессильны перед вампирами, Валер. Общество так устроено, что вампира не убить.

Валерка глядел на Горь-Саныча с сочувствием. Он и сам всё понимал, однако надеялся, что Горь-Саныч изобретёт какой-нибудь способ — он же старше и умнее. Но Горь-Саныч ничего не изобрёл.

— А как же Вероника Генриховна?

Игорь опустил голову.

Валерка подумал, что если бы Анастасийка стала пиявицей, он всё-таки попытался бы убить стратилата. Ну, хотя бы сам погиб, чтоб не мучиться. Но Анастасийка защищена своим золотым крестиком. А Веронику Генриховну не спасёт никто — ни начальники, ни милиция. Ни крестик, ни Горь-Саныч.

Впрочем, был ещё один вариант. Наверное, последний. Серп Иваныч Иеронов. А на кого ещё надеяться? Серпа Иваныча все уважают. Слушают. Он ветеран Гражданской войны, всесоюзный пенсионер. Он может сказать кому-нибудь из главных людей, чтобы помогли. Серпа-то Иваныча никто не отфутболит. Но сам он поверит ли в вампиров?..

— Я знаю, к кому надо обратиться, — тихо произнёс Валерка.

— И я уже догадался, — тяжело вздохнул Игорь.

Нельзя бросать Веронику. Надо использовать все шансы, даже самые маленькие. На одной чаше весов — неловкость от странного разговора, а на другой — жизнь Вероники. Если Вероника останется пиявицей, то погибнет: подцепит какую-нибудь туляремию, или поскользнётся на улице и ударится о тротуар головой, или «скорая» опоздает к ней на приступ аппендицита.

К Серпу Иванычу Игорь отправился в тихий час. Валерку он с собой не взял: зачем Валерка при таком разговоре? Надо, чтобы всё было серьёзно, а серьёзно — это когда без детей и с глазу на глаз.

На веранде Серпа Иваныча сидели и смотрели Олимпиаду спортивные тёзки Максим и Кирилл, а ещё радиотехник Саня, который у себя в Дружняке не рисковал днём торчать перед телевизором на виду у директора.

— Где хозяин? — спросил Игорь.

— Наверх полез. Сейчас вернётся.

Игорь тоже присел.

Показывали тяжёлую атлетику. По дорожке неспешно шагал спортсмен в красном купальнике. Его торс, руки и ноги состояли из мускульных шаров. Запястья и колени были перемотаны какими-то белыми бинтами. Шумел большой зал, операторы выкатывали телекамеры, гомонили зрители на балконе, гулко раскатывался голос диктора. По пути к штанге атлет сунул руки в чашу с каким-то порошком и потоптался в какой-то песочнице. Не проявляя волнения, он встал над штангой с красными и синими дисками, тряхнул всей архитектурой своего могучего тела, хищно растопырил руки, нагнулся и вцепился в гриф, словно штангу надо было выдрать из земли, как сорняк. Рывок, приседание — и штанга уже лежала у штангиста на груди.

Тёзки Максим и Кирилл закряхтели и заелозили ногами, сочувствуя усилию атлета. Атлет медленно вставал, преодолевая чудовищную обратную тягу гравитации. Кажущаяся медлительность этого движения напоминала неспешный, тягучий старт ракеты с космодрома. Вокруг атлета словно бы щёлкали электрические разряды. Зал взвыл. Игорь смотрел на искажённое и запрокинутое лицо спортсмена. Спортсмен яростно вперился куда-то вверх, будто ждал знамения под потолком спортивного зала.

Игорь подумал, что и сам он сейчас подобен этому атлету. Штанга уже поднята с помоста, но ещё лежит на груди тяжеловеса, — и тайна вампиров раскрыта, но пока лишь для одного Игоря. Удастся ли атлету вытолкнуть штангу над головой — удастся ли Игорю разрушить безжалостное людоедство стратилата? Оскалившись, олимпийский силач подбросил штангу над собой и застыл, растопырив руки. Штанга висела в воздухе.

— Советский спортсмен Юрик Варданян в толчке взял рекордный вес в двести двадцать два с половиной килограмма! — сообщил диктор.

Тёзки одинаково перевели дыхание. Максим повернулся к Игорю.

— Слушай, Игорёха, — сказал он, — нам мужики нужны. На Концертную поляну дрова привезли, надо костёр сварганить.

— И? — спросил Игорь.

— Приходи после ужина. Помогать будешь.

— Я не Юрик Варданян. Я рекорды в толчке не ставлю.

— Да мы видим, — хмыкнул Кирилл. — Всё равно пригодишься.

— Ладно, — согласился Игорь.

В глубине дома заскрипела лестница — со второго этажа спускался Серп Иваныч. На веранду он не заглянул, а прошёл на выход. Это Игоря вполне устраивало: не при тёзках же рассказывать о вампирах.

Игорь догнал Иеронова на дворе.

— Серп Иваныч, подождите! — окликнул Игорь.

Иеронов остановился. Он был в смешной детской панаме, в рубашке-безрукавке и просторных стариковских брюках, на ногах — сандалии.

— Можно с вами поговорить? Мне это важно.

— Ну, в пределах моей компетенции, — предупредил Серп Иваныч. — Если про то, как девушке понравиться, то мои советы устарели.

— Давайте сядем на лавочку, — предложил Игорь.

Они уселись, и Серп Иваныч надвинул панаму, защищая лицо от солнца.

— Скажите... — помялся Игорь, — вы верите в вампиров?

— Только в чертей, причём полосатых. И ещё в их бабушку.

Игорь виновато улыбнулся. Ему, как и Валерке, нравился этот старик. От Серпа Иваныча веяло спокойствием и добродушием, словно самое страшное в своей жизни он уже пережил, а остальное не стоило нервов.

— Я не разыгрываю вас, Серп Иваныч. Неделю назад и я сам посчитал бы это бреднями... Но всё изменилось... Вы знаете, кто такой стратилат?

Серп Иваныч посмотрел на Игоря очень внимательно, и глаза его сузились — иронично и как-то испытующе.

— Знаю, — кивнул он. — Я же родом из этих мест. Так у нас называют упыря, у которого в подчинении другие упыри, помельче. Пиявцы, вроде бы.

Игорь даже немного растерялся. Он никак не ожидал, что эти странные старинные слова окажутся известны Серпу Иванычу. Хотя чему удивляться? Иеронову — восемьдесят лет, хоть он и выглядит на шестьдесят. И на своём долгом веку, без сомнения, Серп Иваныч навидался всякого.

— Они здесь! — решительно заявил Игорь. — Здесь, в лагере!

Серп Иваныч устало ссутулился, лицо у него потемнело, щёки запали, и морщины проступили резче. Короткая седая борода-щетина вдруг остро засверкала серебром, а в глазах появилась такая тоска, что Игорю стало ясно: Серпу Ивановичу Иеронову — всё-таки восемьдесят, и ни годом меньше.

— Эх, дружище... — сказал он. — А я так надеялся, что больше никогда уже не услышу этих слов — «они здесь»... Не повезло старому дурню. Не добили мы их тогда... Что ж, давай, выкладывай.

Глава 11

БИТВА НА ВОЛГЕ

— Понимаешь, сорок лет назад он работал в НКВД, — рассказывал Игорь.

— Что такое НКВД? — перебил Валерка.

— По-нынешнему — милиция.

— А-а...

После разговора с Серпом Ивановичем Игоря не отпускало какое-то ненормальное воодушевление. Серп Иваныч обещал помочь, и опасности, которые казались Игорю смертельными, развеялись как дым. Но Валерка не разделял энтузиазма Игоря. Слишком всё это просто: пошёл, нажаловался, тотчас приехала армия и напала на врагов, а гражданское население пускай постоит в сторонке и подождёт победы. Нет, тут что-то не то. Так не бывает.

— Он говорил, что их отдел тогда раскрыл несколько вампирских сетей. Сначала милиция никак не могла разобраться, в чём суть этого явления, как оно устроено, и погибли две бригады оперативников. А затем всё выяснили. Арестовали четырёх стратилатов. И все они сдохли в камерах.

Валерка будто наяву увидел ночные улицы старого Куйбышева: луна освещает ряды кирпичных особняков, облупленные арки каретных ворот и брусчатку мостовой. Бегут милиционеры в фуражках; кители перепоясаны ремнями, а брюки-галифе заправлены в высокие сапоги. Милиционеры сворачивают в подворотню. Из разбитого окошка на втором этаже бледные вампиры, точно огромные тараканы, быстро расползаются в разные стороны прямо по стене здания. Милиционеры в тишине гулко палят по вампирам из наганов. Подстреленные вампиры шлёпаются на землю, как мокрое бельё...

— Эти факты засекретили, чтобы не сеять в городе панику. Времена-то были тревожные. Но до причин вспышки вампиризма так и не докопались.

— А стратилат, который бабу Нюру укусил?.. — напомнил Валерка.

— Он из числа тех четверых был.

Валерка молчал, размышляя.

— Серп Иваныч верил, что вампиров истребили навсегда. А они снова появились. Серп Иваныч хочет поднять архив областного управления, чтобы наше дело сразу взяли в разработку. И нам с тобой нельзя болтать.

— Мы и не болтаем.

Но Валерка всё равно не мог избавиться от гнетущей тяжести на сердце.

Игорь и Валерка по просёлку шагали из лагеря на Концертную поляну. Сосновый перелесок насквозь пронзали багряные лучи заходящего солнца. От близкой Волги тянуло свежестью. На берегу кричали чайки.

Последний костёр был самым важным и самым большим мероприятием лагерной смены. Его проводили после спортивного чемпионата, отчётного выступления и торжественной линейки, на которой награждали самых выдающихся пионеров и спускали флаг. На Последнем костре хором пели задушевные песни, ели сладости и обменивались адресами. Поскольку пионеров в лагере было много — сто восемьдесят человек, — и речи не шло о том, чтобы романтично посидеть в кругу друзей возле огня, подбрасывая веточки. Костёр воздвигали гигантский — высотой в два человеческих роста.

К берегу Концертной поляны катер подгонял несколько связок длинных сосновых брёвен, каждое толщиной в ногу физрука. На поляне сколачивали из брусьев специальную раму и обставляли её этими брёвнами в виде шатра. Брёвна приматывали к раме проволокой. Внутрь шатра пихали дрова и хворост. Всё сооружение перед мероприятием обливали бензином.

Солнце в излёте своего пути упало за Волгой на гряду Жигулей, словно пылающее ядро на бруствер окопа. Пустынную Концертную поляну заливал пронзительный свет заката. Деревянный каркас будущего костра был уже наполовину готов; он возвышался, отбрасывая длинную дырявую тень, точно индейский вигвам. Тёзки Максим и Кирилл подтаскивали брёвна.

— Как-то маловато тружеников, — заметил Игорь.

— Сколько осталось, — пояснил Максим.

— Конец дня, — добавил Кирилл.

Даже на работу тёзки явились в спортивной форме: трико, футболки и красные галстуки. А может, они вовсе не переодевались с начала смены.

Игорь с недоверием осмотрел бревенчатый шатёр.

— А не рухнет, когда прогорит у основания?

— Рухнет, — согласился Максим.

— Пионерам нельзя подходить к костру ближе, чем на пять метров.

— Вы, наверное, и в бассейн воду не наливаете, чтоб никто не утонул.

— Очень смешно, — ответил Кирилл.

— И что нам делать? — вздохнул Игорь.

Валерка незаметно взял его за руку.

— Горь-Саныч... — тихо и тревожно сказал он.

На просёлке, по которому пришли Игорь с Валеркой, показались две фигуры. Наверное, кто-то ещё направлялся на поляну помочь с возведением костра. Игорь пригляделся и узнал мальчишек из старших отрядов — интеллигентного художника Алика Стаховского и хулигана Беклемишева.

— Бегите! — вдруг отчаянно крикнул Валерка.

Максим хищно цапнул его пятернёй за плечо — будто коршун цыплёнка, но Валерка ухитрился увернуться и отскочил. А Кирилл со сноровкой боксёра ударил Игоря в живот. Игоря сломало пополам, дыхание вылетело из груди, и сердце завертелось в пустоте, точно колесо сорвалось с оси.

— Бегите! — снова крикнул Валерка.

Сквозь разрывающую боль Игорь с ужасом осознал, что культурный Алик и хулиган Бекля не в состоянии объединиться: как у людей, у них нет ничего общего, и быть вместе они могут только как пиявцы! Вот это и понял Валерка!.. Значит, тёзки Максим и Кирилл — тоже вампиры! И Концертная поляна — вампирская ловушка! Пиявцы схватят надоедливых сыщиков, а тут и солнце сядет: у кровососов прорежутся клыки, и пленники будут укушены — превращены в покорных тушек. И перестанут мутить воду!

Маленький Валерка стреканул от большого Максима, точно заяц от пса. Он помчался через Концертную поляну к лесу — в противоположную сторону от Бекли с Альбертом. Максим ринулся за Валеркой.

Кирилл снова врезал Игорю в бок, повалил в траву и прижал коленом, огромным и твёрдым, как древнее стенобитное орудие. Игорь изо всех сил пытался оттолкнуть пиявца от себя, а тот ловил его руку, чтобы выкрутить её в болевом приёме и обездвижить жертву. Игорь совсем не умел драться, но сейчас замолотил кулаками в широкую грудь и крутые плечи Кирилла. Кирилл, замычав, давил Игоря своей тяжестью, ломая сопротивление.

Из сумрака под пламенеющими соснами навстречу Валерке вынырнул ещё один пиявец — Лёва Хлопов. Валерка, не раздумывая, повернул к Волге. Его хлестала трава, багровая от заката. Получалось, что Валерка бежит по дуге, и Максим устремился за ним напрямик, сокращая расстояние.

А Игорь в страшном усилии приподнялся, чтобы вцепиться в футболку Кирилла и сбросить с себя противника. Кирилл отпрянул, но Игорь каким-то образом поймал его за пионерский галстук, точно бульдога за ошейник. Галстук затрещал и лопнул пополам. Кирилл мгновенно обмяк и захрипел, словно ему не галстук порвали, а глотку перерезали. Толчком ног Игорь подкинул себя и спихнул Кирилла со своего живота. Кирилл упал на бок, лихорадочно соединяя на горле половинки разорванного галстука. Игорь откатился и вскочил, его шатнуло. Но Кириллу уже не было дела ни до чего — конвульсивно корчась в траве, он стягивал концы галстука, будто пытался зажать вскрытую артерию. Лицо его раздулось, а глаза выпучились.

А Валерка не сумел ускользнуть от Максима по краю пляжа. Максим грубо сгрёб его в охапку. Валерка извивался в лапах вампира и вопил. От леса к Максиму бежали Бекля, Алик и Лёва. Игорь тоже метнулся к Максиму — он был ближе, чем пиявцы, и должен был успеть вызволить друга.

— Отпусти его! — закричал Игорь.

Валерка бешено дёргался, пытаясь освободиться из плена. Солнце почти погрузилось за горизонт. Максим свирепо махнул ногами Валерки, отгоняя Игоря, и тогда Игорь обеими руками толкнул вампира с пленным Валеркой в реку — в воде Максим инстинктивно должен расцепить захват. Но Максим не рухнул в Волгу. Он безумно изогнулся на краешке пляжа, будто на кромке пропасти, и, сохраняя равновесие, отшвырнул в воду Валерку.

У Концертной поляны глубина начиналась сразу возле берега. Ну, не совсем уж глубина — так, до пояса или чуть выше, однако захлебнуться хватило бы. Игорь, не раздумывая, прыгнул за Валеркой.

Он окунулся с головой, не почувствовав холода, нашарил что-то живое и подался наверх, елозя ногами по зыбкому дну. Он распрямился, неустойчиво покачиваясь, и поднял Валерку, держа его перед собой под мышки. Валерка висел в руках Игоря, как щенок; первым делом он проверил на себе очки, а потом начал кашлять. Игорю было здесь по грудь, а Валерке — по шею.

Четыре вампира — Максим, Алик, Бекля и Лёва — в ряд стояли на берегу.

— Вылазь! — улыбнулся Бекля, ощерив длинные зубы.

Концертную поляну уже поглотила тень — солнце село.

Игорь затравленно оглянулся. Позади на реке маячил белый бакен, установленный над отмелью.

— Плавать умеешь? — спросил Игорь у Валерки.

— Плохо, — тяжело дыша, ответил Валерка.

Вампиры не двигались. Они ждали и смотрели на Игоря с Валеркой без всякого выражения. Прихрамывая, к ним присоединился Кирилл. Молчание вампиров казалось таким же спокойным и зловещим, как темнота в дуле пистолета, который заряжен, нацелен в лицо и готов выстрелить.

— Эти х-хады воды боятся... — вдруг сказал Валерка так, словно никаких вампиров рядом не было, и никто его не слышал.

— Что?.. — растерянно переспросил Игорь.

— Они воды боятся, — повторил Валерка. — Если бы не боялись, давно бы уже вытащили нас. Их же пятеро, а нас двое.

Валерка выпростал руку, зачерпнул воды и плеснул на берег. Вампиры одинаково, будто роботы, отступили на два шага и опять замерли, глядя на людей. Наверное, они могли так стоять хоть до рассвета.

Игорь не знал, что делать. Плыть до бакена — не лучшая идея. Но можно добрести вдоль берега до какого-нибудь мелкого места и торчать там, пока не взойдёт солнце, — пусть в реке, но вне досягаемости упырей.

А за спинами вампиров сумерки словно бы сгустились, и обрисовались очертания человеческой фигуры. Вернее, кто-то не спеша подошёл сзади.

— Они вырвались, хозяин, — глухо произнёс Альберт Стаховский.

Холодная вода обожгла Игоря, точно кипяток. Игорь почувствовал, что у Валерки яростно заколотилось сердце. На берегу стоял сам стратилат!

Он рассматривал Игоря и Валерку, словно животных в зоопарке. Он не злился и не угрожал, он знал, что победит, хотя и не сейчас. А Игорь никак не мог понять, кто он — стратилат? Его фигура мягко растворялась в какой-то немощной слепоте. Тёмного стратилата окутывала мгла.

— А что они могут сделать нам? — негромко спросил стратилат у своих пиявцев и пожал плечами: — Ничего не могут.

И по голосу всё стало понятно. Валерку в руках Игоря дёрнула судорога. Среди пиявцев стоял Серп Иваныч Иеронов! И он говорил правду, потому что он и был последней надеждой Игоря и Валерки на истребление вампиров.

— Вы предатель!.. — закричал Валерка с ненавистью и обидой.

Игорь плотнее притиснул Валерку к себе, как мадонна — младенца.

Серп Иваныч усмехнулся.

— Эй, студент, — окликнул он Игоря, — а ты умеешь отбиваться. Хвалю.

Игорь ощутил, что крупно дрожит, и по воде вокруг него побежала рябь.

— За это свою луну я отпраздную твоей девушкой, — добродушно сообщил Серп Иваныч. — Если не ошибаюсь, Вероника Несветова. Кровь той, которая любит и любима, пьянит и пахнет цветами. Я знаю.

Игорь не ответил. Зачем? Это всё равно что разговаривать с могилой.

— Домой! — как собакам, приказал пиявцам Серп Иваныч.

Глава 12

ЕГО ПИЩЕБЛОК

Вампиры и правда ушли, не оставив никакой засады в перелеске. К чему тратить силы? Видимо, пиявцам уже хватало тушек, а стратилату хватало пиявцев. Стратилат завершил заготовку провианта и мог отдыхать до новой жатвы. Чем ему навредит ничтожный студентик с мелким пионером? Ничем.

Мокрые и продрогшие, Игорь и Валерка пробрались в лагерь через дыру в заборе и, озираясь, сразу свернули к пищеблоку.

Баба Нюра ждала их на кухне.

Они разделись до трусов, отжали одежду и развесили на крючках, на которых обычно сушились полотенца. Баба Нюра зажгла горелки плиты и дала засаленные халаты поварих. В халатах Игорь и Валерка выглядели очень смешно, однако никто не смеялся. Баба Нюра чувствовала: стряслось что-то страшное. И в этом страшном виновата лишь она.

— Баба Нюра, почему вы скрыли от нас, что стратилат — это Иеронов? — наконец спросил Игорь.

Баба Нюра села на табуретку, положила руки на колени и заплакала.

Слушать её косноязычный и заикающийся рассказ было сущим мучением, но Игорь и Валерка слушали, затаив дыхание. История вампиров уходила корнями в дальнее прошлое — в Гражданскую войну.

Деревня Первомайская тогда называлась Шихобаловской, потому что местные крестьяне работали на дачах, которые купец Шихобалов сдавал состоятельным жителям Самары. Летом восемнадцатого года Самарой владели белые. Они не сомневались в скорой победе над большевиками. Войска белых наступали от Самары вверх по Волге на Казань, а на нижнюю Волгу, на Царицын, неумолимо надвигались белоказаки с Дона. И горожане, успокоенные властями, в июле как обычно поехали на дачи.

А в Шихобаловке деревенские парни задумали устроить революцию — напасть на беляков и уйти к красным. Точнее, ограбить богатых дачников и сбежать туда, где грабителей никто не достанет. Заводилами шихобаловского мятежа были братья Иероновы: старший Матвей и младший Серёга.

В ту ночь всё происходило совсем не так, как рассказывал Валерке Серп Иваныч. Не было на дачах артиллерийской батареи, предназначенной для расстрела красных пароходов, не было и солдат с винтовками. Были обычные обыватели: чиновники с жёнами и детьми, служащие с телеграфа и железной дороги, коммерсанты средней руки. На них и обрушились деревенские революционеры. Кому-то морду набили, кого-то просто запугали; отняли обручальные кольца и нательные кресты, выпотрошили портмоне, обчистили дамские шкатулки. Сопротивление оказал лишь какой-то офицер, который на даче лечился кумысом от фронтовой контузии. Он бабахал из браунинга, пока не кончились патроны, и Матвей с Серёгой загнали его в конюшню. Братья ни сном ни духом не знали, что офицер был тёмным стратилатом.

«Попил кровушки народной? — закричал ему Серёга, хватая вилы. — Теперь мы твоей крови хотим!» И Серёга воткнул вилы офицеру в грудь.

— Стра-атилат хоть ко-огда кровю может пиять, — всхлипывая, говорила баба Нюра. — Днё-ом и ночью... Он о-одного не мо-ожет... Е-эсли кто у не-эго самого кровю по-отребует, он до-олжон дать... А кто кро-овю стратилата и-испиёт, то-от сам стра-атилатом станет...

Серёга Иеронов, дурень деревенский, крикнул про кровь просто от глупости — так полагалось в классовой борьбе. Но для стратилата это был священный приказ, которого нельзя ослушаться. И стратилат вдруг схватил Серёгу с Матвеем за волосы и прижал рожами к ранам в своей груди — прижал, чтобы парни глотнули его бьющей толчками крови.

У Игоря и Валерки от омерзения шевельнулись волосы. Это жуткое событие в конюшне было невыносимо для человеческой природы. Но так случилось, и ничего не поделать. Братья Иероновы, поневоле вкусив крови вампира, были обречены обратиться в вампиров. Стать стратилатами.

Революция на Шихобаловских дачах закончилась тем, что грабители захватили пароходик, пришвартованный у дачной пристани, и уплыли под Царицын к Будённому. Баба Нюра не знала, как потом сложилась жизнь братьев-стратилатов. Видимо, неплохо. Герои Гражданской войны, они появились в Самаре, точнее, в Куйбышеве, только лет через пятнадцать. Оба уже были начальниками: носили гимнастёрки с петлицами и фуражки, ездили на авто. И оба уже давным-давно освоились в вампирском состоянии. Они даже имена свои поменяли. Серёга стал Серпом, а Матвей — Молотом.

По какой-то производственной надобности Молот Иваныч заглянул в Шихобаловку — и походя перекусил семилетней девчонкой Нюркой. А вскоре угодил в тюрьму. Угодил случайно: попал под «чистку», которые в те годы катились одна за другой. Никаких облав на вампиров милиция никогда не устраивала — Серп Иваныч соврал об этом Игорю. И Молот Иваныч просто загнулся в камере, сломав зубы в попытках перегрызть решётку на окне. Брат ему не помог. Когда кровь — еда, кровного родства не бывает.

— Вы до сих пор боитесь Иеронова? — спросил Игорь бабу Нюру.

— Ба... ба... баюсь!

Нынешний Серп Иваныч ничем не угрожал деревенской судомойке бабе Нюре. Страх её был иррациональным, как страх темноты.

А Серп Иваныч благополучно пережил все беды страны. Более того, ему было даже удобно в этих бедах: люди погибали или пропадали бесследно, и тёмный стратилат всегда находил возможность добраться до свежей крови. Трудней ему стало на пенсии. Но Серп Иваныч умел устраиваться. Дача персонального пенсионера в пионерлагере — что можно придумать лучше? Летние смены служили стратилату кровавой страдой, когда заготовляются припасы на целый год. Пионерлагерь стал личным пищеблоком для вампира.

— А как он кусает-то?.. — спросил Игорь, и голос его пресёкся.

Понятно, как!.. Веранда. Вечер. Молодёжь перед телевизором в гостях у добродушного старика. Дерзания олимпийцев на цветном экране... Игорь собственными глазами видел Серпа Иваныча, сидящего в последнем ряду.

На тёмной кухне гудел газ из баллона. Синий венчик пламени освещал морщинистое и перекошенное лицо бабы Нюры. Чуть блестели в шкафу гранёные стаканы. В верхнем углу окна висела убывающая луна.

Сколько раз за год повторяется фаза луны? — подумал Игорь. Сколько пиявцев требуется стратилату на один год? Надо вспомнить астрономию... Лунный цикл — двадцать восемь дней. Триста шестьдесят пять дней года разделить на двадцать восемь дней цикла... Тринадцать повторений. Чёртова дюжина пиявцев. Здесь, в лагере, вампир укусил тринадцать человек.

У Валерки тоже нашлось, что спросить.

— Баба Нюра, вампиры боятся воды?

— Не-э всякой во-оды, — помотала головой баба Нюра. — То-око й-из А-а-архирейки. Та-амо поп на креэш-шенье все-эгда святил. Це-эрква была. По сюю пору во-ода ишшо свя-атостью отдаёт. У-упыри и не ле-эзут.

Речка Рейка впадала в Волгу выше Концертной поляны. Вода Рейки, смешиваясь с волжской водой, текла вдоль берега поляны. Понятно, почему пиявцы, проиграв в битве, не сунулись за Игорем и Валеркой в Волгу... Для пиявцев Волга возле лагеря — хуже серной кислоты!.. Игорь сразу вспомнил недавний случай на пляже, когда вдруг взбесилась Вика Милованова из второго отряда. Гельбич, Жанка Шалаева и дылда Лёлик поволокли её купаться, а Вика вырвалась... чтобы не попасть в воду! Значит, она пиявица!

— А галстуки? — Игорь снова услышал жуткий хрип Кирилла, когда в битве пиявец лишился пионерского галстука. — Галстуки тут при чём?

Валерка тоже вспомнил, как однажды грубый Гельбич содрал галстук с Альберта, чтобы Жанка расписалась на память, и Альберт почернел, будто демон какой-то. Он убежал с улицы, и все подумали, что жаловаться.

Баба Нюра указала на открытую дверь столовой. В проёме двери был виден простенок меж окон, где висел воспитательный плакат: чистенькие пионеры, мальчик и девочка, вдвоём несли тяжёлое ведро. Пионеры были изображены в пилотках, с красными галстуками и звёздочками на груди.

— У-упырям не-эльзя на солнце, — сказала баба Нюра. — Со-ожжёт в пе-эпел. Вот о-они всё совецко на ся и вздевают. За-ащита ихня днём. Кра-асный цвет — кро-овя любимая. А зве-эзда — знак диавольский...

— Пентаграмма!.. — прошептал Игорь.

Валерку охватили какие-то смутные и неясные ощущения. Когда-то его удивили некие странности у других ребят, а потом всё как-то примелькалось, затерялось, забылось... Пионерские галстуки... Их требовали повязывать на линейку — и только, но некоторые ребята носили галстуки круглый день... Лёва носил, Альберт, Маринка Лебедева, ещё кто-то из других отрядов... Вроде как пионеру положено быть в галстуке... А Лёва как-то раз взял у Юрика Тонких пионерскую звёздочку... А у Бекли на груди Валерка видел пятиконечную звезду, нарисованную шариковой ручкой, — это когда Бекля набросился на него в кустах возле церкви и порвал рубашку... Так вот почему пиявцы становятся правильными пионерами, которые не только ведут себя хорошо, но и выглядят как надо! С помощью своей правильности они прячутся и от людей, и от солнца!

— А кресты? — взволнованно спросил бабу Нюру Валерка.

Анастасийку хранил крестик. И Бекля, став пиявцем, не смог войти в храм, пусть даже и заброшенный.

— Бох-то есь, — убеждённо сказала баба Нюра. — Он на кре-эсте смертю приял во спа-асенье наше... Знак его смерти ны-ыне лю-удей бережёт. А упырей знак ихней смерти бережёт... Се-эрп — луна иха, когда кровю пиять на-адо, иль по-одохнут... А молотком кол о-осиновый в йих за-абивають...

Для Валерки услышать это было даже хуже, чем увидеть Серпа Иваныча стратилатом. Серп Иваныч — лишь предатель, и он один, а вампирская защита от солнца выворачивала наизнанку то, во что верил Валерка, а он верил в красный флаг и красную звезду, в серп и молот и Гражданскую войну, в орлят, которые учатся летать, и в честный коллектив.

Игоря же поразило другое. Все легенды о вампирах оказались правдой! Подлинные вампиры — которые стратилаты — пили кровь и боялись солнца. Их сердца могли не биться. Те, кого они кусали, тоже превращались в вампиров — в пиявцев. Наверное, и жили вампиры очень долго, если судить по крепкому здоровью Иеронова. И отказаться от крови они были не в силах.

Но дело было не только в вампирах. Сами по себе они мало что значили. Дело было в том, что мир, такой привычный, понятный и родной, оказался ненастоящим. Не пионерлагерь, а пищеблок. Не мораль, а маскировка. Не символы государства, а магические обереги. Не история, а ложь. Настоящим являлось совсем иное!.. Его дружба с Валеркой. Его любовь к Веронике. Детство лагерных оболтусов, которые не знали, для чего они здесь нужны. И ещё, наверное, настоящими были рекорды на далёких стадионах.

— Когда наступит луна стратилата? — спросил Игорь у бабы Нюры.

— Третьего августа, — вдруг ответил Валерка. — Он мне сам говорил.

Третьего августа — последний день лагерной смены. Воскресенье. Чемпионат. Концерт. Костёр. И завершение Олимпиады.

Часть пятая
СМЕРТЬ ВАМПИРА

И нет нам покоя! Гори, но живи!
Погоня, погоня в горячей крови!

Р.Рождественский, «Погоня».
1966 г.

Глава 1

«ХАЛИ-ХАЛО!»

— Ну-ка не стонать! — раздражённо приказала Ирина Михайловна. — Даю пионерское задание: все берём грабли, и за работу!

Когда вожатые или учителя говорили, что дают пионерское задание, это означало, что работа будет скучная, трудная и за кого-то другого.

— Надо прибрать берег от мусора, чтобы мы уехали домой и оставили за собой чистоту, какая была, когда приехали!

— А тут и до нас было всё засрано! — буркнул Славик Мухин.

— Мухин, я твоим родителям скажу, какие ты слова знаешь!

Лёва отвлёк Ирину Михайловну:

— А можно мяч взять? Мы приберёмся и поиграем.

— Но только после работы! — строго предупредила Ирина Михайловна. — Хлопов, назначаю тебя ответственным!

Лёва и выглядел ответственным: одет прилично и с красным галстуком.

Валеркино звено, волоча грабли, уныло потащилось на берег.

Волга искрилась, вдали плыла самоходка, лёгкие волны шуршали по камешкам, а перед пацанами простирался истоптанный и загаженный пляж.

— И где тут мусор? — обозревая пространство, в тоске спросил Титяпа.

Работать не хотелось, а бездельничать было скучно.

Горохов махнул рукой перед носом Гурьки; Гурька, конечно, моргнул, и Горохов тотчас стукнул его снизу по подбородку:

— За испуг саечку!

Гурька лязгнул зубами, а Горохов сразу поддал ему и второй раз, и третий, и четвёртый, наставительно поясняя:

— За невежество! За невежество! За невежество!

— Сы-па... сы-па-сибо! — еле произнёс Гурька.

Титяпа тоже придумал забаву. Он поскрёб Горохова по голове и сказал:

— Что-то жопа зачесалась!

— Сам ты жопа! — возмущённо завопил Горохов, набросился на Титяпу и повалил его на песок. — Говори мне: «Дяденька, прости обоссянца!»

— Куча-мала! — тоже завопил обрадованный Гурька и рухнул сверху на Горохова. — Пацы, плющи нас!

На Гурьку упал Серёжа Домрачев, на Серёжу — Славик Мухин, на Славика, повизгивая, напрыгнул Юрик Тонких. Титяпкин, раздавленный пацанами, отчаянно завыл где-то внизу, в недрах кучи-малы.

Валерка и Лёва, разделённые копошащейся грудой пацанов, молча смотрели друг на друга. Лёва мог одним приказом прекратить безобразие, но не прекращал — наверное, чтобы Валерка острее ощутил власть пиявца над тушками. И в глазах Лёвы читалась спокойная уверенность пиявца в своей силе и неуязвимости. Валерка помнил, как в битве на Концертной поляне Лёва бежал к нему, чтобы укусить, — чтобы сломить, покорить и подчинить. Это было первое настоящее нападение вампира: откровенное и злобное. Там, на поляне, Лёве не удалось одержать победу. Но он не отказался от своего намерения. И Валерка отвечал Лёве угрюмым и непримиримым взглядом.

Навалявшись в куче-мале, пацы разлепились, поднимаясь на ноги; лишь помятый Титяпа корчился на песке и стонал. Но вдруг он перекатился с бока на четвереньки, принялся шарить в песчаных рытвинах пятернёй, и в пальцах у него блеснула монета — серебряный олимпийский рубль.

— Обаце! — обалдев, восхитился он. — Чур, моё!

Он вскочил, как новенький, и пацы обступили его, разглядывая находку.

— Солидол! — одобрил Славик Мухин.

— Везучка! — согласился Серёжа Домрачев.

Пацы, не стесняясь, завидовали Титяпе. Рубль сам по себе был суммой весьма серьёзной, и человек с рублём являлся личностью состоявшейся и обеспеченной, взыскующей особого отношения. А тут и рубль-то не простой, а олимпийский! Безусловно, Титяпа не был достоин такой удачи.

— У меня дома лежат четыре олимпийских рубля! — наивно похвастался Юрик Тонких, уязвлённый вознесением Титяпы. — Папа из Москвы привёз! С кольцами, с факелом, с космосом и с башнями! А у тебя с чем?

— Дядька какой-то на лошади, — ответил Титяпа.

— Наверно, кто-то на пляже потерял, — сказал и Валерка.

Гурька не вынес чужого счастья. Он бросился в сторону, согнулся и начал руками быстро копать песок по-собачьи.

— Я тоже чё-нито найду! — крикнул он.

— Не надо тут рыть, — предупредил Серёжа Домрачев. — В прошлом году старшаки рыли на пляже и нашли кости человеческие!

— Не по закону, Титяпкин, тебе одному рубль! — заявил Горохов. — Он не твой, а всехний! Мы все тебя на этом месте давили!

— Я же сказал «чур, моё»! — запротестовал Титяпа.

— Первое слово съела корова!

— Первое слово дороже второго!

— Ты чё, зажилил рубль, да? — отчаянно завопил Гурька, бросая копать.

Титяпа замялся. Он и сам чувствовал несправедливость своего успеха.

— Давайте, пацы, поделим, — миролюбиво предложил Славик Мухин. — Сто на восемь — двенадцать с половиной копеек.

— Денег полкопейки не бывает, — прошептал Юрик.

— А мне ничего не надо, — с достоинством отказался Лёва.

Валерка искоса глянул на него. Лёва делал вид, что он выше любого дележа. Валерка понял, что правильный пиявец просто не знает, как ему участвовать в неправильной жизни, потому и уклоняется.

— Сто на семь — четырнадцать копеек, — пересчитал в уме Славик. — И две копейки лишние. Надо разменять рубль у вожатых.

— А две копейки? — вскинулся принципиальный Горохов.

— Две копейки — фигня, — заметил Славик.

— Ага, фигня! — возмутился Горохов. — На тебя нападут с ножом, ты такой побежал мильтонам звонить, а две копейки нету! И всё, смерть!

— В милицию звонить бесплатно, — опять прошептал Юрик.

— Давайте сыграем! — осенило Титяпкина. — Кто победит, тому и рубль!

В игре у Титяпкина оставался шанс овладеть рублём по-честному.

— Во что будем?

Пацы задумались. Игра должна выявить самого достойного.

— В «хали-хало»! — Гурька подскочил на месте, будто взорвался. — Мячик есть, а Лёвыч пускай водит — ему рубль не нужен!

— Согласен, Лёвыч? — пацы вытаращились на Лёву.

— Ладно, — поразмыслив, сказал Лёва.

Гурька тотчас пяткой прорыхлил на песке две линии — их разделяло шагов двадцать. Пацы выстроились на одной борозде, а Лёва с мячом в руках встал на другой. Правила знали все, и пиявец тоже. Игра заключалась в том, что надо добраться до Лёвы: кто первый — тот и победил. Лёва отвернулся.

— Хали-хало-стоп! — выкрикнул он.

Пока он кричал, пацаны решительно двинулись вперёд: все сделали большой шаг, а Гурька и Титяпкин даже прыгнули.

Лёва повернулся лицом и осмотрел пацанов, замерших в разнообразных положениях. Никто не шевелился. Лёва не стал придираться: сейчас это не важно. Конкурентов надо устранять, когда они окажутся поближе.

Лёва опять отвернулся и выкрикнул:

— Хали-хало-стоп!

Пацы скакнули и опять оцепенели, будто заколдованные, пристально глядя на Лёву. Но пылкого Гурьку команда «стоп!» настигла в прыжке. Гурька окаменел прямо в воздухе и упал на песок в позе полёта.

— Жека Гурьянов, ты дёрнулся! — сказал Лёва.

— Я вообще не дёргался! — лежа, как в параличе, возмутился Гурька. — Я же не могу висеть! Я не виноватый!

Лёва вдруг с силой метнул мяч и попал точно в грудь Славику Мухину. Славик от неожиданности пошатнулся. Ведущий имел право один раз выбить игрока мячом; если игрок не поймал мяч, то терял завоёванную позицию.

— Жека и Славик, возвращайтесь на исходную! — приказал Лёва.

Это был уже приказ пиявца, и тушки не могли его ослушаться.

Состязание продолжалось.

Играть с вампиром было всё равно что с безукоризненным роботом: он всё замечал и не промахивался. Но Валерку охватило мрачное ожесточение. Надо же хоть в чём-то превзойти вампира! И дело не в рубле! Почему все победы — вампирам? Валерка испепелял Лёву взглядом, и Лёва это видел.

— Хали-хало-стоп! — выкрикнул он.

Внезапный удар его мяча вышиб Серёжу Домрачева.

— Титяпкин, ты двигаешься!

— Я дышу! Я же не сам!

— Возвращайся на исходную!

Валерке хотелось броситься на Лёву и что-нибудь с ним сделать, но что он мог? Избить Лёву? Сорвать с него галстук? Толкнуть в воду?.. Но Лёва позвал бы на помощь своих прислужников!.. И главное зло таилось ведь не в Лёве. Таких, как Лёва, в лагере ещё двенадцать. Главное зло — в стратилате! И против Серпа Иваныча Иеронова пионер Валерка Лагунов был бессилен.

На следующем «хали-хало» Лёва возвратил на исходную черту Горохова с Юриком, и нацеленный на него клин из мальчишек теперь возглавил Валерка. Пацы замерли как игрушечные солдатики на игрушечной войне. Но Валерка чувствовал себя настоящим командиром, который ведёт свой отряд в настоящую атаку. До Лёвы, как до вражеского танка, оставалось три шага.

Валерка хищно улыбнулся. Он победит вампира хотя бы в игре. Верно говорила Анастасийка: игра — она одна происходит на самом деле, а всё прочее, где сейчас торжествуют вампиры, — это как бы понарошку. И пускай игры получаются дурацкие. Пацы играют, как умеют. Ведь в игре они уже не пионеры, чтобы у них всё было только правильно.

Лёва смотрел на Валерку с каким-то сожалением.

Он подкинул мячик, поймал и объявил:

— Нет, не будем доигрывать! Рубль надо отдать вожатым. Они сами найдут, кто его потерял. Мы должны всё делать честно!

Глава 2

ПЛАН КАМПАНИИ

Крупы, сахар, макароны, консервы и сухофрукты, сэкономленные на пионерах, забирали себе поварихи и заведующая пищеблоком, а хлеб, овощи, оставшиеся порции и объедки уносили домой бабы из деревни Первомайской — судомойки, уборщицы и прачки. В деревне они держали скотину, которую летом подкармливали добычей с пищеблока. Бабы всегда старались убраться с работы пораньше, чтобы успеть позаниматься хозяйством. Сразу после ужина они проводили в кухне быстрый делёж и потом, переваливаясь, друг за другом устремлялись к воротам, нагруженные вёдрами и сумками.

Пережидая вечернее собрание рачительных селянок, Игорь и Валерка сидели на ящиках у задней двери пищеблока. Баба Нюра дала им тарелку с хлебом, и они бросали куски щенятам из выводка Вафли. Щенята выкатились из черёмухи и возились в траве, а Вафля лежала неподалёку, грызла кость и наблюдала. Щенята ещё не знали, что такое хлеб, и путались в сурепке.

— Надо его убить, — негромко сказал Игорь.

— А по-другому нельзя? — осторожно спросил Валерка.

— По-другому его не остановить.

Игорь не добавил: «и по-другому Веронику не спасти», однако Валерка всё понял. Завтра — конец смены. Завтра вампир будет пить кровь. Завтра он призовёт Веронику Генриховну, и после этого она неотвратимо погибнет. Валерка поёжился. Он вообще не хотел, чтобы завтрашний день наступал.

— Есть способ одолеть вампира, — твёрдо сказал Игорь. — Я придумал. Не надо осиновых кольев и крестов. Мы просто не позволим вампиру никого укусить. Заморим его голодом.

Валерка оробел. Он никогда не видел Горь-Саныча таким серьёзным.

— Как мы его заморим?..

— Помнишь, баба Нюра говорила, что её стратилат сдох в тюрьме?

— Помню, — кивнул Валерка.

— Мы тоже посадим Серпа в тюрьму.

— Но здесь же нету тюрьмы! — удивился Валерка. — И милиции нету!

— Зато есть пищеблок. Двери железные. На окнах — решётки. Мы заманим Серпа в пищеблок и запрём на всю ночь его луны. И он околеет.

Валерка посмотрел на кухню и столовку. Из проёма двери доносились невнятные голоса деревенских баб, звяканье кастрюль и стук поварёшек. Пищеблок ничуть не напоминал склеп, пригодный для смерти вампира.

— Серп Иваныч заорёт и стёкла будет бить. Его услышат и выпустят.

— Ну, да, мой способ не на сто процентов, — мрачно согласился Игорь. — Но пищеблок — самое крепкое здание в лагере. К тому же он расположен на отшибе. Конечно, люди могут прибежать на шум и освободить Серпа, и тогда всему конец... Но понадеемся на то, что завтра — особый день.

— Чем это нам поможет?

— Ужина не будет — всех будут кормить у Последнего костра. В лагере будет выступать самодеятельность. Музыка будет громко играть. Потом все свалят на Концертную поляну. Эта петрушка протянется почти до рассвета.

— Уйдут только пионеры и вожатые. А другие взрослые?

— А другие взрослые сядут у телика смотреть закрытие Олимпиады.

Валерка вздохнул. Его точили сомнения.

— Я ведь не спорю с вашим планом, Игорь Саныч, — виновато сказал он. — Но как вы заманите Серпа в пищеблок?

— Придумаю, — уверенно ответил Игорь.

Откуда-то вдруг вынырнул Бамбук. С видом подгулявшего папаши он боком приблизился к щенкам, мельком, будто для проформы, понюхал одного из них и, виляя хвостом, игриво устремился к Вафле, нацеливаясь на кость под её лапой. Вафля зарычала — мол, её такой фигнёй не обманешь.

— А вы не забыли про пиявцев? — напомнил Валерка. — Серп Иваныч в любой момент мысленно прикажет им, они сразу прилетят и вытащат его. Их тоже надо посадить в какую-нибудь тюрьму. А второй тюрьмы нет.

— Есть, — усмехнулся Игорь. — Теплоход.

Валерка посмотрел на Игоря с недоверием.

— Трамвайчик?.. А где там запереть вампиров?

— В салоне.

— Они выберутся! — тотчас возразил Валерка. — Там дверь фанерная!

— Мне надо задержать их хотя бы на минуту. Этого достаточно. Я уведу теплоход на Волгу. Вплавь пиявцы с борта не сбегут — в реку-то не сунутся.

Валерка погрузился в размышления, воображая ситуацию. Горь-Саныч придумал действительно что-то совсем необычное!

— А вы умеете управлять кораблём?

— Речной трамвайчик — это несложно. И у меня отец капитан.

— Может, тогда лучше Серпа Иваныча на корабле увезти?

— Поначалу я так и хотел, — кивнул Игорь. — Но понял, что Серп нападёт на меня. Я просто не успею выскочить из рубки и прыгнуть в воду. А если Серп доберётся до моей крови, всё будет напрасно.

— А пиявцы разве не нападут?

— Что мне пиявцы, если стратилат сдохнет?

Холодея от страха, Валерка понял, что Горь-Саныч решил рискнуть собой. Валерка рассматривал его какими-то другими глазами. Горь-Саныч выглядел как обычно: отросшие патлы, тёмные усишки, загар, выцветшая футболка. Он не был ни силачом, ни красавцем, ни храбрецом. Но там, на Концертной поляне, он бросился в драку, спасая Валерку. И сейчас был готов вызвать огонь на себя, как делали солдаты на войне. Валерка понял, что в душе его расцветает гордость за такого друга. За такого командира. За свой маленький коллектив, который отважился вступить в войну с вампирами. Но сказать об этом Горь-Санычу Валерка не мог. Не хватало слов.

— И как вы затащите пиявцев на трамвайчик?

— Да есть одна идея... — туманно ответил Игорь.

Красное вечернее солнце пылало сквозь сосны. По мусорным бачкам и по гребню сетчатого заборчика прыгали какие-то птички.

— А мне что делать? — наконец спросил Валерка о самом важном.

Игорь поглядел на него с лёгким сожалением.

— А тебе, Валер, ничего не надо делать.

— Это потому что я маленький? — рассердился Валерка.

— Да, — просто ответил Игорь.

— Так нечестно! Мы коллектив!

— Ради общей победы, Валер, нужно отказываться от своих интересов, — печально изрёк Игорь. — Это трудно. Но ты должен.

Валерке захотелось обидеться. Взрослые любят отгонять детей от всего интересного — вроде как ради безопасности, но в действительности просто забирают всё интересное себе. Неужели Горь-Саныч такой же эгоист, хоть и герой?.. Однако, поразмыслив, Валерка неохотно смирился. Если они с Горь-Санычем — коллектив, то ему следует подчиняться командиру.

На кухне завершился делёж, и тёти с сумками и вёдрами повалили из пищеблока на улицу. Игорь и Валерка переждали их исход.

После битвы на Концертной поляне Игорь тоже ночевал в пищеблоке, потому что вампирам теперь не имело смысла церемониться. Конечно, они по-прежнему не могли проникнуть в комнату Игоря, но могли прислать своих подручных, чтобы те выволокли вожатого на улицу — под укус. Игорю пришлось присоединиться к Валерке. А Валерка был рад этому.

Баба Нюра затирала пол шваброй.

— Баба Нюра, — сказал Игорь, — есть важный разговор.

Он нахально взгромоздился на разделочный стол.

Баба Нюра распрямилась, опираясь на швабру.

— Мы разработали план по уничтожению стратилата! — объявил Игорь.

Баба Нюра тяжело задышала и перекрестилась.

— Бо-ог вам в по-омощь, сы-ынки! — едва не всхлип-нула она.

— Вот послушайте, как мы думаем это осуществить... — Игорь поелозил на столе, примеряясь к объяснению. — Завтра — конец смены и костёр. Пищеблок после полдни-ка бездействует. Работниц тут не останется, верно?

— Ка-ажный раз та-ак, — подтвердила баба Нюра.

— Надо, чтобы кто-нибудь завтра вечером открыл дверь кухни. На закате в пищеблок заявится Иеронов. Как только он окажется внутри, требуется сразу закрыть дверь и повесить замок. И всё! Выручать Иеронова никто не придёт. Самую важную ночь он просидит без жертвы и на рассвете сдохнет.

Игорь смотрел бабе Нюре в глаза.

— Я сам буду в другом месте. И запереть Иеронова сможете только вы.

Лицо бабы Нюры побелело и поползло вниз, как тесто.

На словах всё получалось просто: поймали в капкан — и конец вампиру. Но как это будет на деле? Утром в пи-щеблок вернутся поварихи и обнаружат мёртвого Серпа Иваныча — доброго человека и всесоюзного пенсионера. Кошмар!.. Позор!.. Кто забыл старика в столовке?! Скан-далище!..

— Не-э-эт!.. — попятилась и заблеяла баба Нюра.

Игорь соскользнул со стола, шагнул к ней и взял за плечи.

— Это будет выглядеть как несчастный случай, — принялся убеждать он. — Ну, захотелось Серпу вечером компота. Отправился он в столовку. Какая-нибудь ра-ботница запустила его. А потом по недосмотру и заперла.

— Как по недосмотру? — влез Валерка.

— Например, поддатая была и отвлеклась: решила, что Серп уже вышел, и сунула замок в петли... Всякое случается!.. Конечно, милиция потом всех будет допрашивать, но никто ведь не признается, и вы тоже не признаетесь, баба Нюра! А до правды не докопаться!

— Не-эт! — баба Нюра замотала головой, как лошадь. — Я-а бо... бо-оюся!

— Милиции? — убито спросил Игорь.

— Стра-а-атилата!.. — колыхая всем телом, со страстью выдохнула баба Нюра. — Го-оворить с йим боюся!.. Гла-аза на его по-однять!..

Игорь растерялся. Такого малодушия от бабы Нюры он не ожидал.

А Валерку словно вознесла какая-то жаркая сила.

— Дайте ключ мне! — вдруг пылко попросил он. — Я сам и открою дверь, и закрою! Дайте мне! У меня лучше получится! Я не подведу!

Глава 3

КЛИНИЧЕСКАЯ КАРТИНА

«Валерка — ребёнок, — думал Игорь. — Он ещё не умеет переживать так, что невозможно уснуть». Игорь ему завидовал. Валерка безмятежно дрых на жёстких скамейках, а Игорь сидел у окна и смотрел на лагерь. От яркой луны воздух радиоактивно светился, но мрак оставался мраком. Колонны сосен, груды кустов и геометрия домиков сливались воедино и казались чем-то вроде внутренней конструкции темноты, тайным устройством полуночи.

В мире ещё ничего не изменилось, однако его статичное равновесие уже переполнилось невидимой кинетикой нарушения. Всё произойдёт завтра. Вампир или умрёт в западне, или сумеет вырваться, и тогда Вероника будет обречена. А ведь совсем недавно Игорь сожалел, что у него нет доступа к чудесам. Ему никогда не увидеть индийского йога, погружающегося в транс на столетия, и не услышать заклинаний экзорциста, изгоняющего демонов. Фата-моргана не явит ему в пустыне оживлённый город, который давным-давно засыпан песками, и рядом с его кораблём из глубины моря никогда не всплывёт зловещий древний кракен, обросший водорослями и ракушками. Увы, в его стране наука и общество отвергают всю эту чушь как пережиток прошлого и уродство буржуазной культуры. Однако сейчас он, Игорь, сидит у окна столовки в пионерлагере и думает о вампире. А вампир живёт на даче, получает пенсию, носит красный галстук и защищает себя серпом и молотом. Чудеса в этой стране маскируются под повседневность, и наука отрицает их, потому что иначе придётся усомниться в повседневности, которая не может подлежать сомнению. Это помогает вампиру пить кровь и убивать людей.

Игорь заснул только перед рассветом. Потом пришла баба Нюра и прогнала их с Валеркой; они потащились в корпус и ещё немного поспали на своих законных местах. Потом был завтрак и чугунные головы. Но нельзя было поддаваться слабости. Наступивший день — это день борьбы.

Игорь не всё рассказал Валерке о своём плане уничтожения вампира. Незачем смущать мальчишку. А план имел немало скрытых недостатков. Например, Игорь не знал всех пиявцев. Да, он высчитал, что их тринадцать, но известны были только восемь. Имена остальных Игорь рассчитывал выяснить у доктора Носатова. Надо заставить Валентина Сергеича назвать их. А потом ещё надо заставить Носатова сделать так, чтобы все пиявцы в нужный час собрались на речном трамвайчике. Если не получится воззвать к совести трусливого доктора, придётся цинично шантажировать его.

Размышляя, Игорь шагал к медпункту.

Доктор Носатов был в приёмной, и трезвый, и даже не с похмелья.

— Не хочу вгонять тебя в запой, Сергеич, — сказал Игорь, — но я опять по поводу тех детей, которые... Ну, ты сам знаешь. Мне нужны их имена.

— Зачем? — сразу набычился доктор.

— Попробую прекратить то, что с ними творится.

— Ты же не врач.

— Медицина в твоём лице оказалась бессильна, — напомнил Игорь.

Валентин Сергеич глядел на него исподлобья. Игорь ждал. Валентин Сергеич помялся в тяжёлых сомнениях, потом полез в шкафчик, вытащил потрёпанную тетрадь — журнал регистрации, и положил на стол.

— Смотри с девятнадцатого числа, — уныло пояснил он. — Пять случаев. Шестой, то есть первый, я не внёс. Записи карандашом, а не ручкой.

Игорь понял, что доктор намеревался в конце смены просто стереть ластиком упоминания о страшных пациентах и забыть про это навсегда.

— Дай мне листочек, — попросил Игорь. — Составлю список.

Игорь не спеша пролистал журнал, и вскоре на его листочке появился столбик из пяти имён: «Мальцева Галя, 1-й отряд; Рыбкина Оксана, 3-й отряд; Вехтер Света, 2-й отряд; Глушенко Миша, 3-й отряд; Юревич Нина, вожатая». Значит, под пирсом доктор Носатов нашёл Маринку Лебедеву или Вику Милованову. Игорь дополнил перечень: «Лебедева Марина, 4-й отряд; Милованова Вика, 2-й отряд; Хлопов Лёва, 4-й отряд; Стаховский Алик, 1-й отряд; Беклемишев Саша, 2-й отряд; Буравцев Максим, вожатый; Ткачук Кирилл, вожатый; Несветова Вероника, вожатая». Чёртова дюжина пионерлагеря «Буревестник». Олимпийский улов стратилата.

Игорь подумал, что лагерь был лучшим местом для продовольственных заготовок вампира. Здесь компактно собрана молодёжь. А молодёжь — народ беспокойный.

С молодыми всегда что-нибудь случается. Они погибают чаще, чем взрослые, судьба которых прочно вписана в колею. И кто он, молодой человек? Да никто. У юнца нет ни ответственной должности, ни здравого смысла. Его смерть не вызывает таких последствий, какие вызывает смерть человека, обременённого детьми, работой, обязательствами и склонностью идти на компромиссы. Очень удобно для вампира. Удобнее молодёжи для него лишь какие-нибудь бухарики, но у бухариков узкий круг общения, им сложнее завести себе стадо тушек и они ненадёжны в качестве кормильцев.

Игорь придвинул листочек доктору Носатову.

— Эти ребята умрут в течение года, — сказал он. — Уже по-настоящему.

Страдальчески морщась, доктор прочитал список.

— Что я могу предпринять? — спросил он, отодвигая листок. — Я не знаю диагноза! Не было никаких анализов! Я не вижу клиническую картину!

— А вот я вижу клиническую картину. Помоги мне!

Валентин Сергеич даже как-то скорчился от нежелания участвовать.

— Ты же, блин, врач! Ты должен спасать людей! — давил Игорь.

— В больницу их надо! На полное обследование! На диспансеризацию!..

— Кончай ссать.

Доктор Носатов поник, будто ему сломали позвоночник.

— Слушай, что тебе требуется сделать, — холодно заговорил Игорь. — С этим списком ты сейчас отправишься к Свистухе. Пускай после футбола, пока весь лагерь собран на стадионе, она объявит, что в десять вечера тем, кто указан в этом списке, нужно прийти к тебе сюда, в медпункт. Понял?

Игорь хорошенько обдумал и время, и план действий.

— Как я смогу убедить Свистунову? — всё ещё упорствовал доктор.

— Ну, скажи, что это всё укушенные клещами. Тебе надо перед отъездом из лагеря поставить им уколы.

— А почему тогда я сразу экстренную профилактику не провёл?

— Да блин!.. — рассердился Игорь. — Какими болезнями клещи заражают?

— Энцефалитом. Болезнью Лайма. Эрлихиозом, анаплазмозом, много ещё чем. Зачастую эти инфекции провоцируют и другие заболевания...

— Вот! — Игорь ободряюще хлопнул доктора по плечу. — Соври, что от энцефалита ты им в тот же день уколы влепил, а теперь решил от анапло... плазмоза поставить. Типа как нельзя сразу оба укола. Свистуха же не знает.

— А если она у них спросит, кусал ли их клещ?

— Зачем ей тебя перепроверять?.. Хотя ладно, подстрахуемся. Расскажи ей, что этот анаплазмоз обостряет остальные болезни, вызывает обмороки, нарушение координации, потерю соображения... Чёрт, да наплети ей, что это вообще может быть заразно, как грипп! Она и не полезет с расспросами!

Это был хороший ход, Игорь сам себя похвалил. Свистуха, конечно, сразу свяжет мифическую инфекцию с гибелью вожатых и пионеров. И не станет вникать в подробности вакцинации, потому что в таком случае окажется виноватой: знала про опасность, но не подняла тревогу.

— И всё равно, Игорь, я боюсь маячить перед Свистуновой... Может, без неё обойдёмся? Я пошлю тётю Пашу по лагерю, она сама найдёт всех, кто в списке, и предупредит.

— Не покатит! — твёрдо возразил Игорь. — Те, кто в списке, — здоровы. И клещи их не кусали. Зачем им к тебе тащиться? Кто-нибудь возьмёт да не пойдёт, а мне нужны все! Поэтому пусть им Свистуха прикажет. Старшую пионервожатую они ещё послушают, а тебя, меня или тётю Пашу — ни фига.

Доктор, терзаясь, нервно прошёлся по своему кабинету, и медицинский шкафчик испуганно задребезжал тонкими стёклами.

— А что мне делать, когда эти тринадцать завалятся сюда? — доктор посмотрел Игорю в глаза. — Я не выдержу снова увидеть тех мертвецов!

— Тебе и не надо, — успокоил Игорь. — Запри дверь и повесь снаружи объявление, чтобы тотчас шли на речной трамвайчик.

— Куда? — не понял доктор.

— На речной трамвайчик.

— Зачем?!

Валентин Сергеич уже утомил Игоря своим постыдным малодушием.

— Ты действительно хочешь знать? — зло спросил Игорь.

Доктор быстро отвернулся.

— Нет, не хочу.

Он вздохнул с каким-то всхлипом, словно был готов разрыдаться.

— Знать я хочу только одно: когда всё это закончится?

— Сделай, как условились, и тогда закончится, — пообещал Игорь.

Глава 4

ЦЕЛОВАТЬ НА ПРИЧАЛЕ

У входа в столовку разгорелась игра в «резиночку»: две девочки стояли на дорожке, растянув ногами истрёпанную, всю в узелках бельевую резинку, а третья девочка прыгала, как на пружинах. Она ловко поворачивалась то боком, то спиной, скрещивала или растопыривала ноги и размахивала руками для баланса. Её длинный хвостик подскакивал, а юбка раздувалась пузырём.

— Пе-ше-хо-ды, лу-но-хо-ды! — в такт прыжкам тараторила прыгунья. — При-земли́лись, по-хмели́лись!.. — прыгунья умело меняла фигуры пилотажа. — Бантик влево — королева, бантик вправо — рыжий кот!.. В конвертике приветики, большие пистолетики!.. Ягода-конфета, ракета-сигарета, а в конфете таракан, Ленку любит хулиган!..

Игорь ждал, когда его отряд соберётся после обеда, и наблюдал. Игра в «резиночку» была какой-то очень простой и настоящей, потому что для неё не существовало ни пионеров, ни вампиров. Игорь думал о Веронике. Совсем недавно и она была такой же маленькой девочкой; эта маленькая девочка, конечно, оставалась в душе Вероники и сейчас, как в нём самом оставался маленький мальчик, который играл в войнушку и палкой рубил крапиву. Можно было обозлиться на что угодно в жизни, только не на эту девочку.

Вероника вышла из столовки вместе с Сашей Плоткиным.

— Мне надо поговорить с тобой наедине, — сказал ей Игорь.

— Нам не о чем разговаривать, — холодно ответила Вероника.

— Это важно, — настаивал Игорь.

— Кажется, я предупреждал тебя, чтобы ты отцепился от Вероники? — дребезжащим голосом спросил Саша. — Неужели тебе непонятно?

Саша вёл себя как рыцарь, благородный защитник слабых. Он знал, что Игорь не полезет в драку, а потому держался вызывающе. Однако Игорь не обращал на него внимания, и Вероника тоже.

— Я всё равно буду дёргать тебя, пока не поговоришь со мной.

— Похоже, ты напрашиваешься на мордобой! — полыхал Саша.

— Не привлекай интереса к себе, устраивая мне бойкот, — добавил Игорь, угрожая Веронике тем, чего вампиры боялись не меньше святой воды.

— Ну, хорошо, — нехотя согласилась Вероника. — Отойдём. Саша, остынь. Собери отряд, и ступайте в корпус.

— Только недолго, Корзухин, — сказал Саша. — Если что, Ника, зови меня.

Игорь с мрачным любопытством смотрел, как Саша Плоткин деловито направился к пионерам. Вот как в быту выглядит подчинение тушки пиявцу.

— Прогуляемся до пирса, — предложил Игорь.

Они шли по аллее, будто ничего не случилось: ни разрыва отношений, ни превращения в вампира, ни страшного обещания стратилата. И красный галстук на шее Вероники тоже как будто ничего не означал. Просто галстук.

— Я догадался, — сказал Игорь. — Иеронов укусил тебя в Родительский день, когда ты с бесхозными девочками ходила к нему на чаепитие. А потом ты укусила Сашу, так? Наверное, и ещё кого-нибудь, но это уже не важно.

— Несёшь полную чушь, — досадливо поморщилась Вероника.

— Вокруг никого нет, перед кем тебе изображать обычного человека? — Игорь пожал плечами. — Я же сам видел, как ты залезала ко мне в комнату через окно. А оно на втором этаже. И у тебя были клыки.

— Бред! — решительно отвергла Вероника.

— Я ведь не тушка вроде твоего Сашеньки, чтобы верить во всё, во что ты прикажешь мне верить.

Вероника промолчала.

— Я знаю, для чего тебе пионерский галстук. Я знаю, почему ты предала нашу любовь и вернулась к Плоткину. Знаю, что ты делаешь по ночам. Знаю, что у тебя не бьётся сердце. И знаю, кто такой Иеронов.

За железными воротами по-прежнему возвышалась тумба с гипсовой горнисткой. Проходя мимо, Игорь погладил горнистку по облупленной и шершавой серебряной коленке. В пионерлагере нашлись ужасы и поужаснее ходячей скульптуры. И гипсовая девочка никогда не была живой.

— Нет, Игорь, ты и представления не имеешь, кто такой Серп Иванович, — усмехнулась Вероника без привычной надменности.

При упоминании Иеронова глаза её потемнели. Игорь помнил этот тёмный огонь — он зажигался только в миг торжества и блаженства.

— В нём такая сила, будто он бог. Ему нет преград. Он всё знает о людях. Он делает мир понятным. И я рядом с ним как всемогущая.

Игорь против воли почувствовал ревность к вампиру.

— С чего это Серп так тебя вдохновляет? — угрюмо спросил он.

Конечно, дело было не в близости. Близость — слишком просто.

— Для меня самой это загадка, — Вероника говорила медленно, словно вслушивалась в своё наслаждение. — Подобного со мной никогда не бывало. Наверно, я никогда не встречала других людей с такой же удивительной судьбой и с таким же внятным объяснением жизни. Если ты с ним заодно, то получаешь всё, что необходимо: любовь, свободу, правду. Всё обретает свой смысл. Любое дело ради него — часть великого дела. Я ещё никогда не ощущала себя такой нужной. Мне будто поручили знамя нести.

— Он пьёт твою кровь, а остальное — наркоз, — жёстко сказал Игорь.

— Да, ему требуется моя кровь, — легко согласилась Вероника. — Ну и что? Кому-то требуется инсулин, а ему — кровь. А мне своей крови для него не жалко. Он старый человек. Он изранен в Гражданскую войну. Он болеет. Но возраст и страдания не умаляют величия его духа.

Игорь вывел Веронику на пирс, протянутый с берега далеко в реку. Скоро здесь пришвартуется теплоходик, но пока что пирс оставался пустым, как недостроенный мост. Под ногами скрипели доски. Волны легко шлёпали о сваи и развешенные покрышки. По лицу Вероники бегали отсветы воды.

— Со мной ты была совсем не такая, — заметил Игорь, не пощадив самолюбия Вероники. — Со мной ты не терпела, чтобы тобой командовали. Чтобы за тебя решали, как тебе жить и что думать о жизни.

— Не обижайся, Игорь, — Вероника погладила его по локтю. — Но с тобой всё было... как-то мелко. Понарошку. Погуляли, посмеялись, поцеловались, переспали... А большой мир оставался страшным. Потому я и была такая... нетерпимая. Колючая. А с хозяином мир не страшный. Конечно, в нём много опасностей и неудобств, но теперь я знаю, почему, и знаю, как справляться.

Игоря едва не затрясло от ненависти к вампиру.

— Это всё ложь и обман! — он смотрел Веронике в тёмные глаза, но эти глаза были как проруби во льду. — Сегодня ночью Серп выпьет твою кровь, и через несколько дней ты умрёшь! Для тебя вообще ничего не будет!

— А я согласна, если ему так надо! — ответила Вероника дерзко и даже с радостью. — Думаешь, меня это испугает? Остановит? Да ты не чувствовал никогда, как я сейчас чувствую! Ты не жил, как я живу!

Слышать это Игорю было нестерпимо больно.

Вдали по Волге летел «Метеор». Он сверкал на солнце, точно выстрел.

Игорь схватил Веронику за плечи.

— Говори, что хочешь, — выдохнул он ей в лицо, — но я тебе не верю! Не верю, что ты меня разлюбила! Да, ты отказалась от меня для безопасности! Да, ты согласна умереть за вампира! Но меня ты не разлюбила!

Вероника глядела на него как на убийцу. Он положил ладонь ей под грудь — и там была мёртвая тишина. Её сердце не билось.

— Не трогай меня!.. — почти беззвучно прошелестела она.

— Если дёрнешься, я толкну тебя в воду, — предупредил Игорь. — Я знаю, что в воду вам нельзя. И знаю, что днём ты меня не укусишь!

Он чуть наклонился и жадно прижался губами к её губам — холодным и мягким. Вероника замерла на краю пирса, не рискуя шевельнуться. Игорь обнял её одной рукой, отчаянно притискивая к себе и целуя так, как никогда прежде не целовал. Это была его ненаглядная Вероника — украденная, обманутая, превращённая в чудовище, но всё равно его Вероника. И под ладонью он ощутил, как в ней вдруг что-то робко стукнуло, а потом снова и снова. У Вероники очнулось сердце. Оно толкнулось само, без повеления.

Игорь еле оторвался от её губ.

— Я не сброшу тебя в воду, — прошептал он. — Но мне надо, чтобы ты сделала одну вещь. Сделала для меня.

По безумному лицу Вероники плыли синие пятна.

— Когда сегодня хозяин позовёт тебя, скажи, что ждёшь его в пищеблоке. Пусть он придёт туда. И не важно, где ты в это время будешь.

Вероника смятенно молчала.

— Скажи ему! — повторил Игорь. — Я верю тебе, потому что люблю тебя. И ты меня тоже любишь. Ты забыла, но я знаю это за тебя. И я тебя не отдам.

Глава 5

ВАМПИРЫ СЧАСТЛИВЫ

— Море волнуется раз! — командовала Анастасийка. — Море волнуется два! Море волнуется три! Морская фигура, замри!

Мальчики и девочки замерли в причудливых позах.

Надо было чем-то занять отряд до начала футбольного чемпионата, и Анастасийка предложила эту игру. Ирина одобрила; Игорь, разумеется, тоже. Те, кто пожелал играть, выстроились под соснами перед Анастасийкой; те, кто не пожелал, расселись прямо на земле в качестве судей.

Анастасийка придирчиво осматривала морские фигуры.

— Заводной или каменный? — спросила она у Славика Мухина.

Славик стоял сгорбившись и в каком-то непонятном выверте держал возле носа обе ладони с растопыренными пальцами.

— Заводной, — ответил Славик.

Анастасийка коснулась его — «завела». Славик зашевелил пятернями.

— Не знаю, кто ты, — подумав, недовольно сказала Анастасийка. — Урод, а не морская фигура. Крокозёбра. Смесь бульдога с носорогом.

Судьи тоже не могли угадать фигуру.

— Наверное, это герань, — предположила Леночка Романова.

— Откуда в море герань? — удивилась Анастасийка.

— Жена дала капитану, а он в море выбросил. Герань пахнет противно.

— Это кит! — гневно закричал Славик. — Это рот евонный и зубы!

— У кита нет зубов, — возразила Анастасийка. — Зубы только у акулы.

— Кит! Кит! — заорали судьи-мальчишки. — Точняк похожий!

— Плохая фигура, — заявила Анастасийка. — Ты вылетаешь, Мухин.

— Нечестно! — взорвался Горохов. — Все видят, что кит, одна ты косая!

— Неграм слова не давали, — отбрила Горохова Анастасийка.

Валерка сидел в числе судей и любовался Анастасийкой, плавными движениями её рук, когда она изображала волны. Среди судей сидели и Лёва Хлопов с Маринкой Лебедевой. Если бы требовалось подмести территорию, собрать металлолом или поучаствовать в спортивном соревновании, пиявцы наверняка были бы в числе первых, — а играть они не умели. Нет правил, чтобы показывать кита или хотя бы герань, выброшенную капитаном за борт.

Игорь прогуливался поодаль. За соснами с реки уже проквакал ревун швартующегося трамвайчика; Игорь хотел перехватить Димона Малосолова, но проворонил: в поисках Ирины Димон сразу юркнул в корпус. Теперь надо было подождать, пока эти двое наговорятся. Не стоит раздражать Димона, отвлекая от встречи с возлюбленной, — Димон нужен добрый и покладистый.

Игорь незаметно поглядывал на Лёву и Маринку. Маленькие пиявцы уже не вызывали в нём ненависти; наоборот, теперь их было как-то жалко. Мрачная откровенность Вероники произвела на Игоря гнетущее впечатление. Одно дело, когда пиявцы подчиняются стратилату, как тушки подчиняются пиявцам: приказ получен — приказ исполнен. И другое дело, когда пиявцы всей душой преданы своему поработителю: они служат ему истово и ради него готовы на что угодно. Пиявцы молятся на стратилата; для них желания вампира — священные заповеди и воля небес; они бестрепетно отдадут жизнь за повелителя. Как собаки, они счастливы быть у сапога хозяина.

— Море волнуется раз! — командовала Анастасийка. — Море волнуется два! Море волнуется три! Морская фигура, замри!

Судьи с интересом изучали фигуры.

Женька Цветкова просто стояла, сложив ладони над головой домиком.

— Заводная или каменная? — спросила Женьку Анастасийка.

— Каменная.

Анастасийка снова никак не могла определить фигуру.

— Я морская царевна, — подсказала Женька. — Это у меня корона.

— Нифига не корона! — завопил Горохов. — Это пилотка какая-то!..

— Морских царевен в природе не бывает! — Анастасийка рассердилась на глупую выдумку. — Такую фигуру нельзя! Ты вылетаешь, Цветкова!

— Морские царевны бывают! — возмутилась Женька.

— Не бывают! Вон, все согласны! — Анастасийка картинно простёрла руку в сторону судейского сообщества, мужская часть которого разразилась возгласами одобрения, а женская — возгласами негодования.

Игорь не увидел продолжения спора — из корпуса вышел Димон.

Игорь поспешил к нему.

— Димон, погоди, у меня дело к тебе!..

Лицо у Димона дрожало, как у ребёнка.

— Она меня в жопу послала!.. — не слыша Игоря, пролепетал Димон.

— Кто? — изумился Игорь.

— Иришка!.. Сказала, чтоб я никогда к ней больше не подходил!.. — Димон достал сигареты и взволнованно задымил прямо возле корпуса. — Не может вспоминать, как ваша вожатка нас чуть не застукала!..

Игорь понял, что Димон имеет в виду тот случай, когда он уединился с Ириной в корпусе, но туда внезапно заперлась Свистуха. Всю смену Димон раскачивал Ирину, чтобы затащить в койку, и это была титаническая работа, потому что моральные принципы Ирины выдерживали прямой удар атомной бомбы. Однако Димон справился. А Свистуха невольно обрушила все его достижения. Осмелиться на вторую попытку Ирина уже не могла, и потому от досады беспощадно вышибла Димона из своей жизни, чтобы не соблазнял.

— Займи трёшник, — проникновенно попросил Димон. — Пойду к доктору, куплю у него спирта и нажрусь!

Димон планировал покатиться кубарем под уклон своей горькой судьбы.

— Доктор сам весь спирт вылакал, — сказал Игорь. — Сочувствую, Димон. Но у меня к тебе дело. Достань мне снова ключи от парохода!

— Зачем?

— Надо.

Димон поглядел на Игоря с тоской и осуждением.

— У меня облом по жизни, а ты девку хочешь на судно провести?

— У меня тоже не всё просто! — смутился Игорь.

— Иди ты, Игорёха! — обиделся Димон. — И так всю смену кайфовал!

— Димон, очень надо!

— Да меня Палыч задрал! За человека не считает! Ничё мне уже не даст!

— Ну, ты сумеешь его снова уломать!

— Всё, я в запое! — сердито бросил Димон.

Он отпихнул Игоря с дороги и двинулся прочь. План пленения пиявцев проваливался в тартарары. Игорь в отчаянье схватил Димона за рукав.

— Ну, постой! — горячо заговорил он. — Давай баш на баш! Ты мне ключ от парохода, а я Ирину тебе подгоню!

— Как подгонишь? — сразу притормозил Димон.

— Неважно! — отмахнулся Игорь; сейчас он мог пообещать что угодно. — Когда концерт начнётся, она тебя в корпусе будет ждать!

— Слово пацана? — глупый Димон был очень доверчив.

— Ключ принеси!

— Без базара! — повеселел и оживился Димон. — Я уже к Палычу почесал!

А под соснами продолжалось состязание морских фигур.

Гурька валялся на спине, задрав руку и ногу.

— Заводной или каменный? — свысока спросила его Анастасийка.

— Быстрее гадай! — взвыл Гурька. — Тяжело держать!

— Заводной или каменный?

Гурька бессильно уронил ногу.

— Я был затонувший корабль! — крикнул он. — У меня мачты торчали!

— Ты вылетаешь, — холодно сказала Анастасийка. — Ты фигуру сломал.

— Я не сломал! Я заводной был! Я показывал, как корабль приплыл на дно, и у него мачты все отпали! Корабль вот так на дне лежит!

Гурька вытянул руки и ноги как по команде «Смирно!» и закрыл глаза.

«У меня тоже все мачты отпали», — подумал Игорь.

Ирину он отыскал в комнате вожатых. Ирина сидела на кровати Саши Плоткина — почему-то без очков. В этом было что-то интимное, Игорь даже оторопел.

Ирина вытерла лицо ладонью и надела очки, собираясь подняться.

— Не надо, — остановил её Игорь, усаживаясь напротив.

Ирина, оказывается, плакала. Несгибаемая Ирина Копылова — плакала! Пухлая, простоватая и всегда обычная, она вдруг сделалась человечной и очень милой. Да, Димону Малосолову было во что влюбиться.

— Мы завтра уедем, — сказал Игорь, — и больше уже не встретимся.

— Не буду жалеть, — Ирина шмыгнула носом.

— И Димон больше не появится. А он в тебя крепко врезался.

— Это он тебя подослал? — Ирина не глядела на Игоря.

— Нет. Но мы старые дружбеки. Я его прекрасно знаю. И мне тоже не за радость, что у него с тобой всё рассыпалось. У него же мысли коротенькие, как у Буратино: ты сказала ему «пошёл вон» — он, дурак, и пошёл.

Игорь подумал, что ему самому Вероника тоже сказала «пошёл вон».

— Не суй свой нос, Корзухин! — ожесточённо хлестнула Ирина, однако не поднялась с койки, чтобы удалиться и прекратить все обсуждения.

— Вы взрослые люди. Вы нравитесь друг другу. Вы никому не делаете плохо. Но почему же ты всё закончила?

— Такого позора мне больше не надо! — яростно ответила Ирина.

— Какого позора?! — изумился Игорь. — У вас вообще ничего не было! Если ты про Свистуху, так у неё своих проблем выше крыши, она всё давно забыла, она сама живёт с физруком, не расписанная, да и не отразила она тогда нифига! Все препятствия у тебя только вот здесь! — Игорь подался вперёд, вытянул руку и бесцеремонно ткнул пальцем Ирину в лоб.

Вопреки ожиданиям, Ирина не отбросила его руку.

— Может, и так! — упрямо сказала она. — Но жить надо по правилам!

По правилам полагается сначала в ЗАГС и лишь потом в спальню. Всё разумно и справедливо. Только с Димоном это не сработает. До ЗАГСа он не дотерпит. А не получит сейчас — умотается куда-нибудь в сторону.

— Конечно! — искренне согласился Игорь. — Мы же общество, а не стадо, и потому должны жить по правилам. Однако есть вопрос: по каким? Не знаю, кто придумывал правила для нас, но в них почему-то слишком тесно даже хорошему человеку! И человек несчастлив, хотя ни в чём не виноват!

Игорь говорил уже не про Димона, а про себя. И думал уже не о том, что ему никогда не побывать на Стоунхендже или у египетских пирамид, — фиг с ними, с пирамидами. Игорь думал о том, что вампиры — зло, и с этим никто не спорит, но правила, увы, никому не позволяют победить вампиров. В борьбе с вампирами ему, Игорю, приходиться изворачиваться и хитрить, будто он жулик. Почему? Почему правила более удобны для вампиров, чем для людей? Вампиры-то счастливы! А Ирина не вампир, хотя она, как любой пиявец, всей душой предана правилам — торжествующему порядку вещей.

Ирина молчала, сжимая губы. Глаза у неё были полны слёз.

— Короче, Копылова, — устало закончил Игорь, — поступишь по правилам — потеряешь Димона. Он не семи пядей во лбу, он тебя не поймёт.

Ирина была не дура. И всё, о чём говорил Игорь, она, конечно, знала.

— Не ходи на концерт, — честно попросил Игорь. — Я пообещал Димону, что постараюсь переубедить тебя, и вы встретитесь ещё раз.

Ирина не ответила, но и не возразила. Игорь понял, что она согласна.

Глава 6

ОТНЯТЬ ВСЁ

По лагерной трансляции гремели мужественные песни про спортивные рекорды и мирную борьбу. Лагерь готовился к футбольному чемпионату. Вожатые собирали своих пионеров у стадиона. Валерка с Юриком шли по узкой дорожке в кустах за вторым корпусом.

— Мама хотела записать меня на футбол, чтобы я развивался физически, а папа сказал, что в жизни больше пригодятся шахматы, — говорил Юрик.

Сзади раздался торопливый топот, и чья-то жёсткая рука внезапно цапнула Валерку за шею, свирепо сдавила и нагнула.

— Попался, хариус! — в затылок Валерке злорадно выдохнул Бекля.

— Вы чего? — тонким голосом крикнул испуганный Юрик.

— Вали отсюда! — рявкнул на него Рулет.

— Вали нафиг! — повторил Сифилёк.

— Я вожатым скажу!.. — плачуще пообещал Юрик, отступая.

Бекля ткнул Валерку головой в заросли и погнал куда-то вперёд — видно, чтобы расправиться без свидетелей.

На укромной полянке за акацией Бекля несколько раз пнул Валерке коленом под зад и только тогда выпустил.

— Давай ему стекляшки разобьём! — Рулет, сжав кулаки, азартно сновал перед Валеркой, словно прикидывал, куда ударить.

Валерка сейчас ничуть не боялся Беклю с его шавками, хотя, похоже, придётся получить от них колдячек. Для Валерки Бекля теперь был пиявцем, а не шпаной, но при солнце пиявец не кусает — так что опасаться нечего.

— Ты мне три рубля должен, — ухмыляясь, заявил Бекля.

— А чё не пять? — дерзко спросил Валерка.

— Буреешь, мазепа? — Бекля ткнул кулаком Валерке под дых.

Валерка согнулся от боли и закашлялся.

— Я тебе всю амбулаторию распинаю, понял?

— Ничё я тебе не должен! — задыхаясь, просипел Валерка.

— Гони три рубля! — истерично задёргался Рулет.

— Деньги неси! — подпевал Сифилёк.

— Щас-щас... — просипел Валерка. — Только шнурки поглажу...

Наверное, шпанята принялись бы его бить, но кусты зашевелились, и на полянку из зарослей вылез Лёва Хлопов — в спортивных трусах, майке и красном галстуке. А за Лёвой появились Титяпа, Славик Мухин, Горохов и Гельбич. За их плечами мелькнул робкий и взволнованный Юрик.

— О! — глумливо воскликнул Бекля. — Полная гваделупа прискакала!

Валерка обалдел. Он не ожидал никакой помощи — у него же нет друзей, — но вдруг на выручку ему приходит заклятый враг! Вампир! И не один, а со своей компанией!.. В душе Валерки нежеланная благодарность смешалась с устоявшейся ненавистью, и убеждения качнулись, как на ходулях.

— Отцепись от него, Беклемишев! — строго приказал Лёва.

— А чё будет? — Бекля уже кривлялся.

Лёва молча смотрел Бекле в глаза. Валерка переводил взгляд с одного на другого и пытался понять: знают ли Бекля с Лёвой, что оба они — пиявцы? Неужели пиявцы подерутся за него, как два кота за селёдочную голову? Бекля, шпанюга, был выше и разболтаннее Лёвы,

однако за Лёвой, пионером, была благородная право-
та, придающая сил, и твёрдый спортивный характер.
А тушки просто сверлили друг друга яростными взора-
ми, готовые выполнить повеление хозяев. И Валерка
вдруг ощутил, что ему тоже захотелось попасть в команду Лёвы, потому что Лёва — смелый и справедливый командир.

— Нас больше, Беклемишев, — предупредил Лёва.

Бекля, делая вид, что ему всё пофиг, небрежно оттолкнул Валерку.

— Да забирайте своего очкарика, говна не жалко! —
хохотнул он.

Лёва приобнял Валерку за плечи.

— Пойдём, — спокойно произнёс он.

— Я тебя в городе найду! — напоследок пригрозил
Валерке Бекля.

Пока шли до стадиона, Лёва больше ни о чём не говорил. Помалкивал и Юрик; он держался поближе к Валерке и смущённо сопел: ему почему-то было неловко, будто
Валерка пострадал по его вине.

— Бекля тебя не найдёт! — успокоил Валерку Гельбич. — Город большой!

Валерка и не думал, что Бекля будет его искать.

— Я бы Рулета одной левой вырубил! — запоздало похвастался Титяпа.

— Ты болей за нас, Лагунов, — у стадиона скромно
попросил Лёва.

Синева неба к вечеру загустела, и облака пожелтели
от жары. На лавках не осталось свободных мест, и половина зрителей мялась на ногах. Кругом царил гвалт. То
в одной, то в другой части толпы время от времени сама
собой начиналась толкотня, и вожатые бросались усмирять суматоху.

— Сборные, на поле! — в мегафон скомандовал физрук Руслан Максимыч.

Сборные нестройно выступили на общее обозрение. Зрители зашумели, приветствуя своих. «Белазы» — пацаны из старших отрядов — презрительно посмеивались, разглядывая соперников; они были уверены в победе, потому что во всех соревнованиях всегда побеждали старшаки. Однако «белазы» не производили впечатления неимоверной могучести: так, немного повыше ростом, чем футболисты Лёвы — кроме Гельбича, конечно, — и голоса грубые и противные. Вот и всё. Короче, больше выпендрёжа, чем превосходства.

Вожатые Кирилл и Максим, тренеры «белазов», наставляли игроков:

— Действуйте агрессивно, вы сильнее!

— Давите психологически, вы старше!

На поле вышла Свистуха. Физрук Руслан передал ей мегафон.

— Ребята! — электрический голос Натальи Борисовны легко перекрыл гомон зрителей. — Приветствую вас на главном событии нашей олимпийской смены — на чемпионате по футболу!

Зрители завопили.

— Чего так тихо?! — задорно гремела старшая пионервожатая, повышая градус восторга. — Ура нашим будущим чемпионам!!!

— Ура!!! — надрывно заорали зрители.

Мегафон забрал физрук.

— Команда первого и второго отрядов против команды третьего и четвёртого! — объявил он. — Капитаны Горелкин Вовчик и Хлопов Леонид!

Лёва поджал губы, но поправлять не стал.

— По свистку — начало матча! Играем один тайм!

Валерка и Юрик сидели прямо на земле и наблюдали, как обе команды изготовились для схватки. Физрук положил мяч в центре поля, отошёл на безопасное расстояние, посмотрел на часы и дунул в свисток. Футболисты яростно кинулись к мячу и сбились в кучу. Зрители опять дружно заорали.

А мысли Валерки были далеко от стадиона. Валерка пытался понять: почему Лёва спас его от Бекли? Сколько объяснений он ни вертел в голове, всё сводилось к одному: Лёва — хороший. Лёва не притворялся пионером, как и Бекля не притворялся шпаной. Пускай тогда, на Концертной поляне, Лёва хотел укусить — ну и что? После заката пробуждалась природа пиявцев. Но человеком Лёва был хорошим. А плохим был тот, кто сделал его вампиром.

«Белазы» играли тупо и прямолинейно. Всем табуном они сразу навалились на команду Лёвы, легко прорвали защиту, выкатились к воротам противника и влепили гол — Гурька, оборонявший ворота, сиганул куда-то совсем мимо мяча. Зрители улюлюкали. Они были довольны. Никто не ждал от матча какого-то состязания, все рассчитывали полюбоваться на избиение младенцев. Ради общего удовольствия старшаки обязаны были в пух и прах растрепать салабонов — в этом и содержалась жертвенная суть чемпионата.

Девочки из старших отрядов, организовавшись, скандировали речёвку:

— Если! Наши! Паби-дят! Паци-луем! Весь а-тряд!

У Лёвы от первоначальной команды оставались Гурька, Титяпа и Горох, от второго звена, не Валеркиного, — Гельбич, Цыбастыш и Макеров. Лёва собрал игроков в центре поля и что-то внушал, как вожак заговорщикам. «Белазы» расслабленно бегали вокруг, перекрикиваясь со зрителями.

Физрук дал свисток, и команда Лёвы сразу устремилась в атаку. Мяч будто подменили. Длинными зигзагами он летел от одного Лёвиного игрока к другому, словно кто-то заранее прочертил ему траекторию, а «белазы» бестолково метались совсем не там, где было нужно.

Гельбич взмыл над полем как тощая хищная птица и залимонил гол в ворота противника.

Зрителям было пофиг, кого избивают, — младенцев или не младенцев. Зрители возликовали, а «белазов» явно удивило отсутствие сочувствия.

Кирилл и Максим озабоченно засуетились, однако звезда старшаков уже сорвалась с небес. Окрылённая успехом, команда Лёвы больше не желала уступать инициативу. Валерка молча смотрел, как на поле разворачивается наступление на «белазов». За прошедшую смену футбол надоел Валерке до чёртиков, но сейчас Валерка следил за ним с какой-то сумрачной жадностью. Пацы словно бы разгадали секрет замысловатого механизма победы. Тайна заключалась в том, что не надо стараться обогнать всех или владеть мячом как можно дольше. Общее дело делает команда, и твоя задача — помочь ей там, где можешь, а не сделать всё за неё в одиночку. Валерка тоже это понял.

Лёва не лез в гущу схватки, он носился повсюду и отдавал приказы:

— Пасуй Макерову! Отдай Кошкину! Пробей в третью зону! Пасуй Гельбичу! Посылай на правый фланг!..

Кто-то из «белазов» сшиб Лёву с ног, но Лёва не унялся.

Пацы показались Валерке заколдованными. Они так ловко уводили мяч от «белазов», перегоняя друг другу, что Валерка осознал: он завидует. Пацы слились в коллектив, а он, Валерка, опрометчиво пренебрёг футболом... Но разве он мог предположить, на что способен вампир? Помнится, он жалел, что нет такой особой машинки, когда нажал кнопку — и все сразу слушаются, и получается команда. Оказывается, такая машинка существует.

Пацы колотили «белазам» голы один за другим. «Белазы» психовали. Зрители ржали над ними, и каждый гол сопровождался издевательским рёвом. Жанка, зажмурившись, истошно верещала — она разрумянилась от гордости за Гельбича, главного форварда. Даже угрюмый Лёлик неумело улыбалась, хотя проигрывала команда, в которой были парни из её отряда.

Физрук становился всё строже. Он изначально болел за тех, кто сильнее, а сильные обманули его ожидания. Физрук, оправдываясь, ругался:

— Ну, дэбилы!.. Говорю же — дэбилы!..

Тёзки Кирилл и Максим мотались за физруком, словно возле него их собственный тренерский позор будет не так заметен.

Деваться было некуда, и физрук дунул в свисток. Матч был окончен.

Взмокшие и растрёпанные «белазы» потерянно стояли на поле, не веря в свой проигрыш. Пацы тяжело дышали, ещё ничего не соображая.

— Со счётом шесть-один победила сборная средних отрядов! — небрежно объявил Руслан, словно эта победа ничего не стоила.

Зрители восторженно завопили. Всегда приятно, когда рушатся кумиры.

На поле быстро выскочила старшая пионервожатая и забрала мегафон. Чутьё опытного организатора подсказывало ей, что нельзя завершать смену раздором — торжеством одних и разгромом других.

— А по-моему, все молодцы! — весело закричала она. — Верно, ребята?

Зрители великодушно поддержали Свистуху.

— На Олимпиаде главное — участие! Побеждают все! Ура нашим!

— Ура!!! — грянули зрители.

Свистуха что-то прошептала Русланчику на ухо, и Валерка понял, что:

— Надо было ничью делать! Сам ты дэбил!

Футболисты покидали поле, и пацы направлялись в сторону Валерки с Юриком. Лёва будто невзначай опустился на землю рядом с Валеркой.

— Здоровско мы их? — негромко спросил он.

— Здоровско, — хмуро согласился Валерка.

— Ты ошибся, Лагунов, — Лёва растирал колени и не глядел на Валерку. — Я тебя звал к нам, а ты не пошёл. А тебе это было надо.

Валерку словно обдало холодом. Да, Лёва хороший: самоотверженный и честный. Да, он спас Валерку от Бекли. Да, он создал настоящий коллектив, о котором Валерка мечтал. Но это ничего не меняет, потому что Лёва — вампир. Значит, у него, у Валерки, вампиры отняли даже мечту!

— Подождите, ребята, послушайте ещё! — закричала в мегафон Свистуха. — Сейчас перерыв на полчаса, чтобы всем переодеться для торжественной линейки! И есть объявление! — в руке у Свистухи появился листочек. — Кого сейчас назову, тем надо в десять вечера подойти к доктору в медпункт!..

Валерка ухмыльнулся сам себе. Это заработал план Горь-Саныча.

Глава 7

ПОД КРАСНЫМ ФЛАГОМ

В корпусе царила суматоха: вожатые наконец-то разрешили отряду готовиться к отъезду из лагеря. Игорь дежурил в кладовке и следил, чтобы не случилось эксцессов, подобных пропаже джинсов у Цыбастова. Пионеры, толкаясь и ругаясь, разбирали свои сумки, рюкзаки и чемоданы. Ночью, после костра, времени на возню со шмотками уже не будет, а утром — тем более: сразу после завтрака планировалась посадка на теплоход.

Ирина следила за порядком в коридоре. Пионеры носились туда-сюда, обмениваясь вещами, перепутанными за смену.

— Стяжкина, ты где? Отдавай мою кофту! — кричала Леночка Романова.

Перед Ириной вытянулась возмущённая Анастасийка. В руке она держала красивый иностранный саквояжик.

— Это же полная глупость, Ирина Михайловна! — гневно заявила она. — Вы сказали оставить для отъезда обычную одежду, а сейчас на линейку нужна парадная форма! Всё же наоборот получается!

— Не зли меня, Сергушина! — ответила Ирина. — Иди в палату, не мешай!

Валерка не ломал голову над такой ерундой. Сначала одежда парадная, потом она считается обычной, вот и всё. Пусть дураки переодеваются.

Пацы раскидали своё барахло по койкам — не столько для дела, сколько для того, чтобы убедить себя, будто предприняли какие-то незаурядные усилия для соблюдения порядка и проведения учёта.

— Пацы, приезжайте ко мне в гости, папка нас на рыбалку возьмёт, — пригласил всех Серёжа Домрачев.

— Я приеду! — тотчас пообещал Гурька. — Я у старшего брата обе сети возьму, он у меня ваще браконьер, в него из ружья даже стреляли!

— Осенью приходите на «Металлург», — солидно сказал Лёва. — У нас там на стадионе юниорская футбольная команда. Жека Гурьянов, Колька Горохов и Титяпыч, я вас песро... персонально зову. Нам нужны хорошие игроки.

— Я прямо в первое сентября приду! — пообещал Гурька.

Славик Мухин покрутил в руках кепку с козырьком и решительно нахлобучил её на голову Титяпе.

— Дарю на память! — сказал он. — Тебе же она понравилась.

— Нечестно! — сразу вскинулся Горохов. — Дарить чё — так всем!..

— Как я одну шапку на всех подарю?

— Тогда ничё ему не дари!

— Давайте все друг другу шапки подарим! — быстро придумал Титяпа, чтобы не терять подарок. Он вытащил мятую панаму и кинул Горохову. — На!

Горохов повертел панаму в руках и рассердился:

— А у меня нету своей шапки! Я из дома не брал!

Он явно не хотел расставаться с только что обретённой панамой.

— Подари носки, — подсказал Славик Мухин.

Горохов сразу снял носки и швырнул Юрику Тонких.

— Спасибо, — вежливо сказал Юрик. — Бери, Валерка!

Юрик протянул Валерке свой детсадовский картуз.

В картузе Юрика Валерка вышел на улицу.

Возле крыльца околачивался Гельбич — знаменосец отряда. Он был уже готов для линейки: наглаженные брюки, белая рубашка, лента через плечо, галстук и пилотка. Скучая, он развлекался со свёрнутым флагом: крутил его по-всякому и наносил удары по воображаемому противнику.

— О, Валерьян! — обрадовался Гельбич. — Иди сюда, буду тебя убивать! Стой спокойно! Дыщ! Дыщ!

Гельбич вмазал Валерке флагом сначала по рёбрам, потом по башке.

— Мозги наружу! — удовлетворённо сообщил он.

Валерке не понравилось, как вольно Гельбич обращается со знаменем. Конечно, отрядный флажок — это ерунда, но всё равно так нельзя.

— Знамя — не игрушка, — недовольно сказал Валерка.

— А что? — мгновенно прицепился Гельбич, почуяв забаву.

Он распустил красное полотнище и махнул им у Валерки перед лицом.

— Целуй! — приказал он. — Целуй!

Так в цепную собаку тычут палкой и приговаривают: кусай! грызи!

Валерка попытался схватить флаг. Гельбич ловко отскочил.

— Давай подерёмся! — увлечённо предложил он. — Штыковая атака! Я тебя колю, а ты такой дохнешь!

Гельбич сделал выпад развёрнутым знаменем, поражая Валерку в грудь. Валерка ринулся вперёд, чтобы схватить знамя, и ненароком наступил на полотнище, а Гельбич отскочил назад, отдёрнув древко. Шёлк предательски затрещал. Гельбич в испуге поднял флаг и охнул: полотнище висело на палке, прикреплённое к ней только одним углом, как тряпка на швабре.

— Ты чё сделал, козёл очкастый? — взвыл Гельбич.

Валерка и сам оторопел, пропустив обзывательство мимо ушей. Он наклонил флаг и осмотрел повреждение.

— Можно зашить, — уверенно сказал он. — Я сбегаю к девкам за нитками!

— Толстая увидит — меня уроет!..

— Спрячься! — посоветовал Валерка. — Ты сам виноват!

Он побежал в корпус и прямо у входа столкнулся с Анастасийкой.

— Сергушина, помоги! — горячо попросил он. — Дай красные нитки!

— Я не беру с собой в лагерь мулине! — свысока ответила Анастасийка. — Для рукоделия требуется спокойствие, а здесь его нет.

Валерка понятия не имел, что такое мулине.

— Мы флаг оторвали, — признался он. — Надо обратно пришпандорить.

Анастасийка смерила Валерку ледяным взглядом с головы до ног. Она же была командиром отряда, и ей приходилось ходить под сенью знамени.

— Дэбилы, — сказала она. — Сейчас принесу.

Валерка приплясывал от нетерпения, дожидаясь её на крыльце.

Она вернулась с иголкой, в которую была вдета длинная чёрная нитка. Подняв иголку остриём вверх, Анастасийка протянула её Валерке:

— Вот игла! Но если флаг будет некрасивым, я сделаю выводы, понял?

— Понял! — буркнул Валерка.

Спрятавшись за акацией, они с Гельбичем худо-бедно починили знамя, и теперь оно выглядело почти как раньше, только немного морщилось.

— Третий сорт — не брак! — с облегчением выдохнул Гельбич.

К счастью, Ирина Михайловна, выстраивая отряд перед корпусом, ничего не заметила. У Ирины Михайловны сейчас были свои заботы.

— Как можно забыть девиз своего отряда?! — ругалась она. — Девиз на стенде написан, вы каждый день его сто раз видите! А фамилии свои вы не забыли?! Отряд — «Данко»! Девиз: «Гори так ярко...» Ну, продолжайте!..

— Как кочегарка, — подсказала простодушная Женька Цветкова.

— Своими руками всех убью! — пообещала Ирина Михайловна.

На Дружинной площадке собрался весь лагерь. У флагштока стояли взрослые: Свистуха, физрук Руслан Максимыч, Марина Фёдоровна — старшая воспитательница, которую никто не запомнил, доктор Носатов, директор Колыбалов и, конечно, Серп Иваныч Иеронов. Суетился радиотехник Саня; как обычно, у него не контачили какие-то провода и глохли усилители.

Наконец загрохотали барабаны. Слаженно зазвучал топот множества ног. Каждый отряд сделал почётный круг по площадке и занял своё место. Знамённая группа, печатая шаг, вынесла большое знамя дружины. Действия пионеров были отработаны за смену, и всё выходило точно и выразительно. На линейке не было посторонних, и красота парада предназначалась лишь для своих, будто проводился смотр тайного общества.

А лагерь и есть тайное общество, — подумал Валерка. И дело не в вампирах. Дело в какой-то совсем другой тайне. Её присутствие и отличало их жизнь от жизни природы: отличало ровный пионерский строй от беспорядка акаций, отличало призывную песню горна от весёлой песни птицы, отличало прямоугольную маршировку от вольного движения облаков. Валерка теперь знал эту тайну. И ему было горько от разочарования.

Они, люди, сами виноваты. Они наплевали на тайну, скрытую в алых знамёнах и пятиконечных звёздах, в серпе и молоте. Людям эта тайна оказалась не нужна. А вампирам — нужна. Вампиры не просто обманывали и не просто пили кровь; они извратили всю суть серпа и молота, всю суть флага и звезды. Но Валерке эта суть была очень дорога. Чем ещё дорожить-то? Олимпийскими рублями?.. И совсем скоро вампиры поплатятся за своё кощунство. Не все вампиры, конечно. Но хотя бы один.

— Ребята! — задорно закричала в микрофон Свистуха. — Сегодня мы завершаем славную олимпийскую смену! Мы молодцы! Нам всем — ура!

— Ура!!! — прокатилось по отрядам.

Потом Свистуха зачитывала имена победителей разных соревнований, и герои лагеря выходили получать грамоты. Свистуха салютовала им, а прочие хлопали, подняв руки над головами. Героев было дофига, и Валерка не мог дождаться, пока они закончатся. Впрочем, куда спешить? Стратилат сейчас не убежит и ничего ужасного не сотворит — вон он стоит, у флагштока.

— А теперь — смирно! — скомандовала Свистуха. — Спустить знамя нашей смены поручается тому, кто его поднимал, — Серпу Иванычу Иеронову!

Высокий Серп Иваныч чуть наклонился к микрофону.

— А я не один знамя поднимал, — лукаво напомнил он. — Пускай мне поможет тот, кто и раньше помогал, а то вдруг не справлюсь?

Пионеры охотно засмеялись, а Валерка похолодел.

— Вызываем Валеру Лагунова из четвёртого отряда! — подключилась Свистуха с такой радостью, будто это не она вышибала Валерку из лагеря.

Кто-то сзади вытолкнул Валерку из строя.

Под взглядами всей дружины Валерка пошёл вперёд на ватных ногах. Ему стало страшно, словно его пригласили прямо в пасть к стратилату.

— Не робей! — бодро крикнула Свистуха.

Валерка добрёл до флагштока. Серп Иваныч уже взялся за тросик, на котором крепилось знамя. Он дружелюбно улыбнулся, но в этой улыбке Валерка увидел один лишь беспощадный голод вампира, томящегося по свету своей заклятой луны. Да, стратилат выбрал себе жертву, однако мог и поменять решение. Валерка посмотрел прямо в чёрные глаза Иеронова.

— Сделаем вместе, ага? — негромко и насмешливо предложил старый вампир. — У нас ведь неплохо получается.

Глава 8

«ОРЛЯТА УЧАТСЯ СТУЧАТЬ»

Итоговый концерт решили проводить на стадионе, а не на Концертной поляне. Во-первых, вокруг стадиона стоят скамейки. Во-вторых, вигвам из брёвен, приготовленный для Последнего костра, кто-то из работников лагеря поторопился облить бензином, и теперь дрова могли вспыхнуть от спички любого озорника прямо во время концерта. Чтобы избежать неприятностей, лучше вообще до поры до времени не выпускать пионеров на поляну.

После торжественной линейки Игорь отловил Валерку.

— Ты в порядке?

Игорь рассматривал Валерку, удивляясь самому себе: как он осмелился возложить на этого щуплого мальчика в очках такую ответственность?..

— Я готов, — серьёзно сказал Валерка. — А вы готовы?

Игорь тоже был готов. Он ещё до линейки сходил к бабе Нюре, а Димон Малосолов только что передал ему связку ключей от теплохода.

— Держи, — Игорь протянул Валерке простенький одиночный ключ к амбарному замку, который вешали на заднюю дверь пищеблока.

— Баба Нюра уже сбежала?

— Сбежала. Перекрестила меня и пообещала молиться всю ночь.

— И без неё справимся, — уверенно заявил Валерка.

Игорь вздохнул. Солнце скатывалось к Жигулям и полыхало сквозь сосны. Красное вечернее пламя казалось зловещим, словно кровавый след.

— Что ж, удачи тебе! — Игорь протянул Валерке руку.

— И вам удачи!

Узкая ладонь Валерки была твёрдой, как у взрослого человека.

Через рукопожатие будто прострелила горячая искра. Валерка верил, что Горь-Саныч — надёжный друг, он не подведёт, и потому Валерка тоже не подведёт Горь-Саныча. Таких друзей у Валерки ещё никогда не было.

Валерка глядел вслед Игорю, пока тот не исчез за кустами.

Появляться в корпусе Валерке не стоило, и на концерт он не собирался; лучше всего было отправиться к пищеблоку, открыть дверь, как условились, засесть в засаде и ожидать там стратилата. Валерка пошагал по аллее.

С боковой дорожки вдруг вынырнула Анастасийка и пошла рядом.

— Я думаю, нам надо попрощаться перед концом смены, — важно сказала она, — поэтому могу проводить тебя, например, до половины пути. Ты опять ночуешь в столовой?

— Откуда ты знаешь? — удивился Валерка.

— Все знают, что ты поссорился с Хлоповым и ушёл жить в столовую. Прямо как собака. Все бездомные собаки живут около столовой.

— Хочешь попрощаться, а сама обзываешься, — укорил её Валерка.

— Ладно, я извиняюсь, если тебе так надо. Но ведь это правда.

Валерка понимал, что завтра он расстанется с Анастасийкой, и они могут никогда больше не встретиться. Но всё зависит от него. Он знает, где учится Анастасийка, и осенью он непременно найдёт её, только не надо говорить об этом сейчас. Пускай загрустит и сделается доброй, а то обычно она слишком вредная и заносчивая. А дружить с девочкой в городе удобнее, потому что в лагере вокруг всегда слишком много посторонних.

— Я изучила тебя, но выяснила ещё не всё, — сказала Анастасийка. — Вот ответь мне, что ты дома коллекционируешь?

Валерка ничего не коллекционировал, но соврал:

— Модельки самолётов, календарики, марки.

— А я — календарики с цветами. Если у тебя есть, я согласна поменяться.

— Добуду, — солидно сказал Валерка.

— А ты был на море?

— В Анапе два раза.

— Это хорошо. Я была в Юрмале. Я подарю тебе янтарь, а ты подаришь мне какую-нибудь ракушку, в которой шумит прибой.

Валерка прикинул в уме, у кого он сможет разжиться ракушкой.

— Какие созвездия ты знаешь?

— М-м... — замялся Валерка. — Большую Медведицу... Ориона...

— Покажешь мне потом. Но сначала мы с тобой вступим в переписку. Надо писать друг другу по одному письму в неделю.

— Могу и два, — щедро предложил Валерка.

— Мы ещё не в таких близких отношениях, — осадила его Анастасийка.

Валерка подумал, что всё это — детский сад. Анастасийка с её письмами и календариками показалась ему совсем маленькой девочкой. Он идёт убивать стратилата — а она про ракушки. Что ж, когда-нибудь он расскажет Анастасийке, как они с Горь-Санычем в пионерлагере боролись с вампирами. Вот тогда Анастасийка офигеет и оценит его, Валерку, по-настоящему.

Вопреки своим словам о половине пути, Анастасийка дошла с Валеркой до самого пищеблока. На заднем дворе не было даже собак. Валерка ключом отомкнул висячий замок, вытащил его из петель и по-хозяйски распахнул железную дверь. Любопытная Анастасийка осторожно заглянула в кухню.

— Здесь ты и живёшь? — спросила она изнутри. — А где спишь? На полу?

— Скамейки вместе сдвигаю.

Валерка стоял снаружи с замком в руке и придерживал дверь, ожидая, когда Анастасийка посмотрит и выйдет обратно.

Внезапно какой-то неведомый вихрь ударил в Валерку, сшиб его с ног и обрушил на землю. «Стратилат!..» — в панике успел подумать Валерка. Но это был не стратилат. Валерку с разбега сбила дылда Лёлик — подруга Жанки Шалаевой. А сама Жанка обеими руками стремительно захлопнула железную дверь кухни, грохнув на весь лагерь. Валерка чуть приподнялся и увидел, что в нападении участвует и Гельбич. Венька схватил замок, выпавший из руки Валерки, метнулся к двери и вставил дужку в петли.

— Чё творите?! — яростно заорал Валерка.

Лёлик сразу всадила ногой ему в рёбра. Гельбич повернул ключ, запирая замок, и выдернул из скважины. Анастасийка осталась за дверью в кухне.

— Эй, крыса! — радостно закричала Жанка, шлёпая ладонями по железу двери. — Будешь там сидеть, поняла? Нифига на свой концерт не попадёшь!

Валерка понял, что всё это — очередные Жанкины «мести» Анастасийке. Жанка не вынесла унижения, когда Валерка напинал ей после разорения «секретика». Злокозненная шпанюга, Жанка с подручными опять выследила Анастасийку с Валеркой и на ходу изобрела новую жестокую пакость.

— Сама там себе солируй! — издеваясь, кричала в дверь Жанка. — Жопа собачья! Ливерная колбаса! Проститутка!

Валерка услышал, как Анастасийка гневно колотит в дверь.

— Спой мне: «Орлята учатся стучать»! — упоённо изгалялась Жанка.

Это была катастрофа. Вообще — полная катастрофа! Жопа собачья!.. Анастасийка не попадала на итоговый концерт, а ведь она так хотела изумить публику своим вокалом!.. Да что там концерт и вокал!.. Солнечный диск лежал на горизонте, и вся операция повисла на волоске!.. Откуда-то издалека уже шагал к пищеблоку беспощадный стратилат, а пищеблок был закрыт!.. Значит, Горь-Саныч напрасно угнал теплоход и подставился под укусы пиявцев — он превратится в тушку, в раба!.. Значит, стратилат сегодня выпьет чью-нибудь кровь, и ничего никогда не закончится!.. И всё по вине Валерки, который не справился с заданием!.. Ну что может быть хуже?!

Анастасийка колотила в дверь и звала:

— Лагунов, выпусти меня! Лагунов!..

Валерка, рыча, вскочил и прыгнул на Гельбича, как псих. Ошарашенный Венька не успел увернуться, и Валерка яростно вцепился ему в правую руку, пытаясь разжать кулак и отнять заветный ключ. Гельбич нелепо задёргался, тыча другим кулаком, куда придётся, — в бок Валерке и в плечо. Лёлик набросилась на Валерку сзади, оттаскивая за воротник, и злобно лупила увесистым кулачищем Валерке в спину, сотрясая весь некрупный Валеркин организм, словно подушку, которую взбивают с обеих сторон. Подняв тучу пыли, они дрались на задворках пищеблока, будто взъерошенные бойцовые петухи и здоровенная бешеная курица. Их озарял красный свет заката.

— Ты же мне был друг!.. — прохрипел Валерка Гельбичу.

— Дак чо?! — беспомощно взвыл Гельбич.

Он защищал Жанку, свою девочку, как Валерка защищал Анастасийку!

Лёлик по-боксёрски вмазала Валерке в скулу и откинула от Гельбича. Очки слетели с лица Валерки, и Лёлик поддала по ним ногой.

— Мочи слепошарого! — со стороны азартно визжала Жанка.

Но Гельбича разрывали противоположные чувства, и ему было куда хуже, чем Валерке. Как же так? Играли и гуляли вместе, а теперь бьются, как заклятые враги!.. Гельбич сам чуть не плакал, не зная, что делать.

— Вот ключ, Валерыч! — он показал ключ на ладони и, размахнувшись, с силой швырнул его за помойку и за ограду, в кусты черёмухи.

Нет ключа — нет раздора!

— Шуба! — тотчас рявкнула Лёлик. — Шалаева, валим отсюда!

Жанка и Лёлик мгновенно рванули наутёк, прочь от пищеблока, — в драке эти бандитки соображали быстро и безошибочно. Гельбич завертелся на пятках, как ошпаренный, и тоже порскнул за девчонками.

А Валерка бросился к двери.

— Я тут! Я тут! — крикнул он Анастасийке, заточённой в пищеблоке.

— Выпусти меня! — рыдала Анастасийка за железной дверью.

— Сейчас! Сейчас!..

Валерка коршуном закружил над землёй, близоруко отыскивая свои очки. Вот они!.. Дужка надломлена, стекло треснуло... Плевать!

Валерка насадил очки на нос. Мир снова обрёл резкость.

Надо найти ключ! Надо очень быстро найти ключ! У него, у Валерки, ещё есть шанс на победу! У них с Горь-Санычем ещё есть шанс на победу!

Валерка стремительно полез на шаткий сетчатый забор.

Глава 9
ЗВЕРИ И КЛЕТКА

К двери медпункта на кнопки были пришпилены два листочка, один — со списком из тринадцати пиявцев, другой — с объявлением: «Медпункт закрыт, сбор на пристани». Игорь достал карандаш, густо зачеркал «на пристани» и написал: «в салоне речного трамвайчика».

По лагерю Игорь шагал задворками, чтобы его никто не тормознул. Карман оттягивала связка ключей. Железные створки ворот были широко распахнуты. Гипсовая пионерка беззвучно трубила в горн, провожая солнце, опускающееся за гряду Жигулей. У пирса стоял пришвартованный теплоход.

Багряный закат перекрасил весь мир. Белый бакен с цифрами «114» казался пунцовым. Белая надстройка теплоходика напряжённо порозовела, а голубая полоса по борту сделалась фиолетовой. Лёгкие перистые облака в небе напоминали стаю фламинго. Волга янтарно блистала и слепила в зареве, но у свай мелкие волны вдруг просвечивали изнутри угрюмым рубиновым пламенем. Только луна оставалась размыто-бледной: земной закат не касался её далёкой космической орбиты.

Игорь подумал, что ущерб луны сейчас такой же, как много-много лет назад, когда деревенский парень Серёга превратился в страшного стратилата. И вокруг всё то же самое: Волга, чайки и Жигулёвские горы, причудливые домики на берегу и высокие сосны. И так же у причала притихло судёнышко, только не пароход с дымовой трубой и гребными колёсами, а фигуристый трамвайчик. И в пионерлагере, как на Шихобаловских дачах, по-прежнему живут беззащитные люди... Игоря словно перенесло в прошлое — будто машина времени заработала, будто Гражданская война ещё продолжалась.

Игорь нагнулся над ржавым кронштейном, приваренным к опоре пирса, — кронштейн заменял кнехт, и с усилием размотал неподатливый трос — швартовочный конец. Потом прошёл к надстройке теплоходика и открыл проход в фальшборте. Под кровлей надстройки уже царили сумерки. Игорь отпер дверь в носовой пассажирский салон, спустился по ступенькам вниз и осмотрелся. Потолок почти над головой, запаянные окна, лавочки... Игорь поднялся обратно на палубу и отомкнул дверь в рубку. Вошёл, закрыл дверь за собой, защёлкнул замок и по лесенке поднялся наверх. Всё: он захватил судно. Теперь надо ждать вампиров. Он увидит их из окон рубки, а вампиры не разглядят его против солнца. Игорь влез в высокое кресло капитана.

Передняя палуба с лавочками, флагшток с вымпелом, полоса дощатого пирса, берег, гипсовая горнистка, железные ворота лагеря... Пока никого.

Первыми появились две девочки, и это было большой удачей. Дети не станут спрашивать: «А где доктор? А почему встреча на корабле?» Дети примут всё как должное. А остальные пиявцы, не вникая, просто последуют их примеру. Девочки потоптались на пирсе, озираясь, и переступили на борт. Игорь услышал, как они разговаривают, спускаясь в салон.

Потом из ворот лагеря вышла Ниночка Сергеевна, маленькая вожатая из художественного кружка, и с ней — Алик Стаховский. Алик галантно подал Ниночке руку, помогая перешагнуть с асфальта на пирс. За Ниной и Аликом шли ещё две девочки, за ними — мальчик помладше. Потом Игорь заметил Беклю. Бекля некоторое время болтался на пирсе, затем перебрался на теплоход и нырнул в салон, однако вскоре обнаружился уже на верхней палубе перед рубкой. Никого не стесняясь, он достал сигарету и закурил.

Из салона доносились голоса и смех. Казалось, там собрались обычные пионеры. У Игоря даже закралось подозрение, что он ошибся с определением пиявцев, но Игорь отогнал эту мысль. Наконец он увидел Лёву Хлопова. Лёва вёл за собой Маринку Лебедеву. Так, получилось уже десять человек. Не хватало ещё троих — зато самых опасных и важных. Игорь занервничал.

Тёзки Максим и Кирилл выскочили из ворот и поторопились к пирсу. Вскоре их тяжёлые шаги прозвучали на лесенке в салон. Теперь недоставало одной лишь Вероники. Игорь чувствовал, как в нём толчками бьётся паника. Он поглядел в заднее окно рубки. За Волгой над Жигулями пылал тонкий краешек солнца. Скоро дети и взрослые в салоне начнут превращаться в вампиров, и неизвестно, что они вытворят, осознав себя в ловушке!.. Игорь снова посмотрел на ворота лагеря — и с облегчением увидел Веронику. Она прошла по асфальту, прошла по пирсу и исчезла под крылом надстройки.

Игорь ссыпался из рубки на палубу.

— Беклемишев, иди в салон! — тоном вожатого приказал он Бекле.

— А нафиг это ваще? — строптиво спросил Бекля, но подчинился.

В потном кулаке Игорь стискивал ключ.

Он закрыл за Беклей фанерную дверь в салон, быстро вставил ключ в скважину замка и провернул. Что снаружи, что изнутри этот замок отпирался только ключом. Пиявцы всем скопом угодили в западню!

Не дожидаясь реакции пленников, Игорь помчался на капитанский пост.

Замок на двери в рубку! Ступеньки наверх! Ключ зажигания!.. Сколько сегодня ключей, замков, дверей и лесенок!.. Аккумуляторы теплохода подали электропитание на двигатель, и на циферблатах панели дрогнули стрелки приборов. Игорь решительно нажал пружинную кнопку стартёра. В трюме ожил и тихо зарокотал двигатель. Пол в рубке слегка завибрировал. Игорь взялся за рычаг и сдвинул его с нейтральной позиции на задний ход, плавно увеличивая число оборотов винта. Под кормой теплохода — Игорь это знал — вспенилась и заклокотала взбаламученная вода. Игорь переложил штурвал, устанавливая руль на необходимый радиус циркуляции судна.

Трамвайчик тихо отодвинулся от пирса, вытягивая свободный конец швартовочного троса, — словно попятился от причала на простор реки.

Жигули уже заслонили солнце. В небо ударил веер красных лучей.

Сколько секунд потребуется пиявцам, чтобы во всём разобраться?

Рубка сейчас напоминала аквариум, наполненный прощальным светом. Стоя у штурвала, Игорь ощущал себя пилотом, который уводит от города падающий самолёт. Успеет ли он катапультироваться?.. Уже не важно.

Из недр судёнышка донеслись яростные удары — это пиявцы долбились в запертую дверь салона. Трамвайчик отползал от пирса, но всё же пирс был ещё слишком близок. Дверь салона затрещала. Фанера, что с неё взять?.. Игорь увидел, как пиявцы вырвались на носовую палубу: впереди Максим и Кирилл, за ними Бекля, потом Лёва Хлопов и Алик Стаховский, потом Нина и Вероника, потом девочки... Пиявцы бросились к ограждению, Максим перемахнул планширь... и завис над водой, не решаясь прыгнуть. Борт теплохода и пирс разделяло уже метров пять волжской воды. Воды, которая хранила остатки святости, а потому была непреодолима для вампиров.

Трамвайчик, урча дизелем, уходил всё дальше и дальше от причала, разворачиваясь по дуге носом к фарватеру. Игорь из рубки смотрел на пиявцев — а пиявцы, обернувшись, смотрели на него с палубы. Друг с другом пиявцы не переговаривались, словно действовали по общему приказу. Игорю дико было видеть в этой толпе Веронику — такую же, как остальные, будто бы личности исчезли, и осталась единая воля, причём не своя.

Берег отдалился, вокруг трамвайчика распростёрлась угасающая река. Сейчас Игорь был один на один с чёртовой дюжиной кровососов. Солнце уже не могло ему помочь. А кровососы могли заставить его направить судно обратно к пирсу. Игоря передёрнуло от нехорошего предчувствия.

Пиявцы молча двинулись к надстройке и полезли по её стенкам наверх, к рубке. Игорь окоченел от ужаса. Пиявцы держались на стенках с цепкостью насекомых. За пару мгновений они облепили рубку со всех сторон, как осы облепляют кусок сахара, и заслонили собою все окна. В рубке потемнело. Игорь ошарашенно вытаращился на бледные лица и растопыренные пятерни, прижатые к стёклам. Чёрные бездонные глаза вампиров смотрели отовсюду.

Игорь не сообщил Валерке, что собирается сделать с трамвайчиком. Ну не бросать же судно самосплавом по течению!.. Неуправляемый трамвайчик может столкнуться на реке с другим теплоходом, а может и прибиться к берегу: тогда вампиры высадятся и побегут в лагерь. Они успеют вернуться до рассвета, освободят стратилата, накормят его — и всё пропало!.. Игорь планировал загнать трамвайчик на мель — так, чтобы не сумел сползти. Обозначенная бакеном песчаная коса тянулась совсем неподалёку.

Игорь переключил двигатель на нейтрал, а потом запустил передний ход, переложил руль и увеличил обороты винта до максимума. Вампиры загораживали обзор, но внутренним компасом, как перелётная птица, Игорь чувствовал, где остался бакен. Теперь судёнышко шло прямо на мель.

Пиявец Кирилл ударил в стекло кулаком. Конечно, он не мог расколоть плексиглас, но стекло спружинило и одной стороной выскочило из резиновой рамы-уплотнителя. Кирилл нажал обеими руками, выдавливая стекло внутрь из оконного проёма. Игорь понял, что сейчас пиявцы прорвутся в рубку.

И тотчас теплоход мягко ударился в отмель. Теряя ход, он по инерции въехал на песчаную косу, подаваясь носом вверх. От толчка все пиявцы соскользнули с лобовой стороны рубки, и на миг Игорь снова увидел простор Волги, тёмно-синее небо, умирающее зарево над горбами Жигулей и бакен, качающийся на волнах от трамвайчика. Копошась, как черви, пиявцы опять облепили окно, и Кирилл просунул в щель голову и плечо. Он протискивался в рубку совсем не по-человечески — словно зубная паста вылезала из тюбика. Игорь сдвинул рычаг, останавливая двигатель, выдернул ключ из замка зажигания и опрометью кинулся прочь от вампира.

Он скатился по лесенке, крутанул барабанчик замка, распахнул дверь, ринулся наружу из рубки — и налетел на двух девочек-пиявиц, преградивших дорогу к борту. Девочки вцепились в Игоря, и он в ужасе отшвырнул их, но откуда-то сбоку на него набросился Алик Стаховский. Игорь обеими руками упёрся ему в грудь, отпихивая от себя. Алик вдруг вывернул голову — не по-человечески, а как на шарнире, — и попытался вонзить Игорю в запястье длинные клыки. Игорь толкнул Алика на кого-то ещё, кого уже нельзя было различить в сумраке. Игорь почти прорвался к дверке в ограждении, но тут его схватила Вероника. Бледная, растрёпанная, чудовищная Вероника.

Выполнила ли она просьбу? Позвала ли стратилата в пищеблок?..

Игорь выставил локоть — так для собачьей хватки выставляет локоть дрессировщик, изображающий преступника, только дрессировщик одет в специальный тулуп. Вероника вонзила острые зубы в руку Игоря. Прочие пиявцы застыли, пожирая глазами кровь, что брызнула из-под клыков.

Игорь с трудом поднял руку, чтобы увидеть лицо Вероники и её глаза. Ему совсем не было больно. От места укуса через плечо по телу потекло невыразимое блаженство, и с ума сводило желание, чтобы укус длился вечно.

— Ты позвала стратилата? — еле прошептал Игорь.

В почерневших глазах Вероники горела боль. Вероника не хотела кусать — но не могла остановиться. Жажда крови подавляла волю. Вероника лишь чуть склонила голову, что означало: «Да, я его позвала».

В последнем усилии, отчаянно вытягивая себя из чудовищного наслаждения, Игорь пяткой сдвинул дверку ограждения и повалился с борта спиной вперёд. Вероника, не разжав челюстей, полетела вслед за ним.

Удар о воду отрезвил, как пощёчина. Игорь погрузился с головой, и Вероника, забившись, отцепилась от него. Её тень мелькнула и растворилась в зыбком переменчивом сумраке. Холодная вода обжала Игоря со всех сторон, и укушенную руку опалила, будто включилась, резкая боль. Игорь задел ногами близкое дно отмели, опёрся и встал, вынырнув по грудь.

Над ним вздымался белый борт теплохода, высокий и ровный, как стена. Вернее, не борт, а крыло надстройки. А вверх по его вертикальной плоскости стремительно ползла мокрая Вероника — ползла, корчилась и выла, обожжённая водой. За распахнутыми дверками ограждения темнели фигуры пиявцев, и в отсветах волн было видно, что Алик Стаховский, упав на колени, длинным языком жадно слизывает с дверки тёмные капли крови.

Игорь с шумом подался назад, в воду, отплывая на спине.

Вампиры смотрели на него с борта теплохода, будто звери из клетки.

Глава 10

ЕГО ЛУНА

Валерка искал ключ в кусте черёмухи, куда его зафигачил ошалевший Гельбич. Валерка отчаянно продирался сквозь жёсткие ветви и листву, тряс стволы, рылся в древесном мусоре возле корней. Его исхлестало зеленью, как вениками в бане, прутья расцарапали руки и лицо, сучки порвали рубашку, за ворот насыпалась труха. Валерка не сдавался. От ключа зависело всё!

Солнце уже село за дальний берег Волги, стволы сосен почернели на фоне прощальной лазури. На небо сломанным колесом выкатилась бледная ущербная луна. Издалека невнятно доносились музыка и слитные вопли толпы — это на стадионе гремел итоговый концерт. Дорожки вдоль корпусов опустели, над безлюдной Пионерской аллеей вхолостую зажглись ртутные фонари. В Дружинном доме три окна на первом этаже мерцали переливчатой синевой: там работники лагеря, свободные от присутствия на мероприятии, смотрели по телику торжественное закрытие Олимпиады.

Ключ тускло блеснул в сумраке черёмухи, и Валерка жадно схватил его, как подводный пловец в глубине моря хватает тонущую монету. Но для Валерки ключ был дороже любой монеты, дороже любого сокровища.

Стратилат ещё не приходил к пищеблоку; в этом Валерка не сомневался — он не прозевал бы вампира. Валерка перемахнул через забор, уронив мусорный бачок, и бросился к двери в кухню. Швырнув замок под стену, чтобы сразу подобрать, он распахнул дверь и ворвался в темноту помещения.

Где Анастасийка? Она уже давно перестала стучать!.. Кухня с плитами и мойками, с разделочным столом и посудными шкафами... Кладовка со стеллажами и холодильниками... Никого!.. Валерка метнулся в обеденный зал. Большие окна с решётками — рисунок их прутьев напоминал восходящее солнце, как на гербе СССР. В узких простенках — плакаты с пионерами. Длинные ряды столов и скамеек... Анастасийка сидела на полу в дальнем углу. Уткнувшись лицом в колени, она тихо плакала.

Церемониться с ней у Валерки не оставалось времени.

— Пойдём! — он попытался взять Анастасийку за руку.

— Я не пойду! — безнадёжно всхлипнула она. — Никуда отсюда не пойду!

Валерка был вынужден присесть рядом.

— Ну, не самое страшное, что на концерт не попала! Не беда! — утешал он Анастасийку. — И так любому известно, что ты поёшь красивее всех!

— Ты ничего не понимаешь, дурак! Это всё из-за тебя!..

Валерка знал, что Анастасийка не права. Виновата Жанка Шалаева, а не он. Он бился один против троих!.. Но Анастасийке нужно было обрушить на кого-нибудь свою обиду. Ладно, пускай жертвой будет он — только не здесь!

— Надо уйти! — Валерка тронул Анастасийку за плечо. — Это важно!

— Ничего теперь не важно!..

Валерка всё-таки не успел. Негромко лязгнула железная дверь, и проём входа заслонила фигура человека. Высокого, худого, сутулого человека. Валерка видел его через открытое окно раздачи. Это был Серп Иваныч Иеронов. Стратилат явился в пищеблок за жертвой своей луны.

Валерка ладонью пришлёпнул Анастасийке рот.

— Тихо! — зашептал он. — Тихо! Не дёргайся!

И по его лицу Анастасийка сообразила, что дело очень серьёзное.

— В лагере всё не так, как кажется! — почти беззвучно произнёс Валерка. — Не спрашивай ничего! Это не Серп Иваныч! Это вообще не человек!

Глаза Анастасийки вытаращились.

— Я не вру, и я не псих!.. А он пришёл сюда убивать!..

Валерка осторожно отнял ладонь. Анастасийка молчала.

— Можешь мне не верить! — добавил Валерка, глядя в окно раздачи. — Но мы должны смыться, чтобы он нас не поймал!..

Серп Иваныч медлил — внимательно осматривал кухню и кладовку. А потом открыл дверь в столовую. Оттуда — из двери — он ещё не мог заметить, что в дальнем тёмном углу за шеренгой столов кто-то прячется.

Валерка выжидал.

Страх колотил его изнутри, но Валерка не поддавался. Он ощущал себя на самом краешке пропасти: чуть шевельнёшься — и упадёшь. Однако всё равно необходимо преодолеть ступор и сдвинуться с места. И пускай сердце бьётся так, что в груди больно, — борьба не окончена! Можно проскользнуть мимо стратилата и выскочить из столовки в кухню, а потом и на улицу, — а затем захлопнуть наружную дверь и сунуть в петли замок, запирая вампира!

— Что происходит? — спросила Анастасийка.

Валерка обрадовался: она говорила шёпотом — значит, верила ему.

— Я потом объясню... Щас полезем понизу на коленках, чтобы столы нас заслоняли... Серп зайдёт в столовку, а мы в дверь выбежим, поняла?

Мокрое от слёз лицо Анастасийки чуть поблёскивало во мраке.

— Давай, лезь вперёд! — поторопил Валерка.

Анастасийка заколебалась, и Валерка пихнул её. Она неловко встала на четвереньки и поползла вдоль стены, будто в какой-то нелепой игре. Валерка быстро пополз за ней. Её коленки тихо постукивали.

Стратилат сделал шаг в столовку. Потом другой шаг. А потом вдруг с шумом толкнул ближайший стол и загородил им дорогу Анастасийке.

Валерке показалось, что Иеронов возвышается над ними чуть ли не до самого потолка. Он насмешливо глядел сверху вниз.

— Зы-ды-равствуйте... — обомлев, пролепетала Анастасийка.

— Да вы вставайте, вставайте, — добродушно посоветовал Серп Иваныч.

Валерка и Анастасийка поднялись на ноги, по-прежнему отделённые от вампира линией столов и скамеек.

— Сомнительные что-то нынче развлечения у пионеров, — Серп Иваныч хмыкнул. — Боюсь, вожатые не одобрят ваше совместное уединение.

Серп Иваныч делал вид, что он — просто пенсионер, а не вампир.

— Мы больше не будем, — тотчас подстроился Валерка. — Мы просто разговаривали тут. Можно нам уйти?

Но Серп Иваныч узнал его — много ли в лагере было пионеров в очках?

— Нет, нельзя, — мягко ответил Иеронов и замолчал.

Он словно бы вслушивался в себя — получал ответ на некий вопрос.

— А ты храбрый мальчик, — вдруг сказал он Валерке. — Тебе с другом и вправду удалось лишить меня крови моей сегодняшней возлюбленной!

— Крови?!. — Анастасийка глупо открыла рот.

— Но не всё получилось, да? Один из ловцов и сам угодил в ловушку!

Вампир улыбнулся, и обнажились его длинные клыки.

— А задумка была хорошая. Я давно уже не встречал дерзких охотников!

Анастасийка изумлённо посмотрела на Валерку.

— Так ведь не бывает! — совершенно здраво сообщила она, однако за трезвостью мысли Валерка уловил её готовность к безумию.

— Бывает, моя милая, — заверил её Серп Иваныч.

«Надо что-то делать!» — подумал Валерка.

— Я вас не боюсь! — крикнул он стратилату, хотя боялся ужасно.

Серп Иваныч был в лёгком летнем пиджаке, наброшенном на обычную майку. Так одеваются дачники и алкаши. Движением плеч он скинул пиджак, подхватил его и беззаботно отбросил в сторону. Потом запрокинул голову, подставляя лицо под лунный свет, как под дождь, и глубоко вздохнул.

— Люблю дышать, — признался он. — Люблю, когда сердце работает.

— Кто он? — дрожащим голосом спросила Анастасийка у Валерки, словно Иеронов был иностранцем, который не может ответить сам.

— Он вампир! — угрюмо уронил Валерка.

— Вообразите, дети... — Серп Иваныч раскинул руки, купаясь в мёртвом сиянии, — на этом месте много-много лет назад я впервые вкусил крови, и с тех пор не изведал ничего прекраснее! Моя луна опять привела меня сюда!

Наверное, в годы Гражданской войны на месте пище-блока и стояла та конюшня, в которую братья Иероно-вы, затеявшие налёт на Шихобаловские дачи, загнали белогвардейского офицера. Здесь Серёга Иеронов прот-кнул его вилами и завопил: «Теперь мы твоей крови хотим!»

А Серп Иваныч неуловимо менялся. Он увеличился в росте, исчезла его сутулость, и майка туго обтянула вздувшиеся мускулы, будто Серп Иваныч превратился в физкультурника с парада времён своей молодости. Од-нако на парад такого атлета не взяли бы, потому что его грудь и плечи густо, как у зэка, покрывали татуировки — синие пятиконечные звёзды, звёзды, звёзды.

Серп Иваныч вдруг весело подмигнул Валерке:

— А с тобой мы ведь старые приятели, не правда ли? И я отпускаю тебя. Уходи, я не трону. Меня теперь манит её кровь, а не твоя.

Серп Иваныч указал пальцем на Анастасийку.

— Мою возлюбленную вы у меня украли, но вместо неё ты привёл свою подружку. Что ж, я приму её в уплату твоего долга, — стратилат куражился, как обычная шпа-на. — Ты даришь мне высокое наслаждение, юноша, по-тому что её кровь будет сочетаться с твоим отчаянием. Это словно вино и музыка.

— Не отдавай меня ему!.. — одними губами произнес-ла Анастасийка.

Но Валерка и на миг не соблазнился спасением ценой Анастасийки. Разве он подлец? Разве он трус? Он никог-да не подчинится вампиру!

Валерка упёрся руками в стол и мощно толкнул его впе-рёд, рассчитывая ударом сбить стратилата на пол. Желез-ные ножки стола заскрежетали. Стол глухо врезался в Ие-ронова — будто налетел на скалу. Валерка с разгона едва не упал животом на столешницу, а стратилат даже не дрогнул.

Если вампира не взять тараном, то надо защититься баррикадой!.. Валерка с натугой приподнял другой стол и с грохотом навалил на тот, который уткнулся в Серпа Иваныча, потом взгромоздил сверху лавочку, потом, громыхнув, перевернул третий стол и поволок четвёртый.

Анастасийка завизжала, закрывая лицо растопыренными пальцами.

Серп Иваныч совершил немыслимый прыжок, взмыв до потолка — и застыл там, на потолке, прицепившись руками и ногами, словно чудовищный паук. Выкрутив голову, он смотрел сверху без всякого выражения, и губы его шевелились, точно чёрные черви. Это был уже не человек, а какое-то жуткое существо. Оно быстро переползло на другое место, замерло, примеряясь, и вдруг отпало от своей опоры — обрушилось прямо на Анастасийку.

Беспощадный пинок отшвырнул Валерку в сторону.

Анастасийка лежала на полу, и стратилат горбился над нею на четырёх конечностях — теперь он был подобен огромному волку, подмявшему под себя изловленного ягнёнка. Он покачивал головой, целясь рвануть зубами. Анастасийка боялась шелохнуться. Глаза у неё расширились на пол-лица.

Из клыкастой пасти вампира выскочил длинный и острый язык, мазнул по горлу Анастасийки и поднял золотой крестик на оборванной цепочке. Вампир быстро втянул язык в пасть и жадно сглотнул поживу. Чем он мог помочь, этот маленький крестик, против такого чудовища?

Валерка кинулся на вампира, и тот снова лягнул его и отшвырнул.

— Уходи! — утробно прохрипел Валерке тёмный стратилат, будто рот его был забит могильной землёй.

Но Валерка всё равно поднимался на ноги. Очки его сидели косо, и в оправе уцелело только одно стёклышко; из носа текла кровь, рубашка была порвана, и на колене тоже зияла дыра. Маленький и растерзанный Валерка ничем не напоминал тех опрятных и правильных пионеров, что украшали собою плакаты в простенках. Обглоданная луна слепила сквозь оконную решётку, прутья которой изображали восходящее солнце. И другого солнца у Валерки больше не было.

— Брось её! — яростно приказал Валерка с такой пугающей властью в голосе, что вампир озлобленно оглянулся на него, словно против своей воли. — Брось её! Ползи ко мне, гадина! Я хочу твоей крови!

Глава 11

ПОВЕЛИТЕЛЬ ОБРЕЧЁННЫХ

Ноги нашарили дно. Помогая себе руками, Игорь встал и дальше уже побрёл к берегу пешком. Прогретая вода ещё хранила дневное тепло, а холодно стало только на воздухе. Игорь выбрался на песчаную бровку и оглянулся. На тёмной и зыбкой плоскости Волги невдалеке таинственно голубел речной трамвайчик, посаженный на мель. С него не доносилось ни звука. Через всё небо простирался Млечный Путь, разрежённый, как дым, и потому еле заметный. За спиной Игоря вздымался и дышал сосновый бор. Над бором блистала ледяная луна с оттаявшим краем — светило стратилата.

Игорь стащил с себя мокрую одежду, отжал и натянул обратно. Рука, укушенная Вероникой, болела, напоминая, что там, на борту трамвайчика, всё было по-настоящему. Игорь пощупал связку ключей в кармане — нет, не потерял. Но пачка сигарет раскисла, и закурить нельзя, а хорошо было бы сейчас покурить, отмечая сделанное дело. У него получилось!..

Ладно, не сигареты же главное. Главное — Валерка! Как он там в лагере? Удалось ли ему запереть вампира в пищеблоке? Надо узнать побыстрее. Победа будет одержана только с рассветом! Игорь торопливо пошагал к соснам. Этот перелесок разделял собою лагерь и Концертную поляну.

Перелесок был пуст и насквозь озарён лунным сиянием. Серебрились тонкие прямые стволы. Совсем скоро сюда привалит народ — пионеры всем стадом попрутся из лагеря на Последний костёр, — но пока что свет и тьма застыли в ненарушенной неподвижности. И вдруг Игорь увидел человека.

Человек шёл навстречу ему и шатался как пьяный — или смертельно раненый. Он спотыкался, хватался за деревья, останавливался, словно терял силы и был готов упасть в траву, но вдруг дёргался, распрямлялся и пробегал ещё несколько шагов. Он содрогался от странных ударов изнутри. Он будто бы не хотел, не мог идти, — однако что-то непонятное толкало его вперёд.

Это был Серп Иваныч Иеронов!

Игорь не поверил своим глазам. Неужели вампир вырвался из ловушки? Неужели Валерка Лагунов не справился? Что, всё полетело к чертям?! Их с Валеркой план провалился, и тёмный стратилат остался на свободе?.. Но что он делает в этом лесу? И почему выглядит так странно?..

Игорь спрятался за ствол. Иеронов проковылял мимо, ничего не заметив. Он напомнил Игорю сломанного робота: мотор работает с перебоями, рычаги вкривь и вкось, передачи рассогласовались, но неумолимая программа всё равно гонит робота исполнять задание. Крадучись,

Игорь устремился вслед за Иероновым. Надо понять, что стряслось — с вампиром и с их операцией.

Иеронов доплёлся до Концертной поляны. Посреди поляны возвышался будущий костёр — шатровое сооружение из тонких брёвен, заполненное дровами и хворостом. Несколько дней назад возле этого вигвама Игорь с Валеркой едва не угодили в когти пиявцев. Серп Иваныч рухнул на карачки и, корчась, припадая к земле, неловко заполз в вигвам.

Игорь смотрел на это с бесконечным изумлением. Блин, что Серпу там понадобилось? Зачем он залез в постройку, предназначенную для сожжения? Что вообще происходит? И что делать ему, Игорю? Ведь дрова уже облиты бензином — достаточно искры, и всё воспламенится!.. Игорь уже качнулся, чтобы броситься к вигваму и выволочь Серпа Иваныча наружу хоть за ноги, но остановился. Серп Иваныч?.. Нет! Не Серп Иваныч, а вампир, который сегодня ночью хотел выпить кровь у Вероники!.. Сгорит не старик Иеронов, а тёмный стратилат, повелитель обречённых! Ну и пусть сгорит! Туда ему и дорога! Игорь тяжело задышал, потрясённый собственной ненавистью.

На дороге, соединявшей поляну с лагерем, послышались голоса и шум — это вожатые вели пионеров на праздник Последнего костра. Игорь глянул в проём просеки: там мелькали огни ручных фонарей. Игорь снова посмотрел на деревянный вигвам. Его изнутри тоже освещали слабые вспышки: стоя на коленях в куче дров и хвороста, Серп Иваныч чиркал спичками. Он хотел зажечь костёр — и себя в его сердцевине. В темноте за брёвнами Игорь увидел искажённое страданием лицо стратилата: огромные глаза и седую щетину.

И тут Игорь всё понял. Вампир, конечно, не был самоубийцей. Он ведь столько лет боролся за свою жуткую жизнь: губил других, лез в начальники, лгал, прикрывался звёздами... И сейчас он действовал против своей воли, потому его движения и были такими уродливыми. Вампир исполнял приказ. Беспощадный приказ. Такой, какой он и сам многократно отдавал другим.

От ужаса у Игоря встопорщились волосы на затылке.

В недрах вигвама полыхнул огонь. На мгновение он осветил старика, стоящего на коленях, а потом плеснул во все стороны, побежал по брёвнам и разом объял всё сооружение, мощно взметнувшись вверх гудящим потоком. В пламени задёргалась какая-то тень — и растаяла, поглощённая свирепым сиянием пекла, в котором что-то ворочалось, воздвигалось и выворачивалось наизнанку: внутри костра клокотало собственное недолговечное созидание.

Концертная поляна огласилась восторженными воплями: едва пионеры выскочили из леса, на пустом и мрачном пространстве вдруг сам собой взвился огромный костёр — он словно приветствовал пришедших. Яркий и горячий свет раскатился широким кругом. Пацаны и девчонки полетели к огню и заорали, а вожатые, расставив руки, пытались притормозить бегущих.

— Не толкаться! Не толкаться! — кричала в мегафон Свистуха. — Ближе пяти метров не подходить! Соблюдать порядок и осторожность!

И никто не знал, что в пионерском костре вместе с поленьями трещат и лопаются кости вампира. Дым валил столбом, затмевая и Млечный Путь, и луну. Радость у детей была совершенно чистая: такое здоровущее пожарище не устроить больше нигде и ни с кем — ни на даче с родителями, ни в походе с учителями, ни в городе на пустыре с приятелями. Только в пионерлагере!

А Игоря потрясла чудовищная гибель стратилата. Да, вампир должен был умереть и тем освободить своих рабов... Должен был, но не так! Не на глазах у своего победителя и не изуверски — в пекле инквизиторского костра! К такому жуткому зрелищу Игорь был не готов. И в его душу полезли щупальца чёрных сомнений: жива ли его совесть, если он поспособствовал этой варварской казни? Или у него просто нет стержня в характере? Или он боится принять себя таким, каков есть? Или он так до конца и не поверил, что Иеронов — вампир, настоящий вампир, с которым нельзя обращаться по-человечески?.. Игорь никак не мог избавиться от морока: стратилат стоит на коленях внутри бревенчатого шатра и чиркает спичками.

— В хоровод! Все в хоровод! — весело закричала в мегафон Свистуха.

Её задорное пионерство наконец-то совпадало с желаниями пионеров. Ради причастности к такому огню пионеры были согласны забыть всё: кто из них старше и кто младше, кого хвалят и кого ругают, кто талантливый и кто бестолковый. Пионеры хватали друг друга за руки, образуя кольцо вокруг костра. Вожатые повели хоровод, не очень-то веря в непривычное единение, и во вращении хоровода поплыли детские лица, озарённые пламенем. В этих лицах не было ни злости, ни коварства — одно лишь упоение общей забавой.

Но измученному Игорю забава показалась невыносимой. Игорь-то знал, что пионерский костёр — на самом деле костёр погребальный.

Из толпы пионеров он выловил Юрика Тонких.

— Юра, а где Валерка Лагунов?

— Я сам его потерял, — сказал Юрик. — Может, он спать захотел?..

— Ладно, поищу...

Игорь быстро пошагал с поляны к лагерю. Его тревожили гнетущие подозрения. Как-то это было связано — отсутствие Валерки и костёр вампира.

Сосны. Сетчатый забор. Гипсовая горнистка. Железные ворота. Аллея с фонарями. Никогошеньки вокруг! Акации. Стенды. Дорожка к пищеблоку...

Железная дверь в кухню была приоткрыта. Замок с ключом лежал на земле. Игорь вошёл в тёмный пищеблок. Вроде, в кухне всё как обычно... И в кладовке тоже... Но в столовой сердце у Игоря подпрыгнуло: столы и лавки были сдвинуты и повалены, словно тут разодрались слоны. Вряд ли этот бедлам устроил стратилат. Понятно, что здесь сражался Валерка.

Куда же он подевался, Валерка Лагунов?

От пищеблока Игорь побежал к четвёртому корпусу. Пионерлагерь был непривычно пустой, будто упала нейтронная бомба и все люди мгновенно испарились, а здания и вещи остались в неприкосновенности.

Дверь в корпус тоже была открыта. Свет нигде не горел. Не слышалось ни голосов, ни шорохов, только скрипели половицы под ногами. Весь отряд — у костра, и Саша Плоткин там же. Игорь заглянул в палату Валерки. Валерка лежал на своей койке лицом к стене. Игорь бросился к нему — и в последний момент отпрянул. Это была Анастасийка Сергушина. Она спала в одежде, и даже обувь не сняла. Почему она здесь?.. Но Игорь не решился её будить.

Он вышел на улицу. Луна стратилата сияла за кронами сосен. Где ещё искать Валерку? Игорь выбрался на Пионерскую аллею. С тихим жужжанием безжизненно горели фонари. Из-под лавки вылез пёс Мухтар, приблизился к Игорю, нехотя понюхал его и без интереса потрусил дальше. Фигурные теремки стояли под соснами, словно подарочные коробки без подарков.

Игорь вдруг заметил, что на кустах за домиком Иеронова в пятнистой тьме шевелятся голубые отблески — отражения телевизора. Но кто включил телевизор в доме погибшего вампира? Его призрак?.. Игорь ускорил шаг.

Валерка сидел на стуле посреди веранды, как хозяин, и молча глядел в экран. Игорь был изумлён видом Валерки: одежда — мятая, рваная и в земле; лицо и руки исцарапаны; на скуле — синяк; волосы — грязной копной; в очках не хватает одного стёклышка. Игорь осторожно опустился на соседний стул.

— Ты цел? — робко спросил он.

— Цел.

Игорь помедлил.

— Это ты отправил стратилата в костёр?

— Я.

По телевизору показывали закрытие Олимпиады.

В розовое вечернее небо вздымался гигантский факел с олимпийским огнём. На зелёной арене слаженно танцевали тысячи артистов, из стороны в сторону перекатывались волны разноцветных знамён. Звенела музыка — и ликующая, и грустная одновременно. Люди на трибунах кричали, хлопали в ладоши, щёлкали фотоаппаратами, смеялись и обнимали друг друга за плечи. Там, на стадионе, происходило какое-то чудо, когда исчезли соперничество, зависть и злые помыслы, когда всех людей охватило ощущение родства по планете, и сердца смягчила печаль о скоротечности века, когда вдруг стало пронзительно ясно, что мир прекрасен, а жить надо без раздоров. На поле выплыл огромный Мишка с целым облаком надутых шариков. Он поднял лапу, прощаясь, и медленно воспарил над ареной, а люди махали ему вслед и утирали слёзы. На экране смуглая мулатка плакала, прижимала к нежным губам тонкие пальцы и посылала Мишке воздушный поцелуй.

— По-другому было невозможно, — негромко сказал Валерка.

— Я понял, — прошептал Игорь.

А над далёким стадионом взрывались и взрывались золотые салюты.

— До свиданья, до новых встреч! — разлеталось над всей страной.

Глава 12

ОДНАЖДЫ В СССР

Пацы валялись поверх заправленных постелей. Делать им было нечего.

— У меня около дома есть другой дом, старый, — поведал Славик Мухин. — Он ваще заброшенный. У него стена из кирпичей прямо в землю уходит. Точняк там есть клад. Золото, наверно, или какой-нито пулемёт.

— Пулемёт — нормально, — одобрил Титяпкин. — А золото нафиг не надо, чё с ним делать-то? Я бы лучше пулемёт взял.

— У нас все хотели этот клад найти, а никто не может стену сломать.

— Блин, я умею стены ломать! — загорелся Гурька. — Я могу бомбу схимичить! Там так подзорву, все кирпичи на луну улетят!

— Клады опасные, — предупредил Серёжа Домрачев. — Их всегда трупы охраняют. Ты такой копаешь клад, а оттуда трупак вылез — и на тебя хоба-на!

— Когда достанешь клад, нельзя о нём никому рассказывать, — добавил Горохов. — А то мильтоны сразу приедут и всё себе заберут, так по закону положено. Тебе потом дадут почётную грамоту, и подтерись ею.

Пацы ждали, когда их позовут грузиться на теплоход, — ждали, как весь отряд и весь лагерь. Вчера вожатые пообещали, что погрузка начнётся после завтрака, а утром Рин Хална и Горь-Саныч объявили, что на трамвайчике авария, и надо сидеть в корпусе, пока аварию не починят. Пацы и сидели.

Лёвы с ними не было. Он заболел, и его увели в медпункт. Валерка тоже не участвовал в обсуждении проблем кладоискательства; он без очков лежал на койке и смотрел в потолок. Пацы знали, что Валерка подрался с Лёликом и Гельбичем, поэтому морда у него побита, и он переживает. Пацы отнеслись к его неприятностям с пониманием, не смеялись и не дразнили.

Юрик Тонких подсел к Валерке.

— Приходи домой ко мне в гости, — пригласил он. — Будем вместе модель самолёта клеить. Я вот тебе свой адрес написал...

Юрик сунул Валерке в руку бумажку с адресом.

Из коридора наконец-то донёсся бодрый голос Ирины Михайловны:

— Ребята, выходим! Вещи свои не забываем! Пора на посадку!

Всё утро Ирина с Игорем по очереди бегали из корпуса на пирс, потому что на Волге Димон Малосолов спасал речной трамвайчик, то есть совершал подвиг. Ирина беспокоилась о Димоне, а Игорь — о трамвайчике.

Игорь ещё ночью вернул Димону ключи от теплохода, и Димон даже не заподозрил, что угон судна — дело рук Игоря. Трамвайчик, севший на мель, обнаружили пионеры, которые возвращались с Последнего костра по берегу, а не по дороге. Пионеры доложили Свистухе. Пока Свистуха сообразила, что к чему, уже начался рассвет. Свистуха разбудила капитана Капустина.

Разгневанный Капустин не смог ни в чём обвинить Димона. Димон — вот он, тут: трезвый и с ключами. Судно угнали хулиганствующие элементы. А Димон с лёгкостью заверил капитана, что не надо вызывать из города буксир: он сам сей же миг восстановит должностное благополучие капитана.

Димона распирало счастье. У него всё получилось с Ириной, и он готов был горы свернуть. Ирина сопровождала его на подвиг, утратив всякую потребность в независимости. На пирсе Димон героически разоблачился до синих семейников, взял ключи в зубы и вразмашку поплыл на трамвайчик. Ирина страшно волновалась, пока её возлюбленный преодолевал бушующие воды, взбирался на борт, затем заводил двигатель, на реверсе рывками умело стаскивал судно с мели и победно перегонял обратно к пирсу.

Димона не смутило то, что он увидел на теплоходе. Бывшие пиявцы, они же — хулиганствующие элементы, никуда не делись с трамвайчика. Они лишь расползлись по всему судну и лежали без сил на лавочках, у многих был жар, их трясло и тошнило. Обычные признаки похмелья. Всё ясно. Эта компашка проникла на теплоход, сломала дверь салона и перепилась какой-то отравы. Кто-то сдуру отшвартовал судно, и оно поплыло само по себе. Пьянчуги попытались спасти положение, выдавили лобовое стекло в рубке и пролезли к штурвалу, но без ключей не смогли завести двигатель, чтобы вернуться к пирсу. Трамвайчик вынесло на мель, а пьянчуги с горя ужрались в хлам.

Капитана Капустина эта версия событий вполне устроила. Игоря тоже.

Не поверила только Свистунова. Ладно — Беклемишев, он шпана, или Несветова, она строптивая; но как могли затеять попойку Максим и Кирилл, спортсмены? А примерный Хлопов или культурный Стаховский? А девочки из средних отрядов, в конце концов?.. Нет, картинка не складывалась. Эти алкаши — они из списка доктора Носатова; что ж, пускай тогда доктор с ними и возится. Смена завершалась, и надо выбросить всё из головы. Свистуха отослала похмельных к доктору и предпочла ничего странного не заметить.

По пути на пирс Игорь заскочил к бабе Нюре на пищеблок. Баба Нюра успела до прихода поварих привести столовую в порядок. Игорь не решился сказать правду о гибели стратилата. Соврал. Дескать, вампир, запертый в пищеблоке, на заре рассыпался в пыль, и конец. Баба Нюра поверила. Она обняла Игоря и зарыдала. Игорь поглаживал её по спине и думал, что страх бабы Нюры теперь закончился. Баба Нюра свободна. А они с Валеркой — нет.

Когда по лагерной трансляции объявили о посадке на теплоход, Ирина поручила Игорю строить отряд на дорожке у корпуса, а сама направилась в изолятор за Маринкой Лебедевой и Лёвой Хлоповым, бывшими пиявцами. Пионеры с чемоданами и сумками высыпались на улицу. Валерка встал в пару с Вовкой Макеровым — они за смену не подружились, и потому Валерка мог сейчас молчать. Один из всего отряда, он повязал пионерский галстук. А ещё он незаметно разорвал на клочки записку с адресом Юрика. Не нужно ему знать этот адрес. А Юрику не нужно приглашать его в свой дом.

Наглый Гельбич, разрушая строй, протолкался к Валерке.

— Ну чё ты, Валерыч? — обиженно сказал он, будто Валерка был перед ним виноват. — Это же всё фигня!

Он протянул Валерке руку. Понятно было, что ему хочется помириться. Валерка ответил Веньке спокойным рукопожатием:

— Замётано.

По отряду зашелестел шепоток: «Гельбич Лагунова избил, а теперь прощения просит! Гельбич захлыздил! Гельбич плачет, боится тюрьмы!»

Анастасийка даже не оглянулась на Валерку. Она и утром на завтраке ни разу на него не поглядела. И Валерка на неё тоже не смотрел. Вчера ночью он привёл Анастасийку из пищеблока в корпус, уложил на своё место и ушёл, чтобы не вернуться к ней никогда. Ему надо вырвать Анастасийку из сердца.

Валерка чувствовал: теперь Анастасийка боится его. То, что она увидела ночью в пищеблоке, ошеломило её, разрушило её представления о мире. И сейчас Анастасийка напоминала Валерке избалованного котёнка, которого внезапно отлупил хозяин. Отлупил жестоко и беспричинно. Котёнок ничего не понимает и прячется от того, кто раньше ласкал, но вдруг превратился в живодёра. И пускай прячется. Котёнку найдётся другой хозяин, хороший. А у живодёра внутри всё горело от боли и тоски.

Мимо по аллее, оживлённо гомоня, прошёл третий отряд.

— Двигаем! — скомандовал Игорь Александрович.

Четвёртый отряд потянулся вслед за третьим.

На пирсе, наблюдая за посадкой пионеров, стояли Свистуха, физрук Руслан, старшая воспитательница и доктор Носатов. В сторонке радиотехник Саня смущённо шептался с вожатой Леночкой. Директор Колыбалов не присутствовал. Серпа Иваныча, разумеется, тоже не было. Но его никто здесь и не ждал. Он же старик, ему эти проводы уже не по здоровью.

Игорь подумал, что Иеронова хватятся, наверное, только вечером, когда тот не придёт ужинать. И нигде в лагере его не найдут. Потом, скорее всего, нагрянут следователи с собаками, обшарят берег и лес, но так ничего и не отыщут. Вампир сгорел в пионерском костре дотла, а дым развеялся в небе. И странное дело о пропаже всесоюзного пенсионера в итоге сдадут в архив, так и не разгадав тайны. Родни-то у старика нет, печалиться некому.

— Внимание, Игорёха, — радушно распоряжался Димон, — твоих пионэров велено на верхнюю носовую! Иришка с больными уже там! Не толкаться!

Игорь уступил инициативу Димону и не вмешивался.

К Игорю незаметно приблизился доктор Носатов.

— Всё закончилось? — спросил он словно ни о чём.

— Закончилось, — подтвердил Игорь.

Он спустился в кормовой салон, отведённый третьему отряду. Дети галдели. Вероника втиснулась в угол, кутаясь в куртку, и прижимала к губам платок. Лицо её было бесцветным и влажным от пота. Как и всех несчастных пиявцев, Веронику бросало из жара в холод, трясло в ознобе и выворачивало наизнанку. От чужой крови похмелье было похлеще, чем от водки.

Игорь присел рядом на краешек лавочки.

— Ты как? — спросил он.

— Проще сдохнуть, — ответила она.

Она положила свою мокрую, холодную ладонь поверх его ладони и сплела свои мокрые, холодные пальцы с его пальцами.

Откуда-то сразу подскочил Саша Плоткин.

— Корзухин, ты что, не видишь, что она болеет? — ревниво зашипел он. — Иди давай отсюда на своё место!

— Ты, Саша, сам иди на своё место, — вдруг тихо сказала Вероника.

— Ты о чём? — не понял Саша. — Моё место здесь!

— Где угодно, только не здесь...

— Да как не здесь-то?! — праведно возмутился Саша.

— Плоткин, отвяжись от неё, — устало пояснил Игорь. — Совсем тупой, что ли? Ты ей не нужен. Не только сейчас, а вообще. Ну, отвали нафиг, а?

За стенкой мощно зарокотал двигатель, по бортам поползла вибрация. Игорь почувствовал под полом салона вращающуюся ось гребного вала. Теплоход содрогнулся, всей махиной отделяясь от пирса. Пацаны кучами кинулись к окнам, восхищённо разглядывая пенные завихрения волн.

ПИЩЕБЛОК

Судно отрабатывало прочь от берега. Свистуха, физрук, доктор, воспитательница и радиотехник Саня махали трамвайчику, и с верхних палуб в ответ кричали пионеры. Капитан квакнул ревуном. Прощай, пионерлагерь.

День выдался облачный и ветреный. Плоскость взъерошенной Волги стала непроницаемо-сизой. Казалось, что хмурое пространство озабочено чем-то своим, и люди ему безразличны. Форштевень с брызгами разваливал волны пополам. Метались и вопили чайки, но их сносило в сторону.

— У кого есть свитера — наденьте, — приказала Ирина Михайловна.

Валерка встал и подошёл к ограждению палубы. Ирина покосилась на него, но не запретила. Лагунов сегодня держался с каким-то ожесточённым отчуждением, потому Ирина решила с ним не связываться.

Под крылом надстройки показался Игорь. Он поднялся на палубу и остановился рядом с Валеркой. Вдали за полосой воды тянулась зубчатая линия леса. Фигурные домики пионерлагеря уже уползли куда-то назад.

— Что-нибудь чувствуешь? — спросил Игорь.

— Ничего, — Валерка пожал плечами. — Всё как обычно.

Но всё было не как обычно. Оба они это знали.

Игорь положил руку на тонкое и твёрдое плечо Валерки.

— Что у тебя на душе, Валер?

Валерка помолчал. Ветер шевелил концы его красного галстука.

— Я не хочу пить кровь, — сказал Валерка. — Не хочу, как Серп Иваныч.

«Серп Иваныч» прозвучало так, будто Иеронов был ему дедушкой.

— Я твой друг, — Игорь сжал Валерке плечо, чтобы тот ощутил крепость этого обещания. — Я тебя не брошу. Мы будем бороться вместе.

Валерка опустил голову, словно обессилел.

— Серп Иваныч перестал быть стратилатом, — тихо произнёс он. — Серп Иваныч превратился в моего пиявца и выполнил мой приказ. Значит, можно перестать быть стратилатом. Надо только найти способ.

— Я же говорю: я с тобой, — повторил Игорь.

Он глубоко вдохнул свежесть волжского простора и подумал, что они с Валеркой справятся. Древнее зло не может одолеть человека, если человек не уступает ему свою волю. Им с Валеркой хватит упрямства и для другой битвы. Они победят. Победят — и проживут огромную и прекрасную жизнь. После восьмидесятого года придёт и девяностый, а после девяностого — двухтысячный. Они увидят, как сменятся тысячелетия, и всё вокруг станет новым, совершенно новым. Как много ещё времени у них впереди! Будет и две тысячи первый год, и две тысячи второй, и две тысячи десятый, и две тысячи двадцатый... И там, в невообразимом две тысячи двадцатом, всё, что происходит сейчас, уже покажется старой доброй сказкой. И они безмятежно рассмеются, вспоминая, словно сквозь радужную мглу, как однажды жарким олимпийским летом они храбро сражались с вампиром.

Оглавление

Часть пятая
СМЕРТЬ ВАМПИРА

Литературно-художественное издание

Иванов Алексей Викторович

ПИЩЕБЛОК

Роман

16+

Главный редактор *Елена Шубина*
Редактор *Алексей Портнов*
Художественный редактор *Константин Парсаданян*
Корректоры *Анна Булгакова, Надежда Власенко*
Компьютерная вёрстка *Елены Илюшиной*

 http://facebook.com/shubinabooks

 http://vk.com/shubinabooks

Подписано в печать 30.10.2018. Формат 84х108/32.
Печать офсетная. Бумага офсетная. Усл. печ. л. 21,84.
Тираж 30 000 экз. Заказ № 10512.

ООО «Издательство АСТ»
129085, г. Москва, Звёздный бульвар, дом 21, строение 1, комната 705, пом. I, 7 этаж
Наш электронный адрес: www.ast.ru
Интернет-магазин: www.book24.ru

«Баспа Аста» деген ООО
129085, Мәскеу к., Звёздный бульвары, 21-үй, 1-құрылыс, 705-бөлме, I жай, 7-қабат
Біздің электрондық мекенжайымыз: www.ast.ru
E-mail: astpub@aha.ru

Интернет-магазин: www.book24.kz
Интернет-дүкен: www.book24.kz
Импортёр в Республику Казахстан ТОО «РДЦ-Алматы».
Қазақстан Республикасы сындағы импорттаушы «РДЦ-Алматы» ЖШС.
Дистрибьютор и представитель по приему претензий на продукцию в Республике Казахстан:
ТОО «РДЦ-Алматы»

Қазақстан Республикасында дистрибьютор және өнім
бойынша арыз-талаптардықабылдаушынынөкілі
«РДЦ-Алматы» ЖШС, Алматы к., Домбровский көш., 3 «а», литер Б, офис 1.
Тел.: +8(727) 2515989, 90, 91, 92, факс: +8(727) 2515812, доб. 107
E-mail: RDC-Almaty@eksmo.kz
Өнімнің жарамдылық мерзімі шектелмеген.

Өндірген мемлекет: Ресей

Отпечатано в АО «Первая Образцовая типография»,
филиал «УЛЬЯНОВСКИЙ ДОМ ПЕЧАТИ». 432980, г. Ульяновск, ул. Гончарова, 14

Алексей Иванов

НЕНАСТЬЕ

2008 год. Простой водитель, бывший солдат Афганской войны, в одиночку устраивает дерзкое ограбление спецфургона, который перевозит деньги большого торгового центра. Так в миллионном, но захолустном городе Батуеве завершается долгая история могучего и деятельного союза ветеранов Афганистана — то ли общественной организации, то ли бизнес-альянса, то ли криминальной группировки: в "лихие девяностые", когда этот союз образовался и набрал силу, сложно было отличить одно от другого.

Но роман не про деньги и не про криминал, а про ненастье в душе. Про отчаянные поиски причины, по которой человек должен доверять человеку в мире, где торжествуют только хищники, — но без доверия жить невозможно. Роман о том, что величие и отчаянье имеют одни и те же корни. О том, что каждый из нас рискует ненароком попасть в ненастье и уже не вырваться оттуда никогда, потому что ненастье — это убежище и ловушка, спасение и погибель, великое утешение и вечная боль жизни.

Алексей Иванов